Coleção
SHERLOCK HOLMES

1. Um Estudo em Vermelho
2. O Signo dos Quatro
3. As Aventuras de Sherlock Holmes
4. O Cão dos Baskerville
5. O Vale do Medo

AS AVENTURAS DE
SHERLOCK HOLMES

Diretor editorial
Henrique Teles

Produção editorial
Eliana Nogueira

Arte gráfica
Bernardo Mendes

Adaptação e Revisão
Mariângela Belo da Paixão

Tradução
Júlia Rajão

EDITORA GARNIER
Belo Horizonte
Rua São Geraldo, 53/67 - Floresta - Cep.: 30150-070 - Tel.: (31) 3212-4600
e-mail: vilaricaeditora@uol.com.br

Arthur Conan Doyle

AS AVENTURAS DE
SHERLOCK HOLMES

GARNIER
desde 1844

Dados Internacionais de Catalogação na Publicação (CIP) de acordo com ISBD

Doyle, Arthur Conan

H749a As aventuras de Sherlock Holmes - Belo Horizonte - MG : Garnier, 2020.

275 p. ; 14cm x 21cm.

ISBN: 978-65-86588-59-0

1. Literatura inglesa. 2. Ficção. I. Título.

CDD 823.91

2020-2830

CDU 821.111-3

Índice para catálogo sistemático:

1. Literatura inglesa : ficção 823.91
2. Literatura inglesa : ficção 821.111-3

Copyright © 2020 Editora Garnier.

Todos os direitos reservados pela Editora Garnier.
Nenhuma parte desta publicação poderá ser reproduzida
sem a autorização prévia da Editora.

Sumário

I. UM ESCÂNDALO NA BOÊMIA......................... 9

II. A LIGA DOS RUIVOS........................... 32

III. UM CASO DE IDENTIDADE 55

IV. O MISTÉRIO DO VALE BOSCOMBE........................... 73

V. AS CINCO SEMENTES DE LARANJA 97

VI. O HOMEM DO LÁBIO TORCIDO..................116

VII. A AVENTURA DO CARBÚNCULO AZUL 139

VIII. A AVENTURA DA BANDA MANCHADA..................159

IX. A AVENTURA DO POLEGAR DO ENGENHEIRO 184

X. A AVENTURA DO NOBRE SOLTEIRÃO 205

XI. A AVENTURA DO DIADEMA DE BERILO 226

XII. A AVENTURA NAS FAIAS DE COBRE 250

I

UM ESCÂNDALO NA BOÊMIA

CAPÍTULO I

Para Sherlock Holmes, ela é sempre *a mulher*. Eu raramente o ouvi referir-se a ela pelo nome. Aos olhos dele, ela ofusca e predomina o sexo feminino. Não que ele sentisse qualquer emoção, semelhante ao amor, por Irene Adler. Todas as emoções, e o amor em particular, eram repugnantes para sua mente fria, precisa, mas admiravelmente equilibrada.

Ele é a máquina de raciocínio e observação mais perfeita que o mundo já viu, mas como amante, ele deixa a desejar. Ele nunca falou das paixões mais doces, exceto com um tom de zombaria. Os sentimentos são coisas admiráveis para o observador — perfeitos para revelar os motivos e as ações dos homens. Para o seu raciocínio treinado, admitir tais intromissões, em seu temperamento peculiar, é introduzir um fator de distração que poderia pôr em dúvida todos os seus julgamentos. Um grão de areia em um instrumento sensível ou uma trinca em uma de suas lupas de alta potência, não seria mais perturbador que uma emoção forte em uma natureza como a dele. Havia apenas uma mulher para ele, e essa mulher a falecida Irene Adler, de memória duvidosa e questionável.

Eu tinha visto, o meu amigo, Holmes poucas vezes nos últimos tempos. Meu casamento nos afastou. Minha completa felicidade e os interesses, centrados no lar, que surgiram ao redor do homem que pela primeira vez se viu dono de sua casa, foram suficientes para absorver toda a minha atenção. Holmes, que detestava toda forma de sociedade com sua alma boêmia, permaneceu em Baker Street, enterrado entre seus livros antigos, e alternando, semana a semana, cocaína e ambição, sonolência da droga e energia feroz de sua própria natureza aguçada.

Ele ainda estava, como sempre, profundamente atraído pelo estudo do crime. Servia-se de sua formidável mente e usava seus extraordinários poderes de observação para seguir pistas e esclarecer os mistérios que haviam sido considerados indecifráveis pela polícia oficial. Às vezes eu ouvia vagos relatos de seus feitos: de sua convocação a Odessa no caso do assassinato de Trepoff, da solução que dera à tragédia dos irmãos Atkinson em Trincomalee e, também sobre a missão que ele havia cumprido tão cuidadosamente e com absoluto sucesso para a família reinante da Holanda. Além desses sinais de sua atividade, que eu apenas compartilhei com todos os leitores da imprensa diária, eu pouco sabia sobre meu amigo e antigo companheiro.

Uma noite — em 20 de março de 1888 — eu estava voltando de uma visita a um paciente, pois já havia retornado à prática da medicina privada, e meu caminho me levou à Baker Street. Quando passei pela porta, da qual bem lembrava e que sempre estará associada à corte a minha amada, e aos incidentes sombrios do *Um estudo em vermelho*, senti um grande desejo de ver Holmes novamente e de saber como ele estava empregando seus poderes extraordinários. Seus aposentos estavam iluminados e, quando olhei para cima, vi sua figura alta e esguia passar duas vezes em uma silhueta escura contra a cortina.

Ele estava andando pela sala rapidamente, ansiosamente, com a cabeça afundada no peito e com as mãos para trás. Para mim, que conhecia todos os seus humores e hábitos, sua atitude e modos falavam por si mesmos. Ele estava no trabalho novamente. Ele havia ressuscitado de seus sonhos criados pela droga e estava entusiasmado com o desafio de algum novo problema. Toquei a campainha e fui levado até a sala que já fizera parte do meu dia a dia.

Sua maneira não era efusiva. Raramente era; mas ele ficou feliz, penso, em me ver. Praticamente sem uma palavra, mas com um olhar gentil, ele me indicou uma poltrona, jogou-me seu estojo de charutos, mostrou-me uma garrafa de bebida e um gasogênio em um canto. Parou diante da lareira e me examinou a sua maneira singular.

— O casamento lhe fez bem — comentou. Eu acho, Watson, que você ganhou sete quilos e meio desde a última vez que te vi.

— Sete! — eu respondi.

— Na verdade, eu deveria ter pensado um pouco mais. Só um pouquinho mais, Watson. E você está na prática novamente, eu observo. Você não me disse que pretendia voltar a clinicar.

— Como você sabe?

— Eu vejo, deduzo. Como também sei que você está se molhando ultimamente e que tem uma criada incompetente e descuidada?

— Meu querido Holmes —, isso é demais. Você certamente teria sido queimado, se tivesse vivido alguns séculos atrás. É verdade que eu fiz um passeio pelo campo na quinta-feira e voltei para casa muito sujo, mas como troquei de roupa não consigo imaginar como você deduziu isso. Quanto a Mary Jane, ela é incorrigível, e minha esposa a dispensou, mas também não entendo como você pode saber isto.

Ele riu para si mesmo e esfregou as mãos longas e agitadas.

— É simples. Meus olhos veem que no interior do seu sapato esquerdo, exatamente onde a luz do fogo bate, o couro é pontuado por seis cortes quase paralelos. Obviamente, eles foram causados por alguém que raspou sem nenhum cuidado as bordas da sola para remover a lama seca. Portanto, minha dupla dedução: você esteve andando sob uma tempestade e uma criada particularmente ruim, limpou seus sapatos.

— Quanto a sua prática médica: se um cavalheiro entrar em minha sala com cheiro de iodofórmio, com uma marca negra de nitrato de prata no dedo indicador direito e uma protuberância no lado direito da cartola mostrando onde ele guardou o estetoscópio, eu seria, de fato, um tolo se não o identificasse como um ativo médico.

Não pude deixar de rir da facilidade com que ele explicou seu processo de dedução.

— Quando ouço você explicar seus motivos — observei — a coisa sempre me parece tão ridiculamente simples que tenho a impressão de que poderia fazer o mesmo; mas a cada etapa sucessiva de seu raciocínio, fico perplexo até que você explique seu processo. No entanto, acredito que meus olhos são tão bons quanto os seus.

— Sim — ele respondeu, acendendo um cigarro e jogando-se em uma poltrona. Você vê, mas não observa. A distinção é clara.

— Por exemplo, você já viu muitas vezes os degraus que o conduzem do corredor a esta sala.

— Muitas.

— Com que frequência?

— Algumas centenas de vezes.

— Quantos são?

— Quantos? Eu não sei.

— Sim! Você não observou. E já viu inúmeras vezes. Este é exatamente o ponto.

— Eu sei que existem dezessete degraus, porque eu os vi e observei.

— A propósito, como você se envolve com estes pequenos detalhes e já narrou uma ou duas de minhas experiências, pode estar interessado nisto.

Ele jogou-me uma folha de papel grosso, cor-de-rosa, que estava aberto sobre a mesa.

— Chegou pelo último correio — disse ele. — Leia em voz alta.

A mensagem estava sem data, sem assinatura ou endereço.

— Hoje às quinze para as oito horas, irá procurá-lo um cavalheiro que deseja consultá-lo sobre uma questão da mais profunda importância. Seus recentes serviços a uma das Casas Reais da Europa mostraram que você é confiável para assuntos relevantes. Sua avaliação também nos chegou através de várias outras fontes. Esteja em sua casa a esta hora e não se espante se o visitante usar uma máscara.

— É realmente um mistério. O que acha que isto significa?

— Ainda não tenho dados. É um erro teorizar antes de se ter dados. Sem perceber, começa-se a distorcer fatos para adequá-los às teorias, em vez de considerar as teorias para adequá-las aos fatos. Mas a nota em si? O que você deduz a partir dela?

Examinei cuidadosamente a redação e o papel em que foi redigida.

— O homem que a escreveu provavelmente tem posses — comentei — tentando imitar os métodos do meu companheiro. Esse papel não pode ter sido comprado por menos de meia coroa, o pacote. É particularmente forte e grosso.

— Peculiar — essa é a própria palavra — disse Holmes. Não é um papel inglês. Segure-o contra a luz.

Assim fiz e vi um grande "E" com um pequeno "g", um "P" e um grande "G" com um pequeno "t" entrelaçados na textura do papel.

— O que acha disto? — perguntou Holmes.

— O nome do criador, sem dúvida; ou o seu monograma.

— De modo nenhum. O "G" com o pequeno "t" significa *Gesellschaft*, que é a palavra para "Company" em alemão. É uma contração habitual como o nosso "Cia.". O "P", é claro, significa "Papier". Falta o "Eg". Vamos dar uma olhada no nosso Continental Gazetteer.

Ele pegou um volume marrom pesado de suas prateleiras.

— Eglow... Eglonitz... achei... Egria. É uma região de língua alemã — na Boêmia, não muito longe de Carlsbad. Notável por ter sido o local da morte de Wallenstein e por suas numerosas fábricas de vidro e de papel. Ha, ha... o que lhe parece?

Seus olhos brilhavam e ele soltou uma grande nuvem azul de fumaça de seu charuto.

— O papel foi fabricado na Boêmia — eu disse.

— Precisamente. E o homem que escreveu a mensagem é alemão. Você nota a construção peculiar da sentença: "Sua avaliação também nos chegou através de várias outras fontes". Um francês ou russo não escreveria assim. É o alemão que é tão descortês com seus verbos. Resta descobrir o que quer esse alemão que escreve em papel boêmio e prefere usar uma máscara a mostrar o rosto. E aí vem ele, se não me engano, para esclarecer todas as nossas dúvidas.

Enquanto ele falava, ouvimos o som de cascos de cavalos e o ranger de rodas raspando contra o meio-fio, seguidos de um toque de campainha. Holmes assobiou.

— Uma parelha, pelo som. Sim — ele continuou — olhan-do pela janela. Uma bela carruagem e um par de vigorosos cavalos. Cento e cinquenta guinéus cada um. Há dinheiro neste caso, Watson, se não houver mais nada.

— Acho melhor eu ir, Holmes.

— Não acho doutor. Fique onde está. Sinto-me perdido sem o meu *Boswell*. E isso promete ser interessante. Seria uma pena se perdesse.

— Mas seu cliente...

— Não importa. Eu posso querer sua ajuda, e ele também. Aí vem ele. Sente-se nesta poltrona, doutor, e dê-nos sua atenção.

Um passo lento e pesado, ouvido nas escadas e no corredor, parou imediatamente do lado de fora da porta. Então houve um toque alto e autoritário.

— Entre! — disse Holmes.

Entrou um homem que dificilmente teria menos de um metro e oitenta e cinco de altura, com o peito e os membros de um Hércules. Vestia-se luxuosamente, o com uma riqueza que, na Inglaterra, seria vista como de mau gosto. Pesadas faixas de astracã enfeitavam as mangas e as lapelas de seu casacão. A capa azul que estava sobre seus ombros era forrada de seda cor de fogo e se prendia a altura do pescoço por um broche que consistia em um único esplendoroso berilo. As botas, que se estendiam até a metade das panturrilhas, tinham um rico acabamento de pele marrom e completavam a impressão de toda a opulência, sugerida por sua aparência. Ele carregava um chapéu de abas largas na mão. Usava na parte superior do rosto, passando pelas maçãs, uma máscara preta de vizard que, aparentemente, ele ajustara antes de entrar, pois sua mão ainda estava sobre ela. Examinando a parte inferior do rosto, ele parecia ser um homem de caráter forte. Tinha lábios grossos e pendentes e um queixo longo e reto, sugestivo de resolução e até mesmo de obstinação.

— Você recebeu meu bilhete? — ele perguntou com uma voz profunda e severa e um sotaque alemão fortemente marcado. Eu avisei que viria.

Ele olhou para um e outro sem saber a quem dirigir.

— Por favor, sente-se — disse Holmes. — Este é meu amigo e colega, Dr. Watson, que ocasionalmente me ajuda nos meus casos. Com quem tenho a honra de falar?

— Pode me chamar de conde Von Kramm, um nobre boêmio. Entendo que este senhor, seu amigo, é um homem de honra e discrição a quem posso confiar uma questão da mais extrema importância. Do contrário, prefiro falar-lhe a sós.

Levantei-me para ir embora, mas Holmes me pegou pelo braço e empurrou-me de volta para a poltrona.

— Ambos ou nenhum. Pode dizer diante deste senhor qualquer coisa que diria apenas a mim.

O conde sacudiu os largos ombros.

— Vou começar pedindo, aos dois, segredo absoluto por dois anos; no final desse período, o assunto não terá mais importância. No entanto, no momento, é de tal gravidade que pode influenciar o rumo da história da Europa.

— Eu prometo total sigilo — disse Holmes.

— Eu também — disse Watson.

— Desculpem o uso desta máscara — continuou nosso estranho visitante. A augusta pessoa, a quem sirvo, deseja que seu agente seja desconhecido e agora posso confessar que o título que me dei não é exatamente meu.

— Estava ciente disto — disse Holmes secamente.

— As circunstâncias são de grande delicadeza e todas as precauções devem ser tomadas para evitar um imenso escândalo e comprometer seriamente uma das famílias reinantes da Europa. O assunto envolve a grande Casa de Ormstein, reis hereditários da Boêmia.

— Também sabia disto — murmurou Holmes, sentando-se na poltrona e fechando os olhos.

Nosso visitante olhou, com aparente surpresa, a figura lânguida e relaxada do homem que lhe fora descrito como um detetive de raciocínio incisivo e de maior energia da Europa. Holmes lentamente reabriu os olhos e olhou impaciente para o seu gigantesco cliente.

— Se Vossa Majestade condescender em declarar o seu caso, eu poderei aconselhá-lo.

O homem saltou da cadeira e andou de um lado ao outro da sala com uma agitação incontrolada. Então, com um gesto de desespero, ele arrancou a máscara do rosto e a jogou no chão.

— O senhor está certo. Eu sou o Rei. Por que deveria esconder?

— Por quê? — Holmes murmurou. Antes que Vossa Majestade dissesse qualquer coisa eu já sabia que me dirigia ao Wilhelm Gottsreich Sigismond von Ormstein, grão-duque de Cassel-Felstein e Rei hereditário da Boêmia.

— O senhor pode entender — disse o nosso estranho visitante, sentando-se novamente e passando a mão sobre a testa alta e branca. Eu não estou acostumado a tratar de assuntos importantes pessoalmente. No entanto, o assunto é tão delicado que eu não poderia confiá-lo a um agente sem me colocar em seu poder. Eu vim incógnito de Praga com a finalidade de consultá-lo.

— Por favor, fale — disse Holmes, fechando os olhos novamente.

— Os fatos são os seguintes: cerca de cinco anos atrás, durante uma longa visita a Varsóvia, conheci a aventureira Irene Adler. O nome é sem dúvida familiar para você.

— Por favor, procure-a no meu índice, doutor — murmurou Holmes sem abrir os olhos.

Por muitos anos, ele adotou um sistema de fichar informações sobre pessoas e fatos, de modo que era difícil nomear um assunto ou uma pessoa sobre a qual ele não poderia pesquisar imediatamente. Encontrei a biografia, da senhora mencionada, imprensada entre a de um rabino hebreu e a de um comandante do estado-maior que havia escrito uma monografia sobre os peixes do fundo do mar.

— Deixe-me ver! — disse Holmes. Hum! Nascida em Nova Jersey no ano de 1858. Contralto...La Scala...Ópera Imperial Prima Donna de Varsóvia. Sim! Retirou-se do palco operístico. — Vivia em Londres — é verdade! Vossa Majestade, pelo que entendi, ficou enredada com essa jovem, escreveu-lhe algumas cartas comprometedoras e agora deseja reavê-las.

— Precisamente. Mas como...

— Houve um casamento secreto?

— Não.

— Não há documentos ou certidões legais?

— Nenhum.

— Então não o entendo, Majestade. Se essa jovem ameaçar expor suas cartas para chantageá-lo ou outros fins, como ela pode provar suas autenticidades?

— Existe a caligrafia.

— Alegue falsificação.

— E meu papel de cartas particular?

— Roubado.

— Meu próprio selo?

— Imitado

— Minha fotografia?

— Comprada.

— Nós dois estávamos na fotografia.

— Isso é muito ruim! Vossa Majestade de fato cometeu uma indiscrição.

— Eu estava louco...insano.

— Comprometeu-se seriamente.

— Eu era apenas o príncipe herdeiro. Era muito jovem. Hoje tenho só trinta anos.

— A fotografia deve ser recuperada.

— Tentamos e falhamos.

— Vossa Majestade deve comprá-la. Pague por ela.

— Ela não venderá.

— É preciso roubá-la, então.

— Cinco tentativas foram feitas. Duas vezes paguei ladrões para vasculharem sua casa. Uma vez desviamos sua bagagem quando viajava. Duas vezes ela foi assaltada. Não houve resultado.

— Nenhum sinal da fotografia?

— Absolutamente nenhum.

— É um problema atraente — disse Holmes sorrindo.

— Mas é um assunto muito sério para mim — replicou o Rei em tom de reprovação.

— Muito mesmo. E o que ela propõe fazer com a fotografia?

— Me arruinar.

— Como?

— Estou prestes a me casar.

— Ouvi dizer.

— Com Clotilde Lothman von Saxe-Meningen, segunda filha do Rei da Escandinávia. O senhor deve conhecer os rígidos princípios desta família. Ela é a própria delicadeza. Uma sombra de dúvida quanto a minha conduta colocaria um fim no assunto.

— E Irene Adler?

— Ameaça enviar a fotografia para a família. E ela o fará. Eu sei que ela fará isto. O senhor não a conhece, mas ela tem uma alma de aço. Tem o rosto da mais bela das mulheres e a mente do mais resoluto dos homens. Para impedir meu casamento com outra mulher, é capaz de tudo... de tudo.

— Tem certeza de que ela ainda não enviou a fotografia?

— Sim, tenho certeza.

— Por quê?

— Porque ela disse que o enviaria no dia em que o noivado fosse proclamado publicamente. Isso será na próxima segunda-feira.

— Oh, então ainda temos três dias — disse Holmes com um bocejo. É muito bom, pois tenho um ou dois assuntos importantes para resolver primeiro. Vossa Majestade ficará em Londres por enquanto?

— Certamente. O senhor vai me encontrar no Langham com o nome de Conde Von Kramm.

— Receberá informações sobre nossos progressos.

— Por favor, faça isso. Aguardarei com ansiedade.

— E quanto ao custo?

— O senhor tem *carta branca*.

— Totalmente?

— Digo-lhe que daria uma das províncias do meu reino por esta fotografia.

— E para as despesas imediatas?

O Rei pegou uma pesada bolsa de couro sob a capa e colocou-a sobre a mesa.

— São trezentas libras em ouro e setecentas em papel — disse ele.

Holmes rabiscou um recibo em uma folha do caderno e entregou a ele.

— E o endereço de *mademoiselle*?

— É Briony Lodge, Serpentine Avenue, St. John's Wood.

Holmes tomou nota.

— Mais uma pergunta: a fotografia é de bom tamanho?

— Sim.

— Então, boa noite, Majestade, acredito que em breve teremos boas notícias.

— Boa noite, Watson — acrescentou, enquanto as rodas da carruagem real rolavam pela rua. — Se puder me fazer o favor de vir aqui amanhã à tarde, às três horas gostaria de conversar sobre esse assunto com você.

CAPÍTULO II

Às três horas eu estava na Baker Street, mas Holmes ainda não havia retornado. A proprietária me informou que ele havia saído de casa pouco depois das oito horas da manhã. Sentei-me ao lado do fogo com a intenção de esperá-lo, mesmo que demorasse muito. Eu estava profundamente interessado em sua investigação, embora não estivesse cercada por nenhuma das características sombrias e estranhas associadas aos dois crimes nos quais eu já o havia ajudado. A natureza do caso e a importante posição que ocupava o envolvido deu-lhe um caráter peculiar.

De fato, qualquer que fosse a natureza da investigação que meu amigo tinha em mãos, havia, sempre, algo em sua compreensão magistral da situação e no seu raciocínio agudo e incisivo, que me agradava estudar. Seu sistema de trabalho, e seus métodos rápidos e sutis através dos quais ele desembaraçava os mistérios mais inextricáveis ainda me surpreendiam. Eu estava tão acostumado ao seu sucesso que a possibilidade de seu fracasso não existia para mim.

Eram quase quatro horas quando a porta se abriu e um cavalariço de aparência bêbada, maltratado, com suíças, um rosto avermelhado e roupas mal arrumadas, entrou na sala. Mesmo acostumado com os resultados surpreendentes do meu amigo, no uso de disfarces, tive que olhar três vezes antes de ter certeza de que realmente era ele. Com um aceno de cabeça ele entrou no quarto. Saiu de lá, após cinco minutos, usando um respeitável terno de *tweed*, como de costume. Colocando as mãos nos bolsos, ele esticou as pernas em frente ao fogo e riu, com vontade, por alguns minutos.

— Olha!... — exclamou, engasgando-se e rindo de novo até ser obrigado a recostar-se, mole e cansado, na cadeira.

— O que aconteceu?

— É muito engraçado. Tenho certeza de que você nem imagina como trabalhei nesta manhã e o que acabei fazendo.

— Não sei. — Suponho que você esteve observando os hábitos, e talvez a casa, da senhorita Irene Adler.

— Sim; mas a sequência foi bastante incomum.

— Vou lhe dizer: saí de casa um pouco depois das oito horas da manhã, como um cavalariço desempregado. Há uma maravilhosa empatia entre homens cavaleiros. Seja um deles, e você saberá tudo o que há para saber.

— Logo encontrei a Briony Lodge. É uma vila luxuosa, com um jardim na parte de trás e uma construção na frente, junto à rua, com dois andares. Tem uma ampla sala de estar do lado direito, bem mobiliada, com janelas compridas quase ao chão com trancas inglesas que até uma criança consegue abrir. Atrás, não havia nada de extraordinário, exceto que a janela da passagem podia ser alcançada a partir do topo da cocheira. Eu andei em volta da casa e examinei tudo atentamente, de todos os pontos de vista, sem notar nada mais de interessante.

— Então desci a rua e descobri, como eu esperava, que havia estrebarias em uma pista que desce rente ao muro do jardim. Ajudei os tratadores, escovando os cavalos, e recebi em troca dois centavos, um copo de meio a meio, dois enchimentos de tabaco de qualidade ruim e todas as informações que eu pudesse desejar sobre a Srta. Adler, e de mais uma meia dúzia de outras pessoas, da vizinhança, nas quais eu não estava nem um pouco interessado, mas cujas biografias eu fui obrigado a ouvir.

— E quanto a Irene Adler? — eu perguntei.

— Ela virou a cabeça de todos os homens daquele lugar. Ela é a coisa mais linda que já se viu neste planeta...assim dizem os cavalariços de Serpentine. Ela vive discretamente, canta em shows, sai de coche às cinco, todos os dias, e volta às sete em ponto para o jantar. Raramente sai em outros momentos, exceto para cantar. Tem apenas um visitante masculino, mas este é assíduo. Ele é moreno, bonito e elegante, nunca a frequenta menos de uma vez por dia e, normalmente duas. Ele é o Sr. Godfrey Norton, do *Inner Temple*.

— Veja as vantagens de ter um cocheiro como confidente. Eles já o levaram para casa, uma dúzia de vezes, depois de sair de Serpentine, e sabiam tudo sobre ele. Depois de ouvir todas as histórias que tinham para contar, comecei a andar, de um lado ao outro, perto de Briony Lodge, para refletir sobre meu plano de ação.

— Esse Godfrey Norton é evidentemente um fator importante no assunto. Ele é advogado. Isso parecia ameaçador. Qual é a relação entre eles e qual o objetivo de suas repetidas visitas? Ela é sua cliente, amiga ou amante?

— Na primeira hipótese, ela provavelmente transferiu a fotografia para sua guarda. Na última, é menos provável. Dessa questão dependia se eu continuaria meu trabalho na Briony Lodge ou voltaria minha atenção para os escritórios deste cavalheiro no *Temple*. Foi um ponto delicado e ampliou o campo da minha investigação. Receio ter incomodado você com esses detalhes, mas tenho que deixá-lo ver minhas pequenas dificuldades, se quiser entender a situação.

— Estou atento — respondi.

— Ainda estava organizando o assunto em minha mente quando um coche chegou a Briony Lodge e um cavalheiro desceu. Era um homem extraordinariamente bonito, moreno, de nariz aquilino e bigode — evidentemente o homem de quem eu tinha ouvido falar. Ele parecia estar com muita pressa, gritou para o cocheiro que o esperasse e passou pela empregada, que lhe abriu a porta, com o ar de quem estava completamente em casa.

— Ele ficou na casa cerca de meia hora, e eu pude vislumbrá-lo, pelas janelas da sala de estar, andando de um lado ao outro, conversando e agitando os braços. Dela eu não via nada. Quando saiu, parecia ainda mais desassossegado que antes. Quando se aproximou do coche, tirou um relógio de ouro do bolso e consultou-o. Dirija rapidamente — gritou. Primeiro para Gross & Hankey na Regent Street e depois para a Igreja de Santa Monica na Edgeware Road. Metade de um guinéu se fizer isso em vinte minutos!

— Eles foram embora, e eu ainda estava me perguntando se não deveria segui-los quando apareceu na rua um elegante landau. O cocheiro usava o casaco apenas meio abotoado e a gravata desatada. Os arreios estavam desafivelados. O carro mal havia parado quando ela disparou porta afora e enfiou-se nele. Eu só a vi por um momento, mas ela é uma mulher linda. Tem um rosto pelo qual um homem é capaz de morrer.

— Para a Igreja de Santa Mônica, John — ela gritou — e meio soberano, se você lá chegar em vinte minutos.

— Isso eu não podia perder, Watson. Estava pensando se deveria correr ou pendurar-me na traseira do landau quando um coche passou pela rua. O cocheiro olhou desconfiado para o freguês maltrapilho, mas entrei antes que ele pudesse se opor.

— Para a Igreja de Santa Mônica — eu disse — e meio soberano, se você chegar a ela em vinte minutos. Faltavam vinte e cinco para as doze e estava claro o que iria acontecer.

— O cocheiro dirigiu rápido. Acho que nunca dirigiu tão rápido, mas os outros chegaram antes de mim. Vi o coche e o landau, com seus cavalos ofegantes, em frente a porta da igreja. Paguei o homem e corri para a igreja. Não havia ninguém lá dentro, exceto os dois que eu havia seguido e um clérigo excêntrico, que parecia estar zangado com eles. Os três estavam em pé diante do altar. Fiquei no corredor lateral como qualquer pessoa que entra em uma igreja. De repente, para minha surpresa, os três que estavam no altar se voltaram para mim, e Godfrey Norton veio correndo em minha direção.

— Graças a Deus — ele exclamou. Você serve. Venha! Venha!

— Sirvo para o quê?

— Venha, homem, venha, em três minutos não será mais legal.

— Ele me arrastou até o altar e, antes de saber o que estava acontecendo, me vi murmurando respostas sussurradas em meu ouvido e atestando coisas das quais nada sabia e participando do enlace de Irene Adler, solteirona, com Godfrey Norton, solteiro.

—Tudo foi feito em um instante, e o cavalheiro me agradecia de um lado e a senhora do outro, enquanto o clérigo, em minha frente, sorria para mim. Foi a situação mais absurda em que já me encontrei em toda a minha vida, e foi essa lembrança que me fez rir agora.

— Parece que havia alguma irregularidade com a licença para o casamento, e o clérigo se recusava a casá-los sem uma testemunha. Minha presença salvou o noivo de ter que sair pelas ruas em busca de um padrinho.

— A noiva deu-me um soberano, que pretendo pendurar na corrente do meu relógio como lembrança da ocasião.

— Esta foi uma situação muito inesperada — disse eu. — E depois?

— Achei que meus planos estavam seriamente ameaçados. O casal poderia partir imediatamente e eu precisava tomar medidas rápidas e enérgicas. Na porta da igreja, no entanto, eles se separaram. Ele dirigindo-se de volta para o *Temple* e ela para sua própria casa. — "Vou sair para o Parque às cinco, como sempre" — disse ela ao deixá-lo. — Não ouvi mais nada, e fui tomar minhas providências.

— Quais providências?

— Um pouco de carne fria e um copo de cerveja — ele pediu, tocando a campainha. Tenho estado muito ocupado para pensar em comida, e provavelmente ainda estarei mais ocupado esta noite. A propósito, doutor, vou querer sua cooperação.

— Com o maior prazer.

— Você se importa de violar a lei?

— Nem um pouco.

— Nem se correr o risco de ser preso?

— Não, se for por uma boa causa.

— Oh, a causa é excelente!

— Então estou a sua disposição.

— Eu tinha certeza de que poderia contar com você.

— Mas o que quer?

— Quando a Sra. Turner trouxer a bandeja, lhe direi.

— Agora — ele disse, enquanto se virava avidamente para a comida simples que nossa senhoria havia providenciado — devo falar enquanto como, pois não tenho muito tempo. São quase cinco horas. Em duas horas, deveremos estar em cena. Miss Irene, ou Mrs. Norton volta de seu passeio às sete. Devemos estar na Briony Lodge para encontrá-la.

— E então?

— Deixe isso comigo. Eu já planejei tudo. Há apenas um ponto em que devo insistir: você não deve interferir, aconteça o que acontecer. Você entendeu?

— Devo ficar neutro?

— Não deve fazer absolutamente nada. Provavelmente haverá um pequeno tumulto. Não participe. Serei levado para dentro da casa. Quatro ou cinco minutos depois, a janela da sala será aberta. Você deve se posicionar perto desta janela.

— Sim.

— Você deve me observar. Estarei visível para você.

— Sim.

— Quando eu levantar a minha mão você jogará na sala o que eu lhe der, e, ao mesmo tempo, gritará "fogo". Você me entendeu?

— Perfeitamente.

— Não é nada muito formidável — disse ele tirando um longo rolo em forma de charuto do bolso.

— É um foguete de fumaça comum, equipado com uma cápsula em cada extremidade para que acenda sozinho.

— Sua tarefa está confinada a isto. Quando você der o alerta de fogo, ele será repetido por várias pessoas. Você pode então caminhar até o fim da rua, e eu me juntarei a você em dez minutos. Fui claro?

— Eu devo permanecer neutro, chegar perto da janela, observá-lo e, ao sinal, atirar este objeto, depois levantar o grito de fogo e esperar você na esquina da rua.

— Precisamente.

— Pode confiar inteiramente em mim.

— Isto é excelente. Acho que talvez esteja quase na hora de me preparar para o novo papel que tenho que desempenhar.

Ele desapareceu em seu quarto e voltou em poucos minutos no caráter de um clérigo amável e simplório. Seu largo chapéu preto, suas calças largas, sua gravata branca, seu sorriso simpático e o ar de curiosidade espontânea e benevolência eram como somente John Hare poderia fazer. Não foi apenas a roupa que Holmes mudou. Sua expressão, seus modos, sua própria alma pareciam transformar a cada personagem que ele assumia. O palco perdeu um bom ator, assim como a ciência perdeu um raciocínio agudo, quando ele se tornou um especialista em crimes.

Eram seis e quinze quando saímos da Baker Street e ainda faltavam dez minutos para as sete horas quando chegamos à Serpentine Avenue. Já estava anoitecendo, e as lâmpadas estavam sendo acesas enquanto caminhávamos de um lado ao outro em frente da Briony Lodge, esperando a chegada da sua moradora. A casa era exatamente como eu imaginara na descrição sucinta de Sherlock Holmes, mas a localidade parecia ser menos privada do que eu esperava. Pelo contrário, para uma pequena rua em um bairro tranquilo, era notavelmente movimentada. Havia um grupo de homens mal vestidos fumando e rindo em um canto, um amolador de tesouras com sua roda, dois guardas que flertavam com uma moça e vários jovens bem-vestidos que estavam caminhando, de um lado ao outro, com charutos na boca.

— Enquanto andávamos de um lado ao outro em frente à casa, Holmes disse: esse casamento simplifica bastante as coisas. A fotografia agora se torna uma arma de dois gumes. As chances são de que Irene seja tão avessa que a carta seja vista pelo Sr. Godfrey Norton, quanto o nosso cliente de que ela chegue aos olhos de sua princesa. Agora, a pergunta é: onde vamos encontrar a fotografia?

— Onde?

— É muito improvável que ela a carregue consigo. A fotografia é grande. Grande demais para ser escondida no vestido de uma mulher. — Ela sabe que o Rei é capaz de mandar atacá-la e revistá-la. Duas tentativas desse tipo já foram feitas. Podemos considerar, então, que ela não a traz.

— Onde estará então?

— Com seu banqueiro ou com seu advogado. Existe essa dupla possibilidade, mas não estou inclinado a acreditar nelas. As mulheres são naturalmente discretas e gostam de preservar seus segredos. Por que ela deveria entregá-la a alguém? Ela pode confiar em sua própria guarda, mas não saberia dizer que influência política ou indireta exerceria sobre um homem de negócios. Além disso, lembre-se de que ela estava decidida a usá-la brevemente. Deve estar em um lugar de fácil acesso. Deve estar em sua própria casa.

— Mas a casa já foi assaltada e vasculhada por duas vezes.

— Ora...não souberam procurar.

— E onde você vai procurar?

— Eu não vou procurar.

— Como não?

— Vou levá-la a me mostrar.

— Mas ela vai se recusar...

— Ela não será capaz.

— Ouço o barulho de rodas. É a carruagem dela. Agora execute minhas ordens como combinamos.

Enquanto falava, o brilho das luzes laterais de uma carruagem contornou a curva da avenida. Era um pequeno e elegante landau que seguiu até a porta da Briony Lodge. Quando ele parou, um dos homens vadios, que estava na esquina, correu para abrir a porta na esperança de ganhar um cobre, mas foi acotovelado por outro vadio, que correra com a mesma intenção. Uma briga feroz se formou e foi reforçada por dois guardas, que tomaram partido de um dos vagabundos e pelo amolador de tesouras, que estava defendendo o outro lado. Um golpe foi dado e, em um instante, a dama, que havia saído de sua carruagem, estava no centro de um pequeno grupo de homens enraivecidos que lutavam e se atacavam ferozmente com os punhos e com paus.

Holmes correu em direção ao grupo para proteger a dama; mas assim que ele a alcançou deu um grito e caiu no chão com o sangue escorrendo livremente pelo seu rosto. Diante disto, os guardas correram em uma direção e os vadios em outra, enquanto várias pessoas mais bem-vestidas, que assistiam à briga sem participar dela, se aglomeraram para ajudar a dama e cuidar do homem ferido.

Irene Adler subira os degraus da entrada apressadamente; quando estava na porta, com sua figura esplêndida delineada contra as luzes do corredor, olhou para a rua.

— O pobre cavalheiro está muito machucado? — ela perguntou.

— Ele está morto — gritaram várias vozes.

— Não, não, há vida nele — gritou outro —, mas ele partirá antes que seja levado ao hospital.

— Ele é um sujeito corajoso — disse uma mulher. Eles teriam roubado a bolsa da dama se não fosse por ele. Eles eram uma gangue, e uma gangue violenta. Olhem, ele está respirando...

— Ele não pode ficar deitado na rua. Podemos levá-lo para dentro, senhora?

— Certamente. Tragam-no para a sala de estar. Há um sofá confortável. Por aqui, por favor!

Lenta e solenemente, Holmes foi levado para a Briony Lodge e deitado na sala principal, enquanto eu ainda observava os acontecimentos do meu posto junto à janela. As lâmpadas estavam acesas e as persianas estavam abertas. Eu podia ver Holmes deitado no sofá. Não sei se ele foi tomado de remorso, naquele momento, pelo papel que estava representando, mas sei que eu nunca me senti tão envergonhado ao ver como aquela bela mulher, contra a qual estávamos conspirando, cuidava com delicadeza e bondade do homem ferido. No entanto, seria uma grande traição se eu recuasse agora e não cumprisse a parte que a mim ele confiara. Endureci meu coração e peguei o foguete de fumaça debaixo do meu casaco. Afinal pensei: não a estamos machucando. Estamos apenas impedindo-a de fazer mal a outro.

Holmes sentou-se no sofá e eu o vi se mover como um homem que precisa de ar. Uma empregada correu e abriu a janela. No mesmo instante, eu o vi levantar a mão e, ao sinal, joguei o foguete na sala com um grito de "Fogo"!

A palavra mal saiu da minha boca e toda a multidão de espectadores — bem-vestida, malvestida, cavalheiros, cavalariços e criadas — se juntou em um grito geral de "Fogo"!

Nuvens grossas de fumaça ondulavam pela sala e saíam pela janela aberta. Tive um vislumbre de figuras correndo e, um momento depois, ouvi a voz de Holmes assegurando-lhes que era um alarme falso.

Misturando-me à multidão, que gritava, caminhei até a esquina da rua e, após dez minutos, me alegrei ao sentir o braço do meu amigo me afastando daquele tumulto.

Ele andou depressa e em silêncio por alguns minutos, até tomarmos uma das ruas calmas que levam a Edgware Road.

— Você fez tudo muito bem, doutor — observou ele. — Não poderia ter sido melhor. Está tudo certo.

— Você tem a fotografia?

— Eu sei onde está.

— Como você descobriu?

— Ela me mostrou, como lhe disse que faria.

— Ainda estou sem entender

— Não quero fazer mistério — disse ele, rindo. A questão era muito simples. Você, é claro, percebeu que todos na rua eram cúmplices. Todos foram contratados para esta noite.

— Imaginei!

— Quando a briga começou, eu tinha um pouco de tinta vermelha na palma da minha mão. Corri para o meio do tumulto, caí, bati a mão no rosto e me tornei um espetáculo piedoso. É um truque antigo.

— Isto também eu entendi.

— Eles me carregaram e ela foi obrigada a me receber. O que mais poderia fazer?

— A sua sala de estar era exatamente o local da minha suspeita. A fotografia estaria ali ou no quarto dela, e eu estava determinado a descobrir.

— Eles me colocaram em um sofá, eu pedi ar, eles foram obrigados a abrir a janela e você teve sua chance.

— Como isso o ajudou?

— Foi de extrema importância.

— Quando uma mulher pensa que sua casa está pegando fogo, seu instinto é imediatamente correr para o que mais valoriza. É um impulso irresistível, e eu mais de uma vez tirei vantagem disto.

— No caso do escândalo da substituição de Darlington, me foi útil e também para a questão do castelo de Arnsworth.

— Uma mãe agarra seu filho... uma jovem alcança sua caixa de joias...

— Está claro para mim que a nossa dama de hoje não tinha, em casa, nada mais precioso, para ela, do que aquilo que estamos buscando. Ela se preocupou em proteger a fotografia. O alarme de fogo foi admiravelmente bem-feito. A fumaça e os gritos foram suficientes para abalar nervos de aço. Ela agiu como o esperado. A fotografia estava em uma caixinha atrás de um painel deslizante logo acima da campainha, à direita. Ela correu para lá em um instante, e eu pude vislumbrá-la quando a puxou para fora.

— Quando gritei que era um alarme falso, ela a recolocou no mesmo lugar, olhou para o foguete, saiu correndo da sala e não a vi mais.

— Me levantei e, dando minhas desculpas, escapei da casa. Quis tentar pegar a fotografia imediatamente; mas o cocheiro entrou e me observava atentamente, pareceu-me mais seguro esperar. A precipitação poderia arruinar tudo.

— E agora?

— Nossa busca está praticamente concluída. Amanhã, eu, o Rei e você, se quiser vir conosco, a visitaremos. Seremos levados à sala de espera e, provável, quando ela vier para nos receber, não nos encontrará, e nem a fotografia. Será uma satisfação para Sua Majestade recuperá-la com suas próprias mãos.

— A que horas será esta visita?

— Às oito da manhã. Ela ainda não estará de pé e teremos o campo livre. Deveremos ser rápidos, pois esse casamento pode significar uma mudança completa em sua vida e hábitos. Devo telegrafar para o Rei sem demora.

Chegamos à Baker Street e paramos na porta de casa. Ele procurava a chave nos bolsos quando alguém que passava disse:

— Boa noite, senhor Sherlock Holmes.

Havia várias pessoas na calçada, mas a saudação parecia vir de um jovem magro que usava um casaco e passara apressado.

— Eu já ouvi esta voz antes — disse Holmes, olhando a rua pouco iluminada. Agora, eu me pergunto: quem poderá ter sido?

CAPÍTULO III

Eu dormi na Baker Street naquela noite. Estávamos comendo torradas e tomando café quando o Rei da Boêmia entrou correndo na sala.

— Você realmente conseguiu? — ele gritou, segurando Sherlock Holmes por um dos ombros e olhando ansiosamente para o seu rosto.

— Ainda não.

— Mas você tem esperanças?

— Sim, tenho esperanças.

— Então venha. Estou impaciente.

— Precisamos de um coche.

— Minha carruagem nos espera.

— Isto simplificará as coisas.

Descemos e partimos mais uma vez para a Briony Lodge.

— Irene Adler casou-se — observou Holmes.

— Casou-se? Quando?

— Ontem.

— Com quem?

— Com um advogado inglês chamado Norton.

— Certamente ela não o ama.

— Espero que o ame.

— Por quê?

— Porque pouparia Vossa Majestade de aborrecimentos futuros. — Se a senhora ama seu marido, ela não ama Vossa Majestade. Se ela não ama Vossa Majestade, não há razão para interferir nos seus planos.

— É verdade. Mas eu gostaria que ela tivesse uma posição como a minha. — Que rainha teria sido!...

Ele recaiu em um silêncio sombrio, que não foi quebrado até que chegássemos à Avenida Serpentine.

A porta da Briony Lodge estava aberta e uma mulher idosa estava nos degraus. Ela nos observou com um olhar irônico quando saímos da carruagem.

— Sr. Sherlock Holmes, suponho!

— Eu sou o Sr. Holmes — respondeu meu companheiro, olhando-a com um olhar interrogativo e um tanto surpreso.

— Minha senhora me disse que o senhor provavelmente viria. Ela partiu esta manhã com o marido, no trem das 5h15min, de Charing Cross para o Continente.

— O quê?

Sherlock Holmes cambaleou para trás, branco de desgosto e surpresa.

— Você quer dizer que ela deixou a Inglaterra?

— Para nunca mais voltar.

— E os papéis?— perguntou o Rei com voz rouca. — Tudo está perdido!

— Ainda não...

Holmes passou pela criada e correu para a sala, seguido pelo Rei e eu. Os móveis estavam espalhados em todas as direções, com prateleiras desmontadas e gavetas abertas, como se a dama as tivesse revistado às pressas antes de partir.

Holmes correu até a campainha, levantou um painel e, mergulhando a mão em uma pequena caixa, tirou uma fotografia e uma carta. A fotografia era da própria Irene Adler com um vestido de noite, a carta era endereçada a "Sherlock Holmes" e no envelope tinha uma observação: Guardar até que seja procurada. Meu amigo tirou a carta do envelope e nós três a lemos juntos. Foi datada à meia-noite e dizia:

MEU CARO SR. SHERLOCK HOLMES, você realmente encenou muito bem. Você me enganou completamente. Até o momento do alarme de incêndio, eu não suspeitei de nada. Mas quando descobri que me iludiu, comecei a pensar. Fui alertada contra você meses atrás. Disseram-me que, se o Rei empregasse um agente, certamente seria você e seu endereço me foi dado. No entanto, mesmo prevenida, você me fez revelar o que queria saber. Seria difícil desconfiar de um clérigo tão velho e gentil. Mas, você sabe, eu mesma fui treinada como atriz. Traje masculino não é novidade para mim. Costumo tirar proveito da liberdade que ele me dá. Enviei John, o cocheiro, para observá-lo, subi as escadas, vesti minhas roupas de passeio, como as chamo, e desci no momento em que você partia.

Segui-o até sua porta, e tive a certeza de que eu era realmente um objeto de interesse para o célebre Sr. Sherlock Holmes. Então, imprudentemente, dei-lhe um boa-noite e fui para o *Temple* encontrar-me com o meu marido.

Nós dois decidimos que o melhor recurso seria a fuga. Estávamos sendo perseguidos por um antagonista formidável. Você encontrará o ninho vazio quando vier.

Quanto à fotografia, seu cliente pode descansar em paz. Amo e sou amada por um homem melhor do que ele. O Rei pode fazer o que quiser. Não haverá impedimentos de alguém a quem ele cruelmente prejudicou. Guardo-a apenas para me defender e preservo-a como uma arma que sempre me protegerá de qualquer medida que ele possa tomar no futuro.

Deixo-lhe outra fotografia. Talvez ele a queira possuir.

Sinceramente,

IRENE NORTON, *nascida* ADLER.

— Que mulher, ah, que mulher! — exclamou o Rei da Boêmia, depois de lermos a carta.

— Eu não lhe disse que ela era rápida e resoluta? Ela não seria uma rainha admirável? — Não é uma pena ela não ser do meu nível?

— Pelo que vi da dama, ela parece, de fato, estar em um nível muito diferente do de Vossa Majestade — disse Holmes friamente.

— Lamento não ter conseguido levar a questão de Vossa Majestade a um final mais bem-sucedido.

— Pelo contrário, meu caro senhor. Nada poderia ter saído melhor. Eu sei que a palavra dela é inviolável. A fotografia está agora tão segura como se estivesse no fogo.

— Fico feliz em ouvir Vossa Majestade dizer isto.

— Estou imensamente grato ao senhor. Por favor, diga-me de que maneira posso recompensá-lo. Este anel ...

Ele tirou um anel de esmeralda do dedo, tinha a forma de uma cobra, e o estendeu na palma da mão.

— Vossa Majestade tem algo que eu valorizo ainda mais — disse Holmes.

— Basta pedir.

— Esta fotografia!

O Rei olhou-o com espanto.

— A fotografia de Irene? Certamente, se você a deseja...

— Agradeço a Vossa Majestade. Não há mais a ser feito. Tenho a honra de lhe desejar um bom dia.

Ele fez uma reverência e, afastando-se sem observar a mão que o Rei lhe estendia, partiu em minha companhia para sua casa.

E foi assim que um grande escândalo ameaçou afetar o reino da Boêmia, e como os superiores planos do Sr. Sherlock Holmes foram derrotados pela inteligência de uma mulher.

Ele costumava zombar da esperteza das mulheres, mas eu nunca mais o ouvi fazê-lo e quando fala de Irene Adler, ou quando ele se refere a sua fotografia, é sempre sob o honroso título de *a mulher*.

II

A LIGA DOS RUIVOS

Visitei meu amigo, Sr. Sherlock Holmes, um dia no outono do ano passado e o encontrei em uma conversa profunda com um cavalheiro idoso, muito robusto, de rosto corado e cabelos ruivos. Com um pedido de desculpas por minha invasão, eu estava prestes a me retirar quando Holmes me puxou abruptamente e fechou a porta atrás de mim.

— Você não poderia ter chegado em um momento melhor, meu caro Watson, disse ele cordialmente.

— Achei que você estivesse ocupado.

— E estou. Muito mesmo.

— Então eu posso esperar na outra sala.

— De modo nenhum.

— Este senhor, Sr. Wilson, é meu parceiro e ajudante nos meus casos mais bem-sucedidos, e não tenho dúvidas de que ele será da maior utilidade também no seu.

O cavalheiro robusto levantou-se da cadeira, fez um cumprimento de saudação com a cabeça e me passou um rápido olhar questionador com seus pequenos olhos cercados de gordura.

— Acomode-se no sofá — disse Holmes, recostando-se na poltrona e juntando as pontas dos dedos, como era seu costume quando estava pensativo.

— Eu sei, meu caro Watson, que você compartilha do meu interesse por tudo que é bizarro, fora das convenções e da rotina monótona da vida cotidiana. Você o demonstrou narrando com prazer, entusiasmo e, se me permitir, com um requinte de beleza, tantas das minhas pequenas aventuras.

— Seus casos realmente foram do maior interesse para mim.

— Lembra-se de eu ter dito outro dia, pouco antes de entrarmos no caso muito simples apresentado por Miss Mary Sutherland, que para encontrarmos efeitos estranhos e combinações extraordinárias devemos ir à própria vida? E que ela é sempre muito mais ousada que qualquer esforço da imaginação?

— Uma proposição que tomei a liberdade de duvidar...

— Você o fez, doutor, mas, no entanto, deverá crer em minha opinião, pois, caso contrário, continuarei acumulando fatos sobre fatos até que sua razão se dobre sob eles e reconheça que estou certo.

— O Sr. Jabez Wilson veio a mim recorrer e fez uma narrativa que promete ser uma das mais singulares que já ouvi. Disse-lhe que as coisas mais estranhas e incomuns estão muitas vezes relacionadas não aos piores crimes, mas aos menores, e ocasionalmente, aos casos onde há margem para dúvidas se algum crime foi realmente cometido. Até onde ouvi, é impossível dizer se o presente caso é um crime ou não, mas o curso dos acontecimentos está certamente entre os mais raros que conheço.

— Sr. Wilson, você faria a grande gentileza de recomeçar sua narrativa? Pergunto-lhe não apenas porque meu amigo, Dr. Watson, não a ouviu, mas também porque a natureza peculiar da história me deixa ansioso por obter todos os detalhes possíveis que possam vir de seus lábios. Normalmente, quando ouço a indicação do curso dos eventos, sou capaz de me guiar pelos milhares de outros casos semelhantes que me ocorrem à memória. No presente caso, sou forçado a admitir que os fatos sejam, na minha opinião, únicos.

O corpulento cliente estufou o peito, aparentando orgulho, e puxou um jornal sujo e amassado do bolso interno do seu casaco. Enquanto ele olhava para a coluna do anúncio, com a cabeça inclinada para frente e o papel esticado sobre o joelho, dei uma examinada no homem e me esforcei, à moda do meu companheiro, para ler as indicações que poderiam ser apresentadas por sua vestimenta ou aparência.

Não consegui muito com minha inspeção. Nosso visitante tinha todas as características de um comerciante britânico comum, obeso, pomposo e lento. Ele usava calças de lã xadrez bastante folgadas, um casaco preto, não muito limpo e desabotoado na frente, um colete monótono e uma pesada corrente Albert, com um quadrado de metal pendurado, como ornamento. Uma cartola desgastada e um sobretudo marrom desbotado, com uma gola de veludo amassada, estavam sobre uma cadeira ao lado dele. Considerando o conjunto, não havia nada de extraordinário no homem, exceto seu cabelo vermelho ardente e a expressão de extremo pesar e descontentamento em sua face.

O olhar rápido de Sherlock Holmes percebeu minha ocupação. Ele balançou a cabeça sorrindo sob meus olhares questionadores e comentou: "Além dos sinais óbvios de que ele já fez trabalho manual em algum momento, que ele usa rapé, que ele é um maçom, que esteve na China e que tem escrito bastante ultimamente, não posso deduzir mais nada."

O Sr. Jabez Wilson levantou-se, com espanto, da cadeira. Seu dedo indicador continuava no papel, mas os olhos estavam fixos no meu companheiro.

— Como sabe tudo isso, Sr. Holmes?

— Como sabe, por exemplo, que fui um trabalhador braçal? É tão verdadeiro quanto o evangelho, pois comecei como carpinteiro de um navio.

— Suas mãos, meu caro senhor. Sua mão direita é bem maior que a esquerda. Trabalhou muito com ela e os músculos se desenvolveram.

— E o rapé e a Maçonaria?

— Não vou insultar sua inteligência dizendo como li isso, mesmo porque, contrariando as severas regras de sua ordem, o senhor usa um alfinete com arco e compasso.

— Ah, claro, esqueci-me disto. Mas a escrita?

— O que mais poderia indicar este punho direito com ossos proeminentes e a manga esquerda gasta perto do cotovelo, onde você o apoia sobre a mesa?

— E a China?

— O peixe tatuado imediatamente acima do seu punho direito só poderia ter sido feito na China. Fiz um pequeno estudo sobre as tatuagens e até contribuí para a literatura do assunto. Esta habilidade de manchar as escamas dos peixes com um rosa delicado é peculiar à China. Além disso, vejo uma moeda chinesa pendurada em sua corrente de relógio. O assunto se tornou ainda mais simples.

O Sr. Jabez Wilson gargalhou.

— Pensei que o senhor tinha feito algo muito extraordinário, mas agora vejo que não foi nada de mais.

— Começo a pensar, Watson — disse Holmes —, que cometi um erro ao explicar. *"Omne ignotum pro magnifico"* — você sabe, a minha pobre e pequena reputação sofrerá abalo se eu for tão sincero.

— Não consegue encontrar o anúncio, Sr. Wilson?

— Sim, acabo de achá-lo — ele respondeu indicando-o no meio da coluna com o dedo grosso e vermelho. Aqui está. Foi isto que começou tudo. O senhor mesmo pode lê-lo.

Peguei o papel e li o seguinte:

À LIGA DOS RUIVOS: Devido ao legado do falecido Ezekiah Hopkins, do Líbano, Pensilvânia, EUA, há uma vaga em aberto que dá, a um membro da Liga, um salário de quatro libras semanais por um trabalho puramente nominal. Todos os homens ruivos que são saudáveis no corpo e na mente e acima de vinte e um anos de idade são elegíveis. Inscreva-se pessoalmente na segunda-feira, às onze horas, em Duncan Ross, nos escritórios da Liga, 7 Pope's Court, Fleet Street.

— Que isto quer dizer? — perguntei — depois de ler duas vezes aquele inusitado anúncio.

Holmes riu e se contorceu em sua cadeira, como era seu hábito quando estava de bom humor.

— É um pouco fora do comum, não é? — disse ele.

— E agora, Sr. Wilson, conte-nos tudo sobre o senhor, sua família e o efeito que esse anúncio teve sobre sua vida.

— Mas antes, doutor, observe qual é este jornal e a data do anúncio.

— É *The Morning Chronicle,* de 27 de abril de 1890. Há exatamente dois meses.

— Agora fale Sr. Wilson.

— Bem, é como lhe contei, Sr. Sherlock Holmes — disse Jabez Wilson, esfregando a testa. Tenho uma pequena loja de penhor na Saxe-Coburg Square, perto da cidade. Não é um negócio muito grande e, nos últimos anos, não fez mais do que apenas me sustentar. Eu era capaz de manter dois assistentes, mas agora só tenho um; e eu teria dificuldade para pagá-lo se ele não estivesse disposto a receber a metade do salário em troca de ensiná-lo o ofício.

— Qual é o nome desse jovem?— perguntou Sherlock Holmes.

— O nome dele é Vincent Spaulding, e ele não é tão jovem. É difícil dizer sua idade. Eu não encontraria um assistente mais inteligente, Sr. Holmes; e sei muito bem que ele tem capacidade para ganhar o dobro do que posso lhe pagar e que poderia estar em uma situação muito melhor. Mas, afinal, se ele está satisfeito, por que eu deveria colocar ideias na sua cabeça?

— Por quê? — O senhor tem sorte por ter um assistente que trabalha por um salário abaixo do valor de mercado. Não é uma situação comum entre os empregadores.

— Acho que seu assistente é tão notável quanto seu anúncio.

— Ah, ele também tem seus defeitos — disse Wilson.

— Nunca vi um sujeito gostar tanto de fotografia. Usa a câmera quando deveria estar aperfeiçoando sua mente, e depois mergulha no porão, como um coelho em seu buraco, para revelar suas fotos. Esta é a sua principal falha, mas no geral ele é um bom trabalhador. Não tem vícios.

— Ele ainda está trabalhando com o senhor?

— Sim. Ele e uma garota de catorze anos, que faz uma comida simples e mantém o ambiente limpo. São as pessoas que tenho em casa, pois sou viúvo e nunca tive filhos. Vivemos em paz, senhor, nós três; temos um teto sobre nossas cabeças e pagamos nossas contas. Temos uma vida pacata.

— A primeira coisa que nos atormentou foi o anúncio.

— Spaulding, entrou no escritório há oito semanas, com este papel na mão e disse: "Sr. Wilson, eu gostaria de ser um homem ruivo".

— Por quê?

— Porque há uma vaga na Liga dos Homens Ruivos. Vale uma pequena fortuna para qualquer pessoa que a consiga. Eu entendo que há mais vagas que homens, de modo que os curadores não sabem o que fazer com o dinheiro. Se meu cabelo mudasse de cor, aqui estaria uma pequena cama pronta para eu me deitar...

— Mas que história é esta? — eu perguntei.

— Sabe, Sr. Holmes, sou um homem muito caseiro e, como meus negócios chegam a mim, em vez de eu ter que ir até eles, muitas vezes passo semanas sem pôr o pé no tapete da porta. Dessa forma, eu não sabia nada do que estava acontecendo lá fora, e sempre gostei de ouvir novas notícias.

— O senhor nunca ouviu falar da Liga dos Homens Ruivos? — perguntou-me Spaulding com os olhos arregalados.

— Nunca.

— Pergunto-lhe, porque o senhor é elegível para uma das vagas.

— E quanto eles pagam?

— Quatro libras semanais, mas o trabalho é leve e não interfere nas outras ocupações.

— Bem, o senhor pode facilmente imaginar como isto me interessou, pois os meus negócios não vão bem há alguns anos e algumas libras extras seriam muito úteis.

— Conte-me esta história toda — pedi a Spaulding

— Ele mostrou-me o anúncio e disse: "Veja, por si mesmo, que surgiu uma vaga na Liga e há o endereço onde poderá solicitar informações. Pelo que pude entender, a Liga foi fundada por um milionário americano, Ezekiah Hopkins, que era muito peculiar em seus modos. Ele próprio era ruivo e tinha uma grande simpatia por todos os homens ruivos; assim, quando ele morreu, descobriu-se que havia deixado sua enorme fortuna nas mãos de curadores, com instruções para aplicarem seu dinheiro em troca de trabalhos fáceis para homens cujos cabelos fossem ruivos. Pelo que sei, é um pagamento esplêndido por muito pouco esforço."

— Milhões de homens ruivos se candidatarão — eu falei.

— Não tantos quantos o senhor imagina. A vaga destina-se apenas aos londrinos e aos homens adultos. Esse americano começou a fazer sua fortuna em Londres, quando era jovem, e queria dar algo de bom, em troca, a sua cidade. Também ouvi dizer que não adianta ter o cabelo levemente avermelhado ou vermelho-escuro, tem que ser vermelho vivo, ardente, cor de fogo — explicou ele. — Se o senhor se candidatasse, Sr. Wilson, o senhor entraria; mas talvez não valha a pena se ocupar por algumas libras, ele concluiu.

— Os senhores podem ver que meu cabelo é de um vermelho carregado, vivo, e se houvesse alguma competição, eu me sairia bem. Teria grande chance sobre qualquer homem que eu já conheci.

— Vincent Spaulding parecia saber tanto sobre o assunto que achei que ele poderia me ser útil. Pedi que fechasse a loja e viesse logo comigo. Ele estava muito animado com a sua folga, imediatamente me atendeu e partimos para o endereço que estava no anúncio.

— Nunca mais espero ter uma visão como aquela, Sr. Holmes. Do norte, sul, leste e oeste, todos os homens que tinham um tom de vermelho no cabelo invadiram a cidade para responder ao anúncio. A Fleet Street estava cheia de gente ruiva e a Pope's Court parecia o carrinho de um vendedor de laranjas. Eu não imaginara que havia, em todo o país, tantos ruivos quantos foram reunidos por esse único anúncio. Todos os tons de vermelho havia ali: palha, limão, laranja, *setter* irlandês, tijolo, fígado, argila; mas, como Spaulding disse, não havia muitos homens com os cabelos do verdadeiro tom vívido da cor do fogo.

— Quando vi quantos estavam esperando, quis desistir; mas Spaulding não admitiu. Como ele fez, é difícil imaginar, mas ele empurrou, puxou e acotovelou até me levar através da multidão aos degraus do escritório. Havia um fluxo duplo na escada, alguns subindo com esperança e outros voltando desanimados; forçamos a passagem e logo entramos no escritório.

— Sua experiência foi muito divertida — observou Holmes, enquanto o cliente fazia uma pausa e atualizava sua memória com uma enorme pitada de rapé. Retome sua interessante narrativa, Sr.Wilson.

— Não havia nada no escritório além de duas cadeiras e uma mesa de madeira atrás da qual estava sentado um homem pequeno com uma cabeleira ainda mais vermelha que a minha. Ele dizia algumas palavras para cada candidato, e sempre conseguia encontrar algum motivo para desclassificá-lo. Afinal, conseguir uma vaga não parecia tão fácil. Quando chegou a nossa vez, o homenzinho mostrou-se mais simpático e fechou a porta quando entramos. Ele queria ter uma palavra particular conosco.

— Este é o Sr. Jabez Wilson — disse meu assistente —, ele está disposto a preencher uma vaga na Liga.

— Ele é admiravelmente adequado — respondeu o outro. Ele tem todos os requisitos. Não me lembro de quando vi algo tão bom. Ele deu um passo para trás, inclinou a cabeça de um lado e fitou o meu cabelo até eu me sentir bastante envergonhado. Então, de repente, ele pulou para frente, apertou minha mão e me parabenizou calorosamente pelo meu sucesso.

— Seria injustiça hesitar — disse ele. Deve me desculpar por tomar uma precaução óbvia.

— Com isso, ele agarrou meu cabelo com as duas mãos e puxou até eu gritar de dor.

— Tem água nos seus olhos — disse ele quando me soltou. Percebo que tudo é como deveria ser. Mas temos que ter cuidado, pois fomos enganados duas vezes por perucas e uma vez por tinta. Eu poderia lhes contar histórias sobre cera de sapateiro que os enojariam da natureza humana.

— Ele foi até a janela e gritou, no alto de sua voz, que a vaga estava preenchida. Um gemido de desapontamento veio de baixo, e todo o povo saiu em diferentes direções, até que não houvesse uma única cabeça ruiva a ser vista, exceto a minha e a do gerente.

— Meu nome é Sr. Duncan Ross, e eu sou um dos pensionistas do fundo deixado por nosso nobre benfeitor.

— É casado, Sr. Wilson? Você tem uma família?

— Respondi que não tinha.

— O rosto dele transfigurou-se.

— Meu caro — ele disse gravemente —, isto é realmente muito sério! Lamento ouvi-lo dizer que não tem família. O fundo destina-se à manutenção, propagação e disseminação dos ruivos. É extremamente lamentável que você seja solteiro.

— Fiquei decepcionado Sr. Holmes, pois pensei que não conseguiria a vaga; mas depois de refletir por alguns minutos, ele disse que tudo ficaria bem.

— No caso de outro — disse ele —, a objeção poderia ser fatal, mas devemos reconsiderar a favor de um homem com uma cabeleira como a sua. Quando você poderá assumir seus novos deveres?

— Será um pouco complicado, porque eu já tenho um negócio.

— Não se preocupe Sr. Wilson — disse Vincent Spaulding. Sou capaz de cuidar disto para o senhor.

— Qual seria o horário? — perguntei.

— De dez às duas.

— Os negócios de um penhorista são feitos principalmente à tardinha, Sr. Holmes, especialmente às quintas e às sexta à noite, vésperas dos dias dos pagamentos; e me conviria ganhar um pouco mais na parte da manhã. Além disso, eu sabia que meu assistente era um bom homem e que cuidaria de tudo na loja.

— Me agradaria muito. E o pagamento? — perguntei.

— São quatro libras por semana.

— E o trabalho?

— É puramente nominal.

— O que você chama de puramente nominal?

— O senhor tem que estar no escritório, ou pelo menos no prédio, o tempo todo. Se o senhor sair, perde a vaga para sempre. O testamento é muito claro neste ponto. Não estará cumprindo as condições se sair do escritório durante este período.

— São apenas quatro horas por dia e eu não precisarei sair.

— Não há desculpa — disse o Sr. Duncan Ross —, nem doença, nem negócios, nem nada mais. Aqui o senhor deve ficar ou perde a vaga.

— E o trabalho?

— É copiar a *Enciclopédia Britânica*. Há um exemplar do primeiro volume naquele armário. O senhor deve providenciar a sua própria tinta, canetas e papel absorvente, nós só fornecemos esta mesa e esta cadeira. Você estará pronto para amanhã?

— Certamente — respondi.

— Então, adeus, Sr. Jabez Wilson, e deixe-me parabenizá-lo mais uma vez pela importante posição que teve a sorte de ocupar.

— Conduziu-me, com mesuras, até a porta da sala e eu fui para casa com meu assistente, sem saber o que dizer ou fazer. Fiquei muito feliz com a minha sorte.

— Pensei sobre o assunto o dia todo e, à noite, estava de mau humor; havia me convencido de que todo o caso devia ser uma grande farsa ou fraude, embora não fosse capaz de imaginar qual seria o objetivo. Era inacreditável que alguém pudesse fazer um testamento tão estranho quanto aquele e que pagariam uma quantia tão alta por um trabalho tão simples como copiar a *Enciclopédia Britânica*.

— Vincent Spaulding fez o que pôde para me animar, mas, antes de dormir, eu já tinha decidido que sairia fora desta história.

— Pela manhã, no entanto, decidi fazer alguma coisa, comprei uma vidro de tinta, com uma caneta de pena e sete folhas de papel e fui à Pope's Court.

— Para minha surpresa, tudo estava como combinado. A mesa estava pronta para mim e o Sr. Duncan Ross estava lá para ver se eu começaria a trabalhar. Orientou-me para iniciar pela letra "A" e depois me deixou; mas ele aparecia de vez em quando para ver se tudo estava indo bem. Às duas horas, ele me desejou uma boa tarde, elogiou-me pelo trabalho feito e trancou a porta do escritório quando saí.

— Isso acontecia dia após dia, Sr. Holmes, e no sábado o gerente entrou e me entregou quatro libras pelo o trabalho da semana. O mesmo aconteceu nas semanas seguintes. Todas as manhãs eu chegava às dez e toda tarde saía às duas. Aos poucos, o Sr. Duncan

Ross passou a entrar apenas uma vez pela manhã e, depois de um tempo, ele não apareceu mais. Ainda assim, nunca ousei sair da sala por um instante, pois não sabia quando ele viria. O pagamento era tão bom e me serviu tão bem que eu não arriscaria a perder aquele trabalho.

— Oito semanas se passaram assim, e eu havia escrito sobre Abades, Arcos, Armadura, Arquitetura e Ática, e esperava com diligência que chegasse a letra "B" em pouco tempo. Tinha despesa com os papéis. Uma prateleira já estava quase cheia com os meus escritos. E, de repente, tudo chegou ao fim.

— Ao fim?

— Sim, senhor. E foi nesta manhã.

— Fui ao meu trabalho, como sempre, às dez horas, mas a porta estava trancada. Havia nela um pequeno quadrado de papelão pregado com uma tacha. Aqui está, e o senhor pode lê-lo.

Ele entregou, a Holmes, um pedaço de papelão branco do tamanho de uma folha de papel de carta. Nele lia-se:

"A LIGA DOS RUIVOS"

FOI DISSOLVIDA.

9 DE OUTUBRO DE 1890.

Sherlock Holmes e eu examinamos esse breve anúncio e o rosto triste por trás dele, até que o lado cômico do caso superou completamente todas as outras considerações e explodimos numa gargalhada.

— Não acho que seja algo muito engraçado — exclamou nosso cliente, corando até as raízes de seus cabelos vermelhos.

— Se os senhores não podem fazer nada melhor do que rir de mim, eu irei embora.

— Não, não — exclamou Holmes, empurrando-o de volta para a cadeira da qual ele havia se levantado.

— Eu realmente quero estudar o seu caso. Ele é extremamente inusitado. Mas há, se você me der licença, algo engraçado nele.

— Que medidas você tomou quando encontrou o cartão na porta?

— Fiquei atordoado, senhor. Eu não sabia o que fazer. Perguntei nos escritórios vizinhos, mas nenhum deles tinha informações pra me dar. Finalmente, fui ao senhorio, que é um contador que mora no térreo, e perguntei se ele poderia me dizer o que havia acontecido com a "Liga dos Ruivos". Ele disse que nunca ouvira falar dela. Então perguntei quem era o Sr. Duncan Ross e ele respondeu que o nome era novo para ele.

— Eu insisti — é o cavalheiro do número 4.

— O que é ruivo.

— Sim.

— Oh, disse ele, seu nome era William Morris. Ele era um advogado e estava usando minha sala temporariamente até que suas novas instalações estivessem prontas.

Ele se mudou ontem.

— Onde eu poderia encontrá-lo?

— Em seus novos escritórios. Ele me deu seu novo endereço. É King Edward Street nº 17, perto da catedral St. Paul's.

— Fui até lá, Sr. Holmes, mas quando cheguei a este endereço, encontrei uma manufatura de joelheiras artificiais, onde ninguém jamais ouvira falar de William Morris ou Duncan Ross.

— E o que você fez então? — perguntou Holmes.

— Fui para casa, na Saxe-Coburg Square, me aconselhar com meu assistente. Mas ele não pôde me ajudar. Ele disse que, se eu esperasse, deveria receber algum comunicado através dos correios. Mas isso não me acalmou o suficiente, Sr. Holmes. Eu não quero perder um emprego sem lutar. Eu ouvira dizer que o senhor é capaz de dar conselhos às pessoas pobres, então, vim imediatamente.

— E você fez muito bem — disse Holmes. Seu caso é extremamente notável, e ficarei feliz em analisá-lo. Pelo que o senhor me disse, acho que é possível que seja um problema mais grave do que parece à primeira vista.

— Bastante grave — disse o Sr. Jabez Wilson. Perdi quatro libras por semana.

— O senhor, pessoalmente, observou Holmes, não tem nenhuma queixa contra essa liga extraordinária. Ao contrário, pelo que entendi, está mais rico em cerca de 30 libras, e adquiriu um minucioso conhecimento sobre vários assuntos que vêm sob a letra "A". Eles não o fizeram perder nada.

— Não senhor. Mas quero descobrir sobre eles, quem são eles e qual era o objetivo desta brincadeira, se era uma brincadeira,

42

comigo. Foi uma piada bastante cara para eles, pois custou-lhes trinta e duas libras.

— Procuraremos esclarecer esses pontos. Tenho algumas perguntas para fazer-lhe, Sr. Wilson.

— Esse seu assistente, que chamou a sua atenção para o anúncio, há quanto tempo está com o senhor?

— Cerca de um mês, na época.

— Como o contratou?

— Ele respondeu a um anúncio.

— Ele era o único candidato?

— Não, tinha uma dúzia.

— Por que o escolheu?

— Porque ele parecia útil e sairia barato.

— Pela metade do salário...

— Sim.

— Como é esse Vincent Spaulding?

— Pequeno, corpulento, muito rápido, sem pelos no rosto, embora não tenha menos de trinta anos. Tem uma mancha branca de ácido na testa.

Holmes sentou-se em sua cadeira com considerável excitação.

— Como pensei — disse ele. Você já observou se as orelhas dele são perfuradas para uso de brincos?

— Sim senhor. Ele me disse que um cigano havia feito isso quando ainda era garoto.

— Hum! — resmungou Holmes, afundando em pensamentos.

— Ele ainda está com o senhor?

— Sim senhor; estive com ele há pouco.

— E seus negócios foram cuidados na sua ausência?

— Nada a reclamar, senhor. Nunca há muito que fazer na parte da manhã.

— Por ora terminei Sr. Wilson. No decorrer de um ou dois dias lhe darei uma opinião sobre o assunto. Hoje é sábado e espero que até segunda-feira possamos chegar a uma conclusão.

— Watson, o que você acha de tudo isso?

— Não entendi nada — respondi francamente. É um caso muito misterioso!

— Como regra — disse Holmes —, quanto mais bizarra é a coisa menos misteriosa se mostra ser. São os crimes comuns e

43

sem características que são realmente intrigantes, assim como um rosto comum é o mais difícil de ser identificado. Preciso ser rápido nesse caso.

— O que você vai fazer?— perguntei.

— Fumar. — É um problema para três cachimbos, e eu peço que não fale comigo por cinquenta minutos.

Ele se enroscou na cadeira, com os joelhos finos erguidos para o nariz de falcão, e assim permaneceu sentado com os olhos fechados e o cachimbo de barro preto projetando-se como o bico de um pássaro.

Pensei que ele havia adormecido, e, na verdade, eu estava cochilando, quando de repente se levantou da cadeira com o gesto de um homem decidido e colocou o cachimbo sobre a lareira.

— Sarasate toca no St. James's Hall esta tarde. O que você acha, Watson? Seus pacientes poderiam lhe conceder algumas horas?

— Não tenho nada para fazer hoje. Meu trabalho não é muito absorvente.

— Então coloque seu chapéu e venha comigo. Passarei primeiro pela cidade e poderemos almoçar. Observo que há muita música alemã no programa. Elas me agradam muito mais que as italianas ou francesas. São introspectivas, e quero introspecção. Vamos!

Viajamos de metrô até Aldersgate; e uma curta caminhada nos levou à Saxe-Coburg Square, o cenário da história que ouvimos pela manhã. Era um lugar feio, pequeno e pobre. Quatro fileiras de casas, de dois andares e feitas de tijolos, ficavam em frente a um pequeno terreno cercado, onde ervas daninhas e alguns arbustos murchos lutavam para sobreviver em uma atmosfera carregada de fumaça.

Em uma casa de esquina, três bolas douradas e uma placa marrom com o nome "JABEZ WILSON" escrito com letras brancas, indicavam o local onde nosso cliente ruivo mantinha seus negócios. Sherlock Holmes parou na frente dela.

Com a cabeça inclinada e olhos brilhantes por entre as pálpebras semicerradas, ele examinou tudo minuciosamente. Caminhou devagar pela rua e depois voltou à esquina, sempre olhando atentamente para as casas. Por fim, voltou à loja de penhor e, depois de golpear vigorosamente a calçada com sua bengala, por duas ou três vezes, dirigiu-se à porta e bateu. Foi imediatamente atendido por um jovem rapaz, de boa aparência e barbeado, que o convidou a entrar.

— Obrigado — disse Holmes —, só queria perguntar como se vai ao Strand.

— Terceira à direita, quarta à esquerda — respondeu o assistente prontamente e fechou a porta.

— Rapaz esperto — observou Holmes, enquanto nos afastávamos.

— Ele é, no meu julgamento, o quarto homem mais esperto de Londres e, em ousadia, não tenho certeza, é o terceiro. Eu já ouvi falar dele antes.

— É claro que sim. O assistente do Sr. Wilson participou muito deste mistério da "Liga dos Ruivos". Tenho certeza de que você perguntou o caminho apenas para poder vê-lo.

— A ele não!

— O que então?

— Os joelhos das calças dele.

— E o que você viu?

— O que esperava ver.

— Por que você bateu na calçada?

— Meu querido médico, este é um momento de observação, não de conversa. Somos espiões no terreno do inimigo. Conhecemos algo da Saxe-Coburg Square. Vamos agora explorar o que tem atrás dela.

A rua que encontramos quando viramos a esquina da Saxe-Coburg Square, apresentava um contraste tão grande, com ela, quanto a frente e o verso de uma imagem. Era uma das principais artérias que conduziam o tráfego da cidade para o norte e para o oeste. As vias estavam com um imenso fluxo nos dois sentidos. As calçadas estavam negras com um enxame de pedestres apressados. Era difícil entender, quando olhávamos para a fila de lojas finas e estabelecimentos comerciais imponentes, que eles realmente tinham como vizinha, uma praça desbotada e estagnada como a que acabamos de deixar.

— Deixe-me ver — disse Holmes, parado na esquina e olhando ao longo da fila de estabelecimentos.

— Gostaria de lembrar a ordem dos imóveis daqui. É um *hobby* meu ter um conhecimento exato de Londres. Ali está Mortimer's, a tabacaria, a pequena loja de jornais, a filial do City & Suburban Bank, o Restaurante Vegetariano e o depósito de Mc-Farlane, fabricante de carruagens. Isso nos leva direto para o outro quarteirão. E agora, doutor, que fizemos nosso trabalho, é hora de nos divertirmos. Um sanduíche e uma xícara de café e depois para a terra dos violinos, onde tudo é doçura, delicadeza e harmonia, e não há clientes ruivos para nos irritar com seus dilemas.

Meu amigo era um músico entusiasmado, sendo ele próprio não apenas um artista muito capaz, mas um compositor de mérito. Durante toda a tarde, ele ficou sentado próximo ao palco, envolto na mais perfeita felicidade, mexendo suavemente seus dedos longos e finos ao compasso da música. Seu rosto sorridente e seus olhos lânguidos e sonhadores não eram como os de Holmes, o detetive, o agente criminal implacável, perspicaz e pronto para a caça aos criminosos.

Em seu caráter singular, a natureza dual se afirmou alternadamente. Sua extrema exatidão e astúcia exprimiam a reação contra o humor poético e contemplativo que ocasionalmente predominava nele. A alteração de sua natureza o levava do extremo langor ao alto consumo de energia. Ele era verdadeiramente formidável após passar dias a fio, descansando em sua poltrona, entre as improvisações no violino e as edições de livros antigos. Então o instinto de caça subitamente o atingia e seu brilhante poder de raciocínio elevava-se ao nível da intuição. Aqueles que não estavam familiarizados com seus métodos o olhavam desconfiados como quem olha para um homem cujo conhecimento não se compara ao de outros mortais.

Quando o vi, naquela tarde, tão envolvido com a música no St. James's Hall, senti que poderia estar chegando um momento ruim para aqueles a quem ele estava decidido a caçar.

— Você quer ir para casa, doutor?

— Sim, seria bom.

— Eu tenho providências a tomar, demorarei algumas horas. Este caso da Saque-Coburg Square é sério.

— Por que sério?

— Um grande crime está sendo planejado. Tenho todos os motivos para acreditar que poderemos evitá-lo. Hoje é sábado e isto complica bastante as coisas. Preciso da sua ajuda esta noite.

— A que horas?

— Às Dez.

— Estarei na Baker Street às dez.

— Muito bem! Doutor, pode haver algum perigo, por isso, por favor, ponha seu revólver do Exército no bolso.

Ele acenou com a mão, girou nos calcanhares e desapareceu em um instante entre a multidão.

Confesso que não sou mais obtuso que a maioria das pessoas, mas sinto-me oprimido, com uma sensação de estupidez, nas minhas relações com Sherlock Holmes. Eu ouvira o que ele ouvira, eu tinha visto o que ele tinha visto, e, no entanto, pelas suas palavras, era evidente que ele sabia claramente o que havia acontecido e o que estava prestes a acontecer, enquanto para mim tudo ainda estava confuso e grotesco.

Quando voltei para casa, em Kensington, pensei sobre tudo, desde a extraordinária história do copista, ruivo, da *Enciclopédia* até a visita à Saxe-Coburg Square e as palavras sinistras com as quais ele se despediu de mim.

O que seria esta expedição noturna e por que deveria ir armado? Para onde iríamos e o que faríamos?

Eu tinha a pista, dada por Holmes, de que o assistente deste penhorista era um homem temível. Um homem que poderia jogar sujo. Tentei encaixar as informações, mas desisti, desapontado, e deixei o assunto de lado até que a noite trouxesse uma explicação.

Eram nove e quinze quando saí de casa e atravessei o parque, segui pela Oxford Street até a Baker Street. Dois coches estavam à porta e, quando entrei, ouvi o som de vozes lá em cima. Ao entrar na sala, encontrei Holmes em uma conversa animada com dois homens, um dos quais reconheci como Peter Jones, o agente da policia oficial, o outro era um homem alto, magro e de rosto triste. Usava um chapéu muito brilhante e sobretudo extremamente elegante.

— Ah! Nosso grupo está completo — disse Holmes, abotoando a jaqueta e pegando seu chicote de caça.

— Watson, acho que você já conhece o Sr. Jones, da Scotland Yard, não? Deixe-me apresentar-lhe o Sr. Merryweather, que será nosso companheiro na aventura de hoje à noite.

— Estamos caçando em duplas de novo, doutor —, disse Jones, de maneira afetada. — Nosso amigo é homem ideal para começar uma perseguição. Só precisa de um velho cão para rastrear a presa.

— Espero que não acabemos caçando fantasmas — observou Merryweather desanimado.

— O senhor pode depositar uma confiança considerável no Sr. Holmes — disse o agente da polícia com veemência. Ele tem seus próprios métodos, que são, se ele não se importa que eu o diga, um pouco teóricos e extravagantes demais, mas ele tem as características de um grande detetive. Não é exagero dizer que uma ou duas vezes, como no caso do assassinato dos Sholto e do tesouro de Agra, ele chegou mais perto da verdade que a força oficial.

— Se o senhor diz, Sr. Jones, eu acredito — disse o estranho, com deferência. Ainda assim, confesso que sinto falta das minhas cartas. É a primeira noite de sábado, há vinte e sete anos, que não jogo.

— Acho que o senhor descobrirá — disse Sherlock Holmes —, que jogará por uma aposta maior esta noite, e que o jogo será mais emocionante. Para o Sr. Merryweather, estarão em jogo trinta mil libras e para o Sr.Jones, o prêmio será o homem sobre quem ele deseja pôr as mãos.

— John Clay, assassino, ladrão, arrombador e falsificador. Ele é um jovem, Sr. Merryweather, mas ele é o chefe e eu quero colocar minhas algemas nele. É o criminoso que eu mais anseio pegar em toda Londres. Ele é um homem notável. Seu avô era duque real e ele próprio esteve em Eton e Oxford. Seu cérebro é tão rápido quanto seus dedos, e, embora encontremos sinais dele em vários casos, nunca conseguimos pegá-lo. Ele é capaz de roubar uma casa na Escócia hoje e na próxima semana estar arrecadando dinheiro para construir um orfanato na Cornualha. Estou no caminho dele há anos e nunca o vi.

— Espero ter o prazer de apresentá-lo esta noite. Também tive um ou dois pequenos problemas com o Sr. John Clay e concordo que ele está no topo de sua carreira. Já são dez horas, temos que ir. Se vocês dois tomarem o primeiro coche, Watson e eu seguiremos no segundo.

Sherlock Holmes não foi muito comunicativo durante a longa viagem e recostou-se no banco e ficou cantarolando as músicas que ouvíramos à tarde. Atravessamos um labirinto interminável de ruas iluminadas a gás até emergirmos na Farrington Street.

— Estamos perto — comentou meu amigo.

— Esse Merryweather é diretor de um banco e está pessoalmente interessado no assunto. Também pensei em ter Jones conosco. Ele não é um sujeito mau, embora seja um tolo em sua profissão. Tem virtudes: é tão corajoso quanto um bulldog e tenaz como uma lagosta se põe suas garras em alguém.

— Aqui estamos, e eles estão esperando por nós.

Chegamos à mesma via movimentada em que havíamos estado pela manhã. Nossos coches foram dispensados e, seguindo a orientação do Sr. Merryweather, caminhamos por uma passagem estreita e chegamos a uma porta lateral, que ele abriu para nós entrarmos. Havia um pequeno corredor, que terminava em um portão de ferro muito grande que também foi aberto. Vimos um lance de degraus sinuosos, de pedra, que terminava em outro portão enorme. O Sr. Merryweather parou para acender uma lanterna e, em seguida, conduziu-nos por uma passagem escura e com cheiro de terra, e assim, depois de abrir uma terceira porta, entramos em um grande cofre ou porão, que estava cheio de caixas e caixotes.

— Não somos muito vulneráveis pela parte de cima — observou Holmes —, enquanto segurava a lanterna e examinava o ambiente.

— Nem na parte de baixo — disse Merryweather batendo com a bengala sobre o piso. Parece completamente oco!...Observou surpreso.

— Devo pedir para o senhor ficar um pouco mais quieto! — disse Holmes severamente. Acaba de colocar em risco todo o sucesso da nossa expedição. Tenha a bondade de se sentar em uma daquelas caixas e não interferir.

Sr. Merryweather sentou-se em uma caixa, com uma descontente expressão no rosto, enquanto Holmes de joelhos no chão, com a lanterna e uma lupa, começou a examinar minuciosamente as rachaduras entre as pedras. Alguns segundos foram suficientes para satisfazê-lo, pois logo ele levantou-se e guardou a lupa no bolso.

— Temos pelo menos uma hora pela frente. Eles não agirão antes que o penhorista esteja na cama. A partir de então não perderão um minuto, pois quanto mais cedo fizerem o trabalho, mais tempo terão para escapar.

— Estamos, doutor — como já percebeu — na caixa-forte da agência de um dos principais bancos de Londres. O Sr. Merryweather é o presidente da diretoria, e ele lhe explicará porque os criminosos mais ousados de Londres têm muito interesse neste porão no momento.

— É por causa do nosso ouro francês — sussurrou o diretor. Recebemos vários avisos de que poderiam tentar roubá-lo.

— Ouro francês?

— Sim. Alguns meses atrás, tivemos condições de fortalecer nossos recursos e tomamos emprestamos, para esse fim, trinta mil napoleões do Banco da França. Houve rumores de que não tivemos ocasião de desembalar o dinheiro e que ele ainda está no nosso porão. A caixa em que estou sentado contém dois mil napoleões empacotados entre camadas de folhas de chumbo. Atualmente, nossa reserva de ouro é muito maior do que as mantidas, normalmente, em uma única filial, e os diretores estão receosos.

— Receios muito bem justificados — observou Holmes.

— E agora é hora de organizarmos nossos planos. Espero que dentro de uma hora esteja tudo acabado.

— Sr. Merryweather, precisamos apagar a lanterna.

— E ficarmos no escuro?

— Lamento. Eu trouxe um baralho de cartas no bolso e pensei que, como somos quatro, poderíamos fazer uma partida e o senhor, afinal, não ficaria uma noite de sábado sem jogar. Mas vejo que os preparativos do inimigo estão adiantados e que não podemos nos arriscar com a presença de uma luz.

— Devemos escolher nossas posições. Estes homens são ousados e, embora pegos de surpresa, poderão nos causar algum dano, a menos que tenhamos cuidado. Eu ficarei atrás deste caixote e vocês se esconderão atrás daqueles. Quando eu jogar a luz sobre eles, fechem rapidamente o cerco. Se eles dispararem, Watson, não tenha escrúpulos em derrubá-los.

Coloquei meu revólver, engatilhado, no topo da caixa de madeira atrás da qual me agachei. Holmes puxou o obturador de sua lanterna e nos deixou na escuridão total — uma escuridão tão absoluta como eu nunca havia experimentado antes. O cheiro de metal quente permaneceu e garantia que a luz ainda estava lá, pronta para iluminar a qualquer momento. Para mim, com os nervos à flor da pele, havia algo deprimente e subjugador na escuridão repentina e no ar frio e úmido da caixa-forte.

Eles têm apenas um recuo — sussurrou Holmes. Voltar à Saxe-Coburg Square usando a passagem da casa.

— Fez o que lhe pedi, Jones?

— Tenho um inspetor e dois policiais esperando na porta da frente.

— Então fechamos todas as saídas. Agora devemos ficar em silêncio e esperar.

Como pareceu longo aquele tempo!...

Depois, ao consultar as anotações, vi que demorou apenas uma hora e quinze minutos, mas me pareceu que a noite estava quase terminando e o amanhecer já surgia lá fora. Meus membros estavam cansados e rígidos, pois temia mudar de posição; meus nervos encontravam-se no ponto mais alto da tensão, e minha audição era tão aguçada que eu não apenas ouvia a respiração de meus companheiros, mas também distinguia a inspiração mais profunda e pesada do corpulento Jones, dos finos suspiros do diretor do banco. Da minha posição, eu podia ver o chão além da caixa. De repente, meus olhos captaram o brilho de uma luz.

A princípio, era apenas uma faísca lúgubre no pavimento de pedra. Então ela se estendeu até se tornar uma linha amarela e, sem nenhum aviso ou som, uma fenda se abriu e uma mão apareceu, uma mão branca, quase feminina, que tateava no centro da pequena área de luz. Por um minuto ou mais, a mão, com os dedos contorcidos, projetou-se no chão. De repente sumiu, tão rapidamente quanto tinha aparecido, e tudo ficou escuro novamente, exceto por aquele único raio que marcava uma fenda entre as pedras.

Seu desaparecimento, no entanto, foi apenas momentâneo. Com o som de algo se rasgando, despedaçando, uma grande placa branca girou para um lado e deixou um buraco quadrado, através do qual brilhava a luz de uma lanterna. Por cima da borda, espiava um rosto de menino, que observava em torno, e então, com uma mão de cada lado da abertura, mostrou-se à altura dos ombros, da cintura, até que um joelho apoiou-se na borda. Em um instante, ele estava ao lado do buraco puxando um companheiro, leve e pequeno como ele, com um rosto pálido e uma cabeleira vermelha.

— Está tudo tranquilo — ele sussurrou. Você tem talhadeira e sacos? — Meu Deus!... — Pule, Archie, pule, que eu estou perdido!

Sherlock Holmes pulou e agarrou o intruso pelo pescoço. O outro mergulhou pelo buraco, e ouvi o som de um pano rasgando quando Jones o puxou pelas roupas. A luz brilhou sobre o cano de um revólver, mas o chicote de Holmes bateu no punho do homem, e a pistola tilintou no chão de pedra.

— Não adianta, John Clay — disse Holmes suavemente. Você não tem chance.

— Entendo — o outro respondeu com a máxima frieza.

— Acho que meu amigo está bem, embora veja que lhe arrancaram parte do casaco.

— Há três homens esperando por ele na porta — disse Holmes.

— Verdade? Parece ter feito um bom trabalho! Devo cumprimentá-lo!

— Eu também lhe dou parabéns. A ideia dos ruivos foi muito original e eficaz.

— Você brevemente verá seu amigo — disse Jones. Ele foi mais rápido que eu ao saltar pelo buraco. Fique quieto enquanto fecho as algemas.

— Não me toque com suas mãos sujas — disse o prisioneiro enquanto as algemas fechavam em seus pulsos.

— Talvez não esteja ciente de que tenho sangue real nas veias. Tenha a bondade, também, de quando se dirigir a mim, sempre dizer "senhor" e "por favor".

— Perfeitamente — disse Jones — encarando-o e sorrindo com ironia.

— O senhor, por favor, pode subir as escadas para podermos tomar o coche para levar Vossa Alteza até a delegacia?

— Assim está melhor — disse John Clay tranquilamente.

Fez uma reverência para nós três e saiu em silêncio sob a custódia do detetive.

— Realmente, Sr. Holmes — disse Merryweather, enquanto os seguíamos após saírem do porão. Não sei como o banco pode agradecer ou retribuir. Não há dúvida de que o senhor detectou e derrotou completamente uma das tentativas mais determinadas de assaltar um banco. Com toda a minha experiência, jamais vi nada igual.

— Eu Tinha uma ou duas pendências para resolver com o Sr. John Clay — disse Holmes. — Tive uma pequena despesa com esse assunto e espero que o banco me reembolse. Estou amplamente recompensado por ter tido uma experiência que é, sob muitos aspectos, única e por ouvir a narrativa notável sobre "A Liga dos Ruivos".

52

— Como vê, Watson — explicou Holmes, nas primeiras horas da manhã, quando nos sentamos para tomar um copo de uísque com soda na Baker Street —, era perfeitamente óbvio, desde o início, que o único objetivo desta história fantástica do anúncio da Liga e a cópia da *Enciclopédia*, era tirar esse penhorista, não muito brilhante, de casa por algumas horas todos os dias. Era uma maneira curiosa de gerenciá-lo, mas, na verdade, seria difícil sugerir uma melhor. O método foi sem dúvida arquitetado pela mente engenhosa de Clay a partir da cor dos cabelos de seu cúmplice. As quatro libras por semana eram a isca para atrair o penhorista, e para eles, que jogavam com milhares, pouco significavam. Eles publicam o anúncio, um dos parceiros abre um escritório temporário, o outro incita o homem a se candidatar, e juntos conseguem garantir sua ausência todas as manhãs por várias semanas. Desde que soube que o assistente aceitara meio salário, concluí que ele tinha algum motivo muito forte para garantir o emprego.

— Mas como você conseguiu adivinhar qual era o motivo?

— Se houvesse uma mulher na casa, eu suspeitaria de um simples caso de amor clandestino. Isso, no entanto, estava fora de questão. Os negócios de Wilson eram pequenos, e não havia nada em sua casa que pudesse explicar os preparativos elaborados e as despesas que estavam fazendo. Deveria, então, ser algo fora da casa. O que poderia ser?

— Pensei no gosto do assistente pela fotografia e em seu hábito de ficar horas no porão. O porão!... ali estava a ponta da embaraçada meada.

— Fiz perguntas sobre este misterioso assistente e descobri que tinha que lidar com um dos criminosos mais frios e ousados de Londres. Ele estava fazendo algo no porão — algo que levava muitas horas por dia durante alguns meses. O que poderia ser? Eu não conseguia pensar em nada, exceto que ele estava abrindo um túnel para acessar outro prédio.

— Até aqui, eu havia chegado quando visitamos o local da ação. Eu lhe surpreendi batendo na calçada com a minha bengala. Eu estava verificando se o porão se estendia na frente ou atrás da casa. Não estava na frente. Então toquei a campainha e, como esperava, o assistente atendeu. Tivemos alguns conflitos, mas nunca tínhamos visto um ao outro. Eu mal olhei para o rosto dele, pois precisava ver seus joelhos. Você deve ter observado que eles estavam gastos e sujos. Demonstravam muitas horas de escavação. Restava saber o que eles estavam procurando.

— Dobrei a esquina, e quando vi que os fundos do City & Suburban Bank davam para a casa do penhorista, senti que havia resolvido o caso.

— Quando você voltou para sua casa, depois do concerto, chamei a Scotland Yard e o presidente dos diretores do banco. Das consequências você participou.

— E como você soube que eles tentariam esta noite?

— O fechamento do escritório da Liga, foi o sinal. Eles não se importavam mais com a presença do Sr. Jabez Wilson — em outras palavras — eles haviam concluído o túnel. — Era essencial que eles o usassem logo, pois poderia ser descoberto, ou o ouro poderia ser removido. O sábado lhes serviria melhor do que qualquer outro dia, pois lhes daria dois dias para a fuga. Por todas essas razões, eu esperava que eles agissem esta noite.

— Seus argumentos foram perfeitos! — exclamei com sincera admiração. — É uma cadeia tão longa e, no entanto, todos funcionam como elos.

— Este caso me salvou do tédio, disse ele, bocejando. Ai de mim! — Já o sinto se aproximando novamente. Minha vida é gasta em um longo esforço para escapar dos lugares-comuns da existência. Esses pequenos problemas me ajudam a fazê-lo.

— Você é um benfeitor da raça humana, Holmes!

Ele encolheu os ombros.

— Bem, talvez, afinal, sejam de alguma utilidade — observou. *"L'homme c'est rien, l'œuvre c'est tout"*, como escreveu Gustave Flaubert a George Sand.

III

UM CASO DE IDENTIDADE

Meu caro companheiro — disse Sherlock Holmes, quando estávamos sentados em ambos os lados da lareira em sua casa na Baker Street —, a vida é infinitamente mais estranha do que tudo que a mente do homem pudesse inventar. Não ousaríamos conceber coisas que são lugares-comuns na nossa existência. Se pudéssemos voar daquela janela de mãos dadas, pairar sobre esta grande cidade, remover os telhados e espiar as coisas estranhas que estão acontecendo, as coincidências, os planejamentos, os propósitos cruzados, as maravilhosas correntes de eventos que atravessam as gerações e causam os resultados mais diversos, isto tornaria todas as ficções, com suas convencionalidades e conclusões previstas, obsoletas e inúteis.

— Ainda não estou convencido disto.

— Os casos que aparecem nos jornais são, em regra, corriqueiros. Nos relatórios policiais, o realismo é levado a seus extremos e, no entanto, os resultados não são nem fascinantes e nem artísticos.

— Certa seleção e discrição devem ser usadas para produzir um efeito realista — observou Holmes. — Está faltando isto no relatório policial. Mais ênfase é dada às falas do magistrado que aos detalhes, que, para um observador, contêm a essência vital de todo o assunto. Acredite, não há nada tão antinatural quanto o lugar-comum.

Eu sorri e balancei a cabeça.

— Eu entendo muito bem o seu pensamento.

— É claro que, na sua posição de conselheiro e auxiliar, não oficial, de todos os que estão absolutamente intrigados, nos três continentes, você tem contato com tudo o que é estranho e bizarro.

Peguei o jornal da manhã — vamos fazer em teste prático.

— Aqui está o primeiro título: A crueldade de um marido com a esposa.

— Há meia coluna impressa, mas sei sem ler que tudo é perfeitamente familiar para mim. Existe, é claro, a outra mulher, a bebida, o empurrão, o soco, a contusão, a irmã ou a amiga condoída.

— Nem o mais grosseiro dos escritores poderia inventar nada mais bruto.

— Na verdade, seu exemplo é infeliz para o seu argumento — disse Holmes, pegando o jornal e olhando-o.

— Este é o caso da separação dos Dunda e, por acaso, eu estava envolvido para esclarecer alguns pequenos pontos relacionados a ele. O marido era um abstêmio, não havia outra mulher, e a conduta reclamada era que ele havia adquirido o hábito de, após todas as refeições, tirar os dentes falsos e atirá-los na esposa, o que, você concordará, não é uma ação que possa ocorrer à imaginação de um comum contador de histórias. Tome uma pitada de rapé, doutor, e reconheça que venci você neste exemplo.

Estendeu-me sua caixa de rapé de ouro velho, com uma grande pedra de ametista no centro da tampa. O esplendor, da caixa, contrastava com seus modos caseiros e sua vida simples. Não pude deixar de fazer um comentário.

— Ah — ele disse —, eu esqueci que não o via há algumas semanas. É uma pequena lembrança do rei da Boêmia, em agradecimento a minha ajuda no caso dos papéis de Irene Adler.

— E o anel? — perguntei, olhando para um notável brilhante que brilhava em seu dedo.

— Presente da família reinante da Holanda. O assunto em que eu os servi foi de tal delicadeza que não posso confiá-lo nem a você, que teve a gentileza de registrar um ou dois dos meus pequenos casos.

— Está trabalhando em algum caso agora? — perguntei com interesse.

— Dez ou doze, mas nenhum que apresenta qualquer característica de interesse. Eles são importantes, você entende, sem serem interessantes. De fato, descobri que é geralmente em assuntos sem importância que existe um campo para a observação e a análise rápida de causa e efeito que dão charme a uma investigação. Os crimes maiores tendem a ser mais simples, pois quanto maior o crime, mais óbvio, em regra, é o motivo. Nesses casos, exceto por uma questão bastante complexa que me foi referida em Marselha, não há nada que apresente características de interesse.

É possível, no entanto, que eu possa ter algo melhor antes que muitos minutos acabem, pois este é um dos meus clientes ou estou muito enganado.

Ele se levantou da cadeira e estava parado entre as cortinas abertas, olhando para a rua maçante e neutra de Londres. Olhando por cima do seu ombro, vi que, na calçada do lado oposto, havia uma mulher grande com um boá de pele no pescoço e uma grande pena vermelha e ondulada em um chapéu de abas largas à moda da duquesa de Devonshire. Debaixo dessa grande panóplia, ela espiou nervosa e hesitantemente para nossas janelas, enquanto seu corpo oscilava para trás e para frente e seus dedos mexiam nos botões das luvas. De repente, como num mergulho, ela correu e atravessou a rua. Logo ouvimos o som agudo da campainha.

— Eu já vi esses sintomas antes — disse Holmes — jogando o cigarro no fogo. Oscilação na calçada sempre significa um caso de *coração partido*. Ela gostaria de receber conselhos, mas não tem certeza de que o assunto não seja muito delicado para exposição. E, no entanto, há intensidades distintas nesses casos. Quando uma mulher é seriamente desprezada por um homem, ela não oscila e o sintoma usual é um fio de sino quebrado. Aqui podemos considerar que existe uma questão de amor, mas que a donzela não está tão zangada quanto perplexa ou triste. Mas aqui está ela pessoalmente para resolver nossas dúvidas.

Enquanto ele falava, ouvimos uma batida na porta, e o garoto de recados entrou para anunciar a senhorita Mary Sutherland. A própria dama pairava atrás de sua pequena figura negra como um grande navio cargueiro atrás de um pequeno barco a motor. Sherlock Holmes deu-lhe as boas-vindas com a cortesia costumeira pela qual ele era reconhecido e tendo fechado a porta, ofereceu-lhe uma poltrona. Ele a olhou atentamente por um minuto ao modo que lhe era peculiar.

— Não acha — ele disse — que, com sua visão afetada, é um pouco penoso escrever tanto?

— Eu achei no começo — respondeu ela —, mas agora sei onde estão as letras sem olhar.

Então, de repente percebendo o significado completo de suas palavras, ela teve um sobressalto e olhou para cima, com medo e espanto em seu rosto amplo.

— Já ouviu falar de mim, Sr. Holmes — ela exclamou — do contrário, como o senhor pode saber tudo isso?

— Não importa — disse Holmes — rindo; é da minha profissão conhecer os sinais. Talvez eu tenha treinado para ver o que os outros ignoram. Se não, por que você deveria me consultar?

— Vim até aqui, porque a senhora Etherege me contou que o senhor encontrou-lhe o marido quando a polícia e todo mundo o consideravam morto. Sr. Holmes, gostaria que fizesse o mesmo por mim. Não sou rica, mas tenho uma renda de cem libras por ano, além do pouco que ganho com a máquina, e daria tudo para saber o que aconteceu com o Sr. Hosmer Angel.

— Por que veio me consultar com tanta pressa?— perguntou Sherlock Holmes — com as pontas dos dedos juntas e os olhos voltados para o teto.

Novamente, um olhar assustado surgiu no rosto da senhorita Mary Sutherland. — Sim, eu saí de casa — disse ela — impetuosamente, pois fiquei com raiva de ver a maneira tranquila como o Sr. Windibank — meu pai — encarou os fatos. Ele não foi à polícia e nem viria a você, e por fim, como ele não fez nada e continuou dizendo que não havia motivo nenhum para preocupação, eu fiquei muito aflita, peguei minhas coisas e vim imediatamente procurar pelo senhor.

— Seu pai? — perguntou Holmes. Seu padrasto, certamente, já que o sobrenome é diferente.

— Sim, meu padrasto. Eu o chamo de pai, embora pareça engraçado, pois ele é apenas cinco anos e dois meses mais velho que eu.

— E sua mãe está viva?

— Oh, sim, a minha mãe está viva e bem. Não fiquei muito satisfeita, Sr. Holmes, quando ela se casou novamente logo após a morte do meu pai e com um homem quase quinze anos mais novo que ela. O meu pai era encanador na estrada de Tottenham Court e ele deixou um grande negócio para trás, que a minha mãe continuou a tocar com o Sr. Hardy, o capataz; mas quando o Sr. Windibank chegou, ele a fez vender o negócio, pois tinha um negócio muito superior, sendo um viajante vendedor de vinhos. Eles receberam quatro mil e setecentas libras pela clientela e pelos bens, o que era muito menos que o meu pai poderia ter conseguido se estivesse vivo.

Eu esperava ver Sherlock Holmes impaciente sob essa narrativa desmedida e tola, mas, pelo contrário, ele ouvia com a maior concentração.

— Sua pequena renda — ele perguntou — sai do negócio?

— Oh, não senhor. É de uma origem bem separada. Foi-me deixado pelo meu tio Ned, em Auckland, duas mil e quinhentas libras que estão aplicadas em ações da Nova Zelândia, redendo 4,5%. Eu só posso tirar os juros.

— Seu caso me interessa muito — disse Holmes. Com uma quantia de cem livras por ano, mais com o que ganha com o seu trabalho, sem dúvida viaja um pouco e satisfaz a todos os seus desejos. Acredito que uma mulher solteira possa viver muito bem com uma renda de cerca de sessenta libras.

— Eu poderia viver com menos que isso, Sr. Holmes, mas o senhor entende que, enquanto eu morar na casa deles, não desejo ser um fardo, e assim eles usarão o meu dinheiro enquanto eu estiver lá. Claro, isso é apenas por enquanto. O Sr. Windibank retira meus juros a cada trimestre e os entrega a minha mãe. Acho que posso me sair muito bem com o que ganho com a datilografia. Isso me dá dois pence por página e muitas vezes posso fazer de quinze a vinte páginas por dia.

— A senhorita deixou sua posição muito clara para mim — disse Holmes. — Este é meu amigo, Dr. Watson, diante de quem pode falar tão livremente quanto a sós comigo. Por favor, contenos agora tudo sobre sua relação com o Sr. Hosmer Angel.

Um rubor surgiu no rosto de Miss Sutherland, e ela pegou nervosamente a franja de sua jaqueta.

— Eu o conheci no baile dos *gasfitters* — disse ela. — Eles costumavam enviar convites para o meu pai quando ele estava vivo, se lembraram de nós, e os enviaram para a minha mãe. O Sr. Windibank não queria que a gente fosse. Ele nunca quis que a gente fosse a lugar algum. Ele ficava bravo se eu quisesse participar até de uma festa da escola dominical. Mas desta vez eu queria ir, e eu iria; que direito ele tinha para impedir? Ele disse que as pessoas não eram adequadas para nossa convivência, mas todos os amigos do pai estariam lá. Ele disse que eu não tinha roupa adequada para vestir, mas eu tinha um luxuoso vestido púrpura que eu nunca tinha tirado da gaveta. Por fim, não tinha mais nenhum argumento. Ele foi para a França cuidar dos negócios da empresa e fomos, minha mãe e eu, ao baile com o Sr. Hardy.

— Suponho — disse Holmes — que quando o Sr. Windibank voltou da França, ficou muito irritado por vocês terem ido ao baile.

— Oh, bem, ele foi flexível. Lembro-me de que ele riu, encolheu os ombros e disse que não adiantava negar nada a uma mulher, pois ela fazia sempre o que queria.

— Entendo. Então, no baile dos *gasfitters*, conheceu um cavalheiro chamado Sr. Hosmer Angel.

— Sim senhor. Eu o conheci naquela noite e ele apareceu, no dia seguinte, para perguntar se tínhamos chegado a casa seguros. Depois disso nós o encontramos — ou seja, Sr. Holmes — eu o encontrei duas vezes. Saímos para passear, mas depois que o meu pai voltou, o Sr. Hosmer Angel não pôde mais entrar em casa.

— Não?

— Bem, o senhor sabe que o meu pai não gostou de nada disso. Ele não recebia visitas se pudesse evitar, e costumava dizer que uma mulher deveria ser feliz em seu próprio círculo familiar. Mas, eu costumava dizer para a minha mãe: uma mulher quer começar seu próprio círculo, e eu ainda não tenho o meu.

— Mas e o Sr. Hosmer Angel? Ele não fez nenhuma tentativa para revê-la?

— Meu pai estava indo para a França novamente em uma semana, e Hosmer escreveu dizendo que seria mais seguro e melhor não nos vermos até que ele se fosse. Enquanto isso, poderíamos nos corresponder. Ele costumava escrever-me todos os dias. Eu pegava as cartas pela manhã e o meu pai não precisou saber.

— A senhorita estava noiva do cavalheiro nesse momento?

— Sim, senhor Holmes. Ficamos noivos após o primeiro passeio que fizemos. Hosmer...Sr. Angel ... era caixa em um escritório na Leadenhall Street... e ...

— Qual escritório?

— Isso é o pior, Sr. Holmes, eu não sei.

— Onde ele morava, então?

— Ele dormia no escritório.

— E você não sabe o endereço dele?

— Não, exceto que era na Leadenhall Street.

— Para onde você dirigia suas cartas, então?

— Para a caixa dos correios na Leadenhall Street. Ele disse que se elas fossem enviadas para o escritório, ele seria criticado por todos os outros funcionários por receber cartas de uma dama. Eu me ofereci para datilografá-las, como ele fez com as dele, mas ele não quis. Disse que quando eu as escrevia a mão, elas pareciam vir de mim, mas quando eram datilografadas, ele sempre sentia que uma máquina havia ficado entre nós. Isso apenas mostrava como ele gostava de mim, Sr. Holmes, e nas pequenas coisas que ele pensava.

— "Sugestivo" — disse Holmes. — Há muito tempo é meu axioma que as pequenas coisas são infinitamente as mais importantes. Você consegue se lembrar de outros detalhes sobre o Sr. Hosmer Angel?

— Ele era um homem muito tímido, Sr. Holmes. Ele preferia andar comigo à noite que à luz do dia, pois disse que odiava ser notado. Muito cauteloso e gentil, ele era. Até a sua voz era gentil. Teve amigdalite quando jovem, ele me disse, e isso o deixou com uma garganta fraca e um modo de falar hesitante e sussurrante. Ele estava sempre bem-vestido, arrumado, mas simples, seus olhos eram fracos, assim como os meus, e ele usava óculos escuros para se proteger da claridade.

— E o que aconteceu quando o Sr. Windibank, seu padrasto, voltou para a França?

— Sr. Hosmer Angel voltou a casa e propôs que nos casássemos antes que o meu pai voltasse. Ele estava muito sério e me fez jurar, com as mãos no Testamento, que, acontecesse o que fosse, eu sempre seria fiel a ele. Mamãe disse que ele tinha razão em me fazer jurar, e que isso era um sinal de sua paixão. Mamãe estava a seu favor desde o início e era ainda mais afeiçoada a ele que eu. Então, quando eles falaram em casamento dentro de uma semana, perguntei sobre o meu pai; mas ambos disseram para eu não me preocupar e contar a ele depois. Minha mãe prometeu que resolveria tudo com ele. Não gostei muito disso, Sr. Holmes. Parecia engraçado que eu pedisse sua licença, pois ele era apenas alguns anos mais velho que eu; mas eu não queria fazer nada às escondidas, então escrevi para ele em Bordeaux, onde a companhia mantém seus escritórios franceses, mas a carta me chegou de volta na própria manhã do casamento.

— Não o encontrou então?

— Não senhor; pois ele havia retornado à Inglaterra pouco antes da carta chegar.

— Ha! Isso foi lamentável. Seu casamento foi marcado para a sexta-feira. Seria na igreja?

— Sim, mas muito discretamente. Seria na igreja de St. Saviour's, perto de King's Cross, e depois tomaríamos o café da manhã no St. Pancras Hotel.

— Hosmer veio até nós em um coche, mas como éramos duas, ele nos acomodou e entrou em outro veículo, que por acaso, estava na rua. — Chegamos à igreja primeiro e, quando o outro veículo chegou, esperamos que ele saísse, mas ele não apareceu. Quando o cocheiro desceu da caixa e olhou para dentro do carro, não havia ninguém lá! — O homem disse que não conseguia imaginar o que havia acontecido com Hosmer, pois o vira entrar com seus próprios olhos.

— Isso foi na sexta-feira passada, Sr. Holmes, e nunca mais vi ou ouvi nada que lançasse alguma luz sobre o que aconteceu.

— Parece-me que a senhorita foi vergonhosamente maltratada — disse Holmes.

— Oh, não senhor! Ele era muito bom e gentil para me deixar assim. Durante toda a manhã ele estava me dizendo que: Aconteça o que for, você deverá me ser fiel; e mesmo que algo imprevisto ocorra para nos separar, lembre-se de ter se comprometido comigo e de que eu reivindicarei sua promessa mais cedo ou mais tarde. Parecia uma conversa estranha para uma manhã de núpcias, mas o que aconteceu desde então dá sentido a ela.

— Certamente que sim. Sua opinião é, então, que alguma catástrofe lhe ocorreu?

— Sim. Eu acredito que ele previu algum perigo, ou então ele não teria falado assim. E acho que o que ele previu aconteceu.

— Mas a senhorita não tem ideia do que poderia ter sido?

— Nenhuma.

— Mais uma pergunta: como sua mãe lidou com o assunto?

— Ela estava com raiva e disse que eu nunca mais deveria falar sobre o assunto.

— E seu pai? Contou a ele?

— Sim; e ele parece pensar como eu, que algo aconteceu e que eu deverei ouvir sobre Hosmer novamente. Como ele disse:

Que interesse alguém poderia ter em levá-la até as portas da igreja e depois a deixar? Se ele tivesse me pedido dinheiro, emprestado, ou, se tivesse se casado comigo e colocado meu dinheiro em seu nome, haveria uma razão, mas Hosmer era muito independente em relação ao dinheiro e nunca iria querer um xelim meu. E, no entanto, o que poderia ter acontecido? E por que ele não pôde escrever? Ah, pensar nisso me deixa meio louca e não consigo dormir à noite.

Ela puxou um pequeno lenço do regalo e começou a soluçar compulsivamente.

— Vou dar uma olhada no seu caso — disse Holmes — levantando-se. — Não tenho dúvidas de que alcançaremos algum resultado definitivo. Deixe o peso da questão repousar sobre mim agora, e não deixe sua mente se aprofundar nela. Acima de tudo, tente deixar o Sr. Hosmer Angel desaparecer da sua memória, como ele se afastou da sua vida.

— Então o senhor acha que eu não vou vê-lo novamente?

— Receio dizê-lo.

— O que aconteceu com ele?

— A senhorita deixará essa pergunta em minhas mãos. Gostaria de uma descrição precisa desse homem e que me dê todas as cartas escritas por ele.

— Anunciei à procura dele no *Chronicle* do último sábado — disse ela. — Aqui estão o recorte e as quatro cartas dele.

— Obrigado. E seu endereço?

— Lyon Place,nº31, Camberwell.

— O endereço de Angel, a senhorita nunca soube. Não é mesmo? — Onde seu pai trabalha?

— Ele viaja para Westhouse & Marbank, os grandes importadores de vinho da Fenchurch Street.

— Obrigado. A senhorita fez sua declaração com muita clareza. Deixará os papéis aqui e lembre-se dos conselhos que eu lhe dei: deixe todo o incidente ser um livro selado e não permita que ele afete a sua vida.

— É muito gentil, Sr. Holmes, mas eu não posso fazer isso. Serei fiel a Hosmer. Ele deve me encontrar esperando-o quando voltar.

Apesar do enorme chapéu e do semblante vazio, havia algo nobre na fé simples da nossa visitante que merecia nosso respeito.

Ela colocou seu pequeno volume de papéis sobre a mesa e seguiu seu caminho, com a promessa de voltar sempre que fosse convocada.

Sherlock Holmes ficou em silêncio por alguns minutos, com as pontas dos dedos ainda pressionadas, as pernas esticadas a sua frente e o olhar voltado para o teto. Então tirou da prateleira o velho cachimbo, que era para ele como conselheiro, e, depois de acendê-lo, recostou-se na cadeira, soltando grossos anéis de fumaça azul que giravam sobre ele. Tinha um olhar de languidez infinita no rosto.

— Um estudo bastante interessante, o caso dessa senhorita — observou Holmes. Eu a achei mais interessante que seu pequeno problema, que, a propósito, é bastante trivial. Você encontrará casos paralelos, se consultar meu índice, em Andover, em 1877. Também houve algo semelhante em Haia no ano passado. Por mais antiga que seja a ideia, há um ou dois detalhes novos para mim. Mas a própria senhorita foi muito instrutiva.

— Parece que você percebeu muito sobre ela. Para mim, tudo foi imperceptível...

— Você não sabe onde procurar, Watson, e, portanto, perdeu tudo o que era importante.

Eu nunca consigo levá-lo a entender a importância dos detalhes: das mangas, das unhas, dos dedos, das mãos enfim, ou os grandes problemas que podem estar pendurados nas cordas das botas. O que você observou na aparência daquela mulher? Descreva-a.

— Ela usava um chapéu de palha de aba larga e cor de pedra, com uma pena de um vermelho acastanhado. A jaqueta era preta, com contas pretas costuradas e uma franja de pequenos enfeites pretos. O vestido era marrom, mais escuro que a cor do café, com um pouco de pelúcia roxa no pescoço e nas mangas. Suas luvas eram acinzentadas e tinham o dedo indicador direito rasgado. As botas eu não observei. Tinha brincos redondos de ouro, pendurados e um ar geral de bem-estar, ar de quem vive de uma maneira, confortável e descontraída.

Sherlock Holmes bateu palmas suavemente e riu.

— Sério, Watson, você está indo maravilhosamente bem. Você realmente a observou muito bem. É verdade que você perdeu tudo o que era importante, mas seguiu o método e ficou atento às cores. Nunca confie em impressões gerais, meu amigo, mas concentre-se nos detalhes. Meu primeiro olhar é sempre para manga de uma mulher. Em um homem, talvez seja melhor primeiro olhar o joelho da calça. Como você observou, essa mulher usava mangas felpudas, que é um bom material para mostrar sinais. A linha dupla um pouco acima do pulso, onde o datilógrafo pressiona as mãos sobre a mesa, ao escrever, estava perfeitamente definida. A máquina de costura, manual, deixa uma marca semelhante, mas apenas no braço esquerdo e do lado oposto ao polegar, e não na parte mais larga do pulso, como nesse caso. Depois passei os olhos pelo rosto dela, e, vendo a marca de óculos nos dois lados do nariz, arrisquei a observação sobre a miopia e a datilografia, que tanto a surpreendeu.

— A mim também.

— Mas, certamente, era óbvio. Fiquei muito surpreso ao olhar para baixo e observar que, as botas que ela usava eram diferentes uma da outra, isso era realmente estranho; uma tinha a biqueira levemente decorada e a outra, lisa. Uma foi abotoada apenas nos dois botões inferiores e a outra no primeiro, terceiro e quinto. Quando uma jovem senhora, bem-vestida, sai de casa com botas desemparelhadas e meio abotoadas, não é uma grande dedução dizer que ela saiu com pressa.

— E o que mais? — perguntei, profundamente interessado, como sempre, no raciocínio assertivo de meu amigo.

— Notei que ela havia escrito uma nota antes de sair de casa, mas depois de estar completamente vestida. Você observou que a luva direita dela estava rasgada no indicador, mas não viu que a luva e o dedo estavam manchados com tinta violeta. Ela escreveu com pressa e mergulhou a caneta muito fundo. Deve ter sido essa manhã, ou a marca não permaneceria clara no dedo. Tudo isso é divertido, embora bastante elementar, mas devo voltar aos trabalhos, Watson. Você se importaria de ler para mim o anúncio com a descrição do Sr. Hosmer Angel?

Eu segurei o pequeno recorte impresso contra a luz. "Desaparecido — dizia — na manhã do dia 14, um cavalheiro chamado Hosmer Angel. Mede cerca de 1,70m de altura, é forte e tem a pele pálida, cabelos pretos, um pouco careca no centro da cabeça, bigodes grossos e pretos; usa óculos escuros e tem ligeira enfermidade na fala. Estava vestido, quando visto pela última vez, com um casaco preto forrado com seda, colete preto, corrente Albert dourada e calças Harris de tweed cinza, usava polainas marrons sobre botas com elástico. Era empregado em um escritório na Leadenhall Street. Qualquer informação etc., etc.

— Isso já me serve — disse Holmes. Quanto às cartas, ele continuou olhando por cima delas — elas são muito comuns. Absolutamente nenhuma pista nelas, exceto que Hosmer cita Balzac uma vez. Há um ponto notável, no entanto, que sem dúvida o impressionará.

— Elas estão datilografadas — comentei.

— Não apenas isso, mas a assinatura também está datilografada. Olhe para o pequeno e claro "Hosmer Angel" na parte inferior do papel. Há uma data, como você vê, mas nenhuma inscrição, exceto Leadenhall Street, o que é bastante vago... O detalhe da assinatura é muito revelador — na verdade, podemos chamá-lo de conclusivo.

— Sobre o quê?

— Meu caro amigo, não é possível que você não veja o quão fortemente isso elucida o caso!

— Não posso dizer que sim, a menos que ele desejasse poder negar sua assinatura se uma ação por quebra de promessa fosse instituída.

— Não, esse não é o ponto. No entanto, escreverei duas cartas, que devem resolver o assunto. Um é para uma empresa na cidade, a outra é para o padrasto da jovem, Sr. Windibank, perguntando se ele poderia nos encontrar aqui às seis da tarde de amanhã. No meu trabalho, prefiro fazer contato com os homens das famílias. E agora, doutor, não podemos fazer nada até que as respostas às cartas nos cheguem. Por hora, colocaremos nosso pequeno problema na prateleira.

Eu tinha tantas razões para acreditar nos poderes sutis de raciocínio de meu amigo e na sua extraordinária energia de ação, que senti que ele já teria algumas bases sólidas que o faziam ter o comportamento seguro com que tratava o mistério a que fora chamado a desvendar.

Que eu saiba, apenas uma vez meu amigo falhara. No caso do rei da Boêmia e da fotografia de Irene Adler; mas, quando relembrei as estranhezas do *Signo dos Quatro* e as extraordinárias circunstâncias relacionadas ao *Um Estudo em Vermelho* — casos brilhantemente solucionados por ele — senti que só um emaranhado muito complexo ele não conseguiria desvendar.

Deixei-o então, ainda fumando seu cachimbo, com a convicção de que, quando voltasse no dia seguinte, saberia que ele já tinha em suas mãos todas as pistas que levariam à identidade do noivo desaparecido da Srta. Mary Sutherland.

Um caso profissional de grande gravidade atraía minha própria atenção na época e durante todo o dia seguinte eu estava ocupado ao lado da cama do enfermo sofredor. Não foi se não quase seis horas que me vi livre e fui capaz de pular em um coche e dirigir-me até a Baker Street, meio com medo de que pudesse ser tarde demais para ajudar no desenlace do pequeno mistério.

Encontrei Sherlock Holmes sozinho, meio adormecido, com sua forma longa e fina enrolada nos recessos da poltrona. Uma variedade formidável de garrafas e tubos de ensaio, com o cheiro pungente e limpo de ácido clorídrico, me disse que ele passara o dia no trabalho químico que lhe era tão querido.

— Bem, você resolveu? — perguntei quando entrei.

— Sim. Era o bissulfato de barita.

— Não, não, o mistério! — exclamei.

— Oh, aquilo! Pensei no sal em que tenho trabalhado. Nunca houve nenhum mistério no assunto, porém, como eu disse ontem, alguns dos detalhes são interessantes. O único inconveniente é que não há lei, eu temo, que possa punir o canalha.

— Quem era ele, então, e qual era seu objetivo ao abandonar a senhorita Sutherland?

A pergunta mal saiu da minha boca, e Holmes ainda não tinha aberto os lábios para responder, quando ouvimos um passo pesado no corredor e uma batida na porta.

— É o padrasto da senhorita Mary Sutherland, Sr. James Windibank — disse Holmes. Ele me escreveu para dizer que estaria aqui às seis.

— Entre!

O homem que entrou era um sujeito robusto e de tamanho médio, com cerca de trinta anos de idade, barbeado e de pele pálida, tinha uma maneira amistosa, e um par de olhos cinzentos afiados e penetrantes. Ele lançou um olhar interrogativo para cada um de nós, colocou sua cartola brilhante no aparador e com uma ligeira mesura sentou-se na cadeira mais próxima.

— Boa noite, Sr. James Windibank — disse Holmes. Esta carta datilografada é sua? O senhor marcou uma consulta comigo às seis horas?

— Sim senhor. Sinto ter me atrasado um pouco, mas não sou meu mestre, sabe. Lamento que a senhorita Sutherland o tenha incomodado com esse pequeno problema, pois acho muito melhor não tratar desse tipo de assunto em público. Foi totalmente contra os meus desejos que ela veio, mas ela é uma jovem muito impulsiva, como deve ter notado, e ela não é facilmente controlada quando se decide a respeito de algo. Eu não me importei tanto com o senhor, pois não está conectado com a polícia oficial, mas não é agradável ter um infortúnio familiar exposto. Além disso, é uma despesa inútil, pois como poderia encontrar esse senhor Hosmer?

— Pelo contrário — disse Holmes calmamente. Tenho todos os motivos para acreditar que vou conseguir descobrir o Sr. Hosmer Angel.

O Sr. Windibank teve um sobressalto violento e deixou cair as luvas.

— Estou muito feliz em ouvir isso — disse ele.

— É uma coisa curiosa — observou Holmes —, que uma máquina de escrever tenha realmente tanta individualidade quanto a caligrafia de um homem. A menos que sejam completamente novas, não há duas que escrevem exatamente da mesma forma. Algumas letras ficam mais gastas que outras, e outras de desgastam apenas de um lado. Observe neste seu bilhete, Sr. Windibank, que há um pequeno borrão em todas as letras 'e' e um ligeiro defeito nas letras 'r'. Existem catorze outras características, mas essas são as mais óbvias.

— Nós fazemos toda a nossa correspondência com esta máquina no escritório e, sem dúvida, está um pouco desgastada — respondeu nosso visitante, olhando intensamente para Holmes com seus olhos brilhantes.

— E agora vou lhe mostrar o que é realmente um estudo muito interessante, Sr. Windibank — continuou Holmes. Penso em escrever outra pequena monografia sobre a máquina de escrever e sua relação com o crime. É um assunto ao qual dediquei pouca atenção. Tenho aqui quatro cartas que supostamente vêm do homem desaparecido. Estão todas datilografados. Em cada caso, não apenas os 'e' estão manchados e os 'r' desgastados, mas o senhor observará, se quiser usar minha lente de aumento, que as catorze outras características às quais aludi também estão nas quatro cartas.

O Sr. Windibank levantou-se da cadeira e pegou o chapéu.

— Não posso perder tempo com esse tipo de conversa absurda, Sr. Holmes. — Se puder pegar o homem, pegue-o e me avise quando tiver feito isso.

— Certamente — disse Holmes, caminhando até a porta e girando sua chave. Eu o aviso que o peguei!

— O quê? Onde? — gritou o Sr. Windibank, ficando branco nos lábios e olhando para Holmes como um rato em uma armadilha.

— Não adianta negar — disse Holmes — calmamente. — Não há como escapar, Sr. Windibank. É transparente demais e foi muito desagradável quando o senhor disse que era impossível, para mim, resolver uma questão tão simples. Está certo... sente-se e vamos conversar.

Nosso visitante caiu em uma cadeira, com o rosto apavorado e um brilho de umidade na testa.

— Não cometi nenhum crime — ele gaguejou.

— Certamente que não. Mas entre nós, Windibank, foi um ato cruel, egoísta e impiedoso. A atitude mais mesquinha que tive diante de mim. — Deixe-me revelar o curso dos eventos, e o senhor poderá me contradizer se eu estiver errado.

O homem estava sentado, encolhido na cadeira, com a cabeça afundada no peito, como alguém totalmente derrotado. Holmes pôs os pés no canto da lareira e, recostando-se com as mãos nos bolsos, começou a falar mais para si mesmo, ao que parecia, que para nós.

— Um homem se casou com uma mulher muito mais velha que ele, por interesse — disse. Ele usufruiria do dinheiro da filha dessa senhora desde que ela morasse com eles. Era uma soma considerável para uma pessoa em sua posição, e essa perda faria uma grande diferença no seu conforto. Valeria a pena um esforço para preservá-lo. A jovem filha era de um temperamento bom e amável, afetuosa e calorosa em seus modos, de modo que, com suas justas vantagens pessoais e sua boa renda, ela não ficaria solteira por muito tempo. Seu casamento significaria a perda de cem libras por

69

ano, então o que seu padrasto faz para evitá-lo? Ele se esforça para mantê-la em casa e a proíbe de procurar a companhia de pessoas de sua idade. Logo ele descobre que isso não duraria para sempre. A jovem ficou inquieta, insistiu em seus direitos e finalmente a-nunciou sua intenção positiva de ir a um determinado baile. O que seu padrasto faz então? Ele concebe uma ideia totalmente vazia dos créditos do coração. Com a conivência e a assistência de sua esposa, ele se disfarça: cobre-se com óculos escuros, mascara o rosto com barba e bigode espessos, usa uma voz não clara com sussurros insinuantes. Duplamente seguro graças à miopia da jovem, ele aparece como o Sr. Hosmer Angel e afasta outros preten-dentes, namorando-a ele mesmo.

— Foi apenas uma brincadeira... — gemeu nosso visitante. Nós não pensávamos que ela ficaria tão interessada.

— Acredito que não — ponderou Holmes. Seja como for, a jovem ficou muito envolvida e, achando que o padrasto estava na França, a suspeita da farsa nunca lhe passou pela cabeça. Ficou lisonjeada com as atenções do cavalheiro, e o efeito foi aumen-tado pela admiração exacerbada demonstrada pela mãe. O Sr. An-gel começou a escrever-lhe, pois era preciso que o assunto fosse levado o mais longe possível para produzir um efeito real. Houve encontros e um noivado, o que finalmente garantiu que os afetos da jovem não se voltassem para qualquer outro homem. Mas a farsa não poderia ser mantida para sempre. As pretensas viagens à França eram bastante complicadas. O melhor a fazer era encerrar o caso de uma maneira tão dramática que deixasse uma impressão permanente na mente da jovem e a impedisse de recomeçar um namoro com qualquer outro pretendente por um longo tempo. Por isso os votos de fidelidade exigiam um juramento e as alusões à possibilidade de algo acontecer antes do casamento foram refor-çadas por várias vezes. James Windibank desejava que a senhorita Sutherland estivesse tão ligada a Hosmer Angel e tão perturbada com a incerteza do seu destino, que nos próximos dez anos, ela não admitiria pensar em outro homem. Até a porta da igreja ele a levou, e então, como não podia ir mais longe, desapareceu con-venientemente usando o velho truque de entrar por uma porta de um veículo e sair pela outra. Acredito que essa foi a sequencia dos fatos, Sr. Windibank!

Nosso visitante recuperou um pouco de sua segurança enquanto Holmes falava e se levantou da cadeira, agora com um sorriso frio no rosto pálido.

— Pode ser que sim, ou não, Sr. Holmes — disse ele — mas se é tão esperto, deve saber que é o senhor quem está violando a lei agora, e não eu. Não fiz nada ilegal, desde o início, mas o senhor mantendo a porta trancada está sujeito a uma ação por agressão e restrição de liberdade.

— A lei não pode, como diz, tocar no senhor — disse Holmes, destrancando e abrindo a porta, mas nunca houve um homem que merecesse mais punição. Se a jovem tivesse um irmão ou um amigo, ele certamente lhe daria umas chicotadas nos ombros. Meu Deus! — ele continuou, corando ao ver o sorriso sarcástico no rosto do homem — não faz parte dos meus deveres para com o meu cliente, mas aqui está um chicote de montaria à mão, e acho que vou me dar o prazer de usá-lo... Deu dois passos rápidos para o chicote, mas antes que ele pudesse alcançá-lo, houve um barulho nos degraus das escadas, a pesada porta do corredor bateu e, pela janela, vimos o Sr. James Windibank correndo na velocidade máxima pela rua.

— É um canalha de sangue-frio! — disse Holmes, rindo, quando se jogou na cadeira mais uma vez. Esse sujeito passará de crime em crime até que faça algo muito ruim e acabe na forca. O caso, em alguns aspectos, não foi totalmente desprovido de interesse.

— Agora pude ver completamente todos os passos do seu raciocínio — comentei.

— Bem, era claro desde o início que o Sr. Hosmer Angel devia ter algum objetivo forte por sua conduta curiosa, e ficou igualmente claro que o único homem que realmente lucrou com o incidente, tanto quanto pudemos ver, foi o padrasto. O fato de os dois homens nunca estarem juntos, que um sempre aparecesse quando o outro estava fora, era sugestivo. Sugestivos também os óculos escuros e a voz rastejante, que sugeriam um disfarce, assim como os bigodes espessos. Minhas suspeitas foram todas confirmadas por sua ação peculiar ao datilografar sua assinatura, o que, é claro, inferiu que a caligrafia dele era tão familiar à jovem que ela a reconheceria até na menor amostra. Todos esses fatos isolados, juntos a outros muitos menores, apontavam na mesma direção.

— E como você os verificou?

— Depois de avistar o homem, foi fácil obter a confirmação. Eu conhecia a empresa para a qual esse homem trabalhava. Tendo tomado a sua descrição impressa, eu eliminei tudo o que poderia resultar de um disfarce — os bigodes, os óculos, a voz e a enviei através de carta para a empresa, com um pedido para que eles me informassem se correspondia à descrição de algum de seus viajantes. Eu já tinha notado as peculiaridades da máquina de escrever e escrevi para o próprio homem em seu endereço comercial perguntando se ele viria aqui. Como eu esperava, sua resposta foi datilografada e revelou os mesmos defeitos triviais, mas característicos. O mesmo correio me trouxe uma carta de Westhouse & Marbank, da Fenchurch Street, para dizer que a descrição era correspondente, em todos os aspectos, com a de seu empregado, James Windibank. *Voilà tout*!

— E Miss Sutherland?

— Se eu disser a ela, ela não vai acreditar em mim. Você deve se lembrar do velho ditado persa: "É tão perigoso tirar a cria de uma tigresa quanto roubar a ilusão de uma mulher." Há tanto sentido em Hafiz quanto em Horácio, e o mesmo conhecimento do mundo.

IV

O MISTÉRIO DO VALE BOSCOMBE

Estávamos sentados para o café da manhã, minha esposa e eu, quando a empregada trouxe um telegrama. Era de Sherlock Holmes e dizia:

— Você tem alguns dias de folga? Acabo de receber um telegrama do oeste da Inglaterra. A mensagem está relacionada à tragédia do Vale Boscombe. Ficarei feliz se você vir comigo. Ar e cenário perfeitos. Partirei de Paddington às 11h:15min.

— O que você diz, querido?— perguntou minha esposa, olhando para mim. Você vai?

— Eu realmente não sei o que dizer. Eu tenho muitos pacientes no momento.

— Oh, Anstruther faria o trabalho por você. Você está um pouco pálido ultimamente. Acho que a mudança lhe faria bem, e você sempre teve interesse nos casos do Sr. Sherlock Holmes.

— Eu seria um ingrato se não o tivesse. Ganhei muito através de um deles — respondi. Mas, se eu for, devo fazer as malas rapidamente, pois tenho apenas meia hora.

Minha experiência no trabalho militar no Afeganistão teve pelo menos o efeito de me tornar um viajante ágil e pontual. Meus preparativos eram poucos e simples, de modo que, em pouco tempo, eu estava em um coche, com minha mala, indo para a estação Paddington.

Sherlock Holmes andava de um lado para o outro da plataforma. Sua figura alta e magra era realçada por sua longa capa cinza de viagem e seu boné justo à cabeça.

— É realmente muito bom você vir, Watson — disse ele. — Faz uma grande diferença ter comigo uma pessoa em quem posso confiar completamente. A ajuda local normalmente é inútil ou tendenciosa. Reserve os dois assentos do canto, eu comprarei os ingressos.

Tínhamos o vagão só para nós e para um imenso volume de papéis que Holmes havia trazido. Holmes os remexeu e os leu, com intervalos para anotações e meditação, até deixarmos Reading. De repente, ele juntou todos em uma bola gigantesca e os jogou no bagageiro.

— Você já ouviu alguma coisa sobre o caso? — ele perguntou.

— Nenhuma palavra. Não leio jornais há alguns dias.

— A imprensa de Londres não fez uma cobertura muito completa. Acabei de examinar todos os artigos recentes para conhecer os detalhes. Parece ser um daqueles casos simples que são extremamente difíceis de resolver.

— Isso parece um pouco paradoxal.

— Mas é profundamente verdadeiro. A singularidade é quase sempre uma pista. Quanto mais característico e comum é um crime, mais difícil é esclarecê-lo. Nesse caso, há uma acusação muito séria contra o filho do homem assassinado.

— É um assassinato, então...

— É conjecturado que seja. Não tomarei nada como garantido até ter a oportunidade de investigar pessoalmente. Explicarei o estado das coisas, até onde pude entender, em poucas palavras:

— O vale de Boscombe é um distrito rural não muito longe de Ross, em Herefordshire. O maior proprietário de terras nessa parte é John Turner, que ganhou dinheiro na Austrália e voltou há alguns anos para o país de origem. Uma de suas fazendas, a de Hatherley, foi arrendada a Charles McCarthy, que também estivera na Austrália. Os homens se conheceram nas colônias, de modo que era natural que, quando se instalassem, o fizessem em terrenos próximos. Turner era o mais rico, então McCarthy se tornou seu arrendatário, mas ainda assim permaneceram, ao que parece, em perfeita harmonia, pois estavam frequentemente juntos. McCarthy tinha um filho, um rapaz de dezoito anos, e Turner tem uma filha única da mesma idade. Ambos viúvos. Parecem ter evitado o convívio com as famílias inglesas vizinhas e levavam a vida praticamente isolados, embora os McCarthys gostassem de esporte e fossem vistos com frequência nas corridas de cavalos da região. McCarthy mantinha dois criados, um homem e uma jovem. Turner tem uma criadagem bem maior, pelo menos meia dúzia. Isso é o tudo que pude reunir sobre as famílias. Agora vamos aos fatos:

— No dia 3 de junho, na segunda-feira passada, McCarthy deixou sua casa em Hatherley por volta das três da tarde e caminhou até o Lago Boscombe, que é um pequeno lago formado pela expansão do riacho que desce pelo Vale Boscombe. Ele fora com seu criado, de manhã, a Ross e dissera ao homem que devia se apressar, pois tinha um compromisso importante às três da tarde. Desse compromisso, ele não voltou vivo.

— Da fazenda de Hatherley ao Lago Boscombe, há um quarto de milha e duas pessoas o viram quando passava por esse terreno. Uma delas era uma mulher velha, cujo nome não é mencionado, e o outro era William Crowder, um guarda-caça que trabalhava com Turner. As testemunhas afirmam que McCarthy estava andando sozinho. O guarda-caça acrescenta que, poucos minutos depois de ver McCarthy passar, ele viu seu filho, James McCarthy, seguindo o mesmo caminho com uma arma debaixo do braço. Ele acreditava que o pai ainda estava à vista, naquele momento, e o filho o seguia. Ele não pensou mais no assunto até ouvir à noite a tragédia que ocorrera.

— Os dois McCarthys ainda foram vistos depois que William Crowder, o guarda-caças, os perdeu de vista. A região do Lago Boscombe é espessa e arborizada, o lago tem apenas uma franja de grama e juncos na borda. Uma garota de quatorze anos, Patience Moran, que é filha do caseiro da propriedade que fica no Vale Boscombe, estava em um dos bosques colhendo flores. Ela afirma que, enquanto estava lá, viu, na beira da floresta e perto do lago, o Sr. McCarthy e seu filho, e que eles pareciam estar tendo uma briga violenta. Ela ouviu o Sr. McCarthy, usando uma linguagem muito forte com o filho, e viu o filho levantar a mão como se fosse bater no pai. Ela ficou tão assustada com a violência que fugiu e contou à mãe quando chegou a casa que havia deixado os dois McCarthys brigando perto do Lago Boscombe. Ela mal dissera as palavras quando o jovem McCarthy veio correndo para dizer que havia encontrado seu pai morto na floresta e pedir a ajuda do dono da casa. Ele estava muito excitado, sem a arma e sem o chapéu. A sua mão direita e a manga de sua camisa estavam manchadas de sangue fresco. Ao segui-lo, encontraram o cadáver estendido na grama ao lado do lago. A cabeça havia sido golpeada repetidas vezes com alguma arma contundente. Os ferimentos poderiam ter sido provocados pelo cano da arma de seu filho, que foi encontrada na grama a poucos passos do corpo. Nessas circunstâncias, o jovem foi preso e um veredicto de 'crime premeditado' foi anunciado. Na quarta-feira, ele foi levado perante os magistrados de Ross, que encaminharam o caso para um tribunal superior. Esses são os principais fatos do caso, foram apresentados ao médico legista e ao tribunal de polícia.

— Eu não consigo imaginar um caso mais condenatório — comentei. — Se uma evidência circunstancial aponta um criminoso, ela o faz aqui.

— A evidência circunstancial é uma coisa muito complicada — falou Holmes, pensativo — pode parecer muito direta para uma situação, mas se você mudar um pouco o seu próprio ponto de vista, poderá apontá-la de maneira igualmente incontestável para algo completamente diferente. Deve-se confessar que o caso parece extremamente grave contra o jovem, e é muito possível que ele seja realmente o culpado. Existem várias pessoas na região e entre elas a senhorita Turner, a filha do arrendatário vizinho, que acredita na inocência dele e que contratou Lestrade, que você pode lembrar-se dele no caso *Um Estudo em Vermelho*, para investigar o crime em seu interesse. Lestrade, bastante confuso, encaminhou o caso para mim, razão por que dois cavalheiros de meia-idade estão viajando para oeste a oitenta quilômetros por hora em vez de tomar sossegadamente seu desjejum no aconchego do lar.

— Receio que os fatos sejam tão óbvios que você receberá poucos créditos nesse caso — observei.

— Não há nada mais enganoso que um fato óbvio — ele respondeu, rindo. — Além disso, podemos encontrar outros fatos que podem não ter sido óbvios para o Sr. Lestrade. Você me conhece muito bem para pensar que estou me gabando quando digo que devo confirmar ou destruir sua teoria por meios que ele é bastante incapaz de empregar ou mesmo de entender. Para dar o primeiro exemplo: percebo claramente que no seu quarto a janela está do lado direito e, no entanto, questiono se o Sr. Lestrade teria notado algo tão óbvio quanto isso...

— Diabos!

— Meu caro amigo, eu te conheço bem. Conheço o zelo militar que o caracteriza. Você faz a barba todas as manhãs e, nesta estação, faz a barba à luz do sol; mas como seu barbear é cada vez menos perfeito à medida que avança para o lado esquerdo, até que se torne positivamente desleixado ao contornar o ângulo da mandíbula, certamente fica muito claro que esse lado é menos iluminado que o outro. Eu não conseguia imaginar um homem com seus hábitos olhando para si mesmo, sob a mesma claridade, ficar satisfeito com esse resultado. Apenas cito isso como um exemplo trivial de observação e inferência. Aí reside o meu *métier*, e é possível que seja de alguma utilidade na investigação que está diante de nós. Há um ou dois pontos menores que foram trazidos à tona no inquérito e que vale a pena considerar.

— Quais são?

— A prisão do rapaz não ocorreu imediatamente, mas após o seu retorno à fazenda Hatherley. Quando o inspetor de polícia informando-o de que era um prisioneiro, ele observou que não estava surpreso ao ouvi-lo e disse que estava tudo certo. Essa observação teve o efeito natural de remover qualquer vestígio de dúvida que pudesse ter permanecido nas mentes dos júris.

— Foi uma confissão — eu concluí.

— Não, pois foi seguido por um protesto de inocência.

— Chegando após de uma série tão condenável de eventos, foi pelo menos uma observação muito suspeita.

— Ao contrário — disse Holmes. É a fenda mais brilhante que atualmente posso ver no meio de tantas nuvens. Por mais inocente que ele fosse, ele não podia ser um imbecil absoluto para não ver que as circunstâncias eram muito evidentes contra ele. Se ele parecesse surpreso com sua própria prisão, ou fingisse indignação, eu deveria considerá-lo altamente suspeito, porque essa surpresa ou raiva não seria natural nessas circunstâncias e poderia parecer a melhor política para uma estratégia. Sua franca aceitação da situação o marca como um homem inocente ou como um homem de considerável autocontrole e firmeza. Quanto a sua observação sobre seu merecimento, também era natural se você considerar que ele estava ao lado do corpo morto de seu pai, e que não há dúvida que, naquele mesmo dia, ele havia esquecido seu dever filial quando proferiu más palavras e até, de acordo com a menininha, levantou a mão como se fosse atingir o pai. A autocensura e a contrição mostradas em suas observações parecem-me os sinais de uma mente saudável, e não culpada.

Balancei minha cabeça. Muitos homens foram enforcados com evidências muito mais leves — comentei.

— Sim. E muitos homens foram enforcados injustamente.

— Qual é o relato do jovem sobre o crime?

— Receio que não seja muito encorajador para seus defensores, embora haja um ou dois pontos sugestivos. Você o encontrará aqui e poderá lê-lo.

Holmes tirou do embrulho um exemplar do jornal de Herefordshire e, depois de examinar a folha, apontou o parágrafo em que o infeliz jovem havia feito sua própria declaração sobre o que ocorrera. Eu me acomodei no canto do vagão e li com muita atenção. Dizia:

— Sr. James McCarthy, o único filho do falecido, foi interrogado e deu as seguintes declarações: Fiquei fora de casa por três dias em Bristol e havia acabado de retornar na manhã da segunda-feira passada, dia 3. Meu pai estava ausente de casa no momento da minha chegada e eu fui informado pela criada que ele havia ido até Ross com John Cobb, o cavalariço. Pouco depois, ouvi as rodas de sua charrete no quintal e, olhando pela janela, vi-o descer e sair rapidamente do quintal, embora não soubesse em que direção ele estava indo. Peguei minha arma e saí na direção do Lago Boscombe, com a intenção de visitar o viveiro de coelhos que fica do outro lado. No caminho, vi William Crowder, o guarda-caça, como ele declarou; mas ele está errado ao pensar que eu estava seguindo meu pai. Eu não tinha ideia de que ele estava a minha frente. Estava a cerca de cem metros do Lago quando ouvi um grito "Cooee", o que era um sinal usual entre meu pai e eu. Então me apressei e o encontrei em pé na beira do Lago. Ele pareceu muito surpreso ao me ver e perguntou o que eu estava fazendo ali. Seguiu-se uma conversa que levou a rudes palavras e quase à luta, pois meu pai era um homem de temperamento muito violento. Vendo que sua ira estava se tornando incontrolável, eu o deixei e voltei para a Fazenda Hatherley. No entanto, eu não tinha percorrido mais de cento e cinquenta metros quando ouvi um grito hediondo atrás de mim, o que me fez voltar correndo. Encontrei meu pai estirado no chão, com a cabeça terrivelmente ferida. Larguei minha arma e o segurei em meus braços, mas ele morreu quase instantaneamente. Ajoelhei-me ao lado dele por alguns minutos e depois fui até a casa do caseiro do Sr. Turner — sua casa é a mais próxima ao lago — para pedir ajuda. Não vi ninguém perto do meu pai quando voltei e não tenho ideia de como ele foi atingido. Ele não era um homem popular, sendo um tanto frio e agressivo em suas maneiras, mas, até onde eu sei, não tinha inimigos. Não sei mais nada sobre o assunto.

O interrogatório continuou:

— Seu pai fez alguma declaração antes de morrer?

— Ele murmurou algumas palavras, mas eu só consegui entender a alusão a um rato.

— O que você acha disso?

— Isso não transmitiu nenhum significado para mim. Eu pensei que ele estava delirando.

— Qual foi o motivo da discussão entre você e seu pai?

— Prefiro não responder.

— Insisto que responda.

— É realmente impossível lhe contar. Posso garantir que não tem nada a ver com a triste tragédia que se seguiu.

— Isso é para o tribunal decidir. Preciso lhe dizer que sua recusa em responder prejudicará consideravelmente seu caso em qualquer processo futuro que possa surgir.

— Ainda assim, me recuso.

— Entendo que o grito de 'Cooee' era um sinal comum entre você e seu pai?

— Sim.

— Como foi que ele o proferiu antes de vê-lo e antes mesmo de saber que você retornara de Bristol?

— Eu não sei — disse confuso.

— Você não viu nada que despertou suas suspeitas quando voltou a ouvir o grito e encontrou seu pai ferido fatalmente?

— Nada definitivo.

— Explique-se melhor.

— Fiquei tão perturbado e agitado enquanto corria que não consegui pensar em nada, exceto em meu pai. No entanto, tenho uma vaga impressão de ter visto algo no chão a minha esquerda. Pareceu-me algo de cor cinza, um casaco ou talvez uma manta. Porém quando me levantei, junto ao meu pai, olhei em volta e não havia nada.

— Você quer dizer que alguma coisa desapareceu enquanto você tentava acudir seu pai?

— Acho que sim.

— Você não pode dizer o que era?

— Não, eu apenas tenho a sensação de que algo estava lá.

— A que distância do corpo?

— Cerca de dez metros.

— E a que distância da orla do lago?

— Aproximadamente a mesma.

— Então, se alguma coisa foi removida, foi enquanto você estava a poucos metros dela?

— Sim, mas de costas.

Assim concluiu-se o interrogatório.

— Entendo que o investigador em suas considerações finais foi bastante severo com o jovem McCarthy. Ele chama a atenção, e com razão, para a incoerência de seu pai tê-lo chamado antes de vê-lo, também para a recusa em fornecer detalhes da sua conversa com o pai, e o relato singular das palavras moribundas do pai. Tudo isso, como observa o investigador, depõe muito contra o filho.

Holmes riu baixinho e se esticou no assento almofadado dizendo:

— Você e o investigador tiveram algumas dificuldades para destacar os pontos mais fortes a favor do jovem. Você não vê que, alternadamente, lhe deram créditos por ter muita imaginação e também por ter muito pouca? Muito pouca, por ele não poder inventar um motivo para a briga que lhe daria a simpatia do júri; de mais, por ter tirado da sua própria consciência, algo tão estranho como uma referência moribunda a um rato, e o incidente do pano que desapareceu. Não senhor... abordarei este caso do ponto de vista de que o que esse jovem diz é verdadeiro, e veremos aonde essa hipótese nos levará. E agora, aqui está o meu Petrarca, e nenhuma outra palavra devo dizer sobre esse caso até estarmos em ação. Almoçaremos em Swindon e vejo que chegaremos lá em vinte minutos.

Eram quase quatro horas quando finalmente, depois de passarmos pelo belo vale do Stroud e pelo amplo e reluzente Severn, nos encontramos na bonita e pequena cidade rural de Ross. Um homem magro, parecido com um furão, furtivo e astuto, esperava por nós na plataforma. Apesar do casaco marrom claro e perneiras de couro que ele usava em deferência ao ambiente rústico, não tive dificuldade em reconhecer Lestrade, da Scotland Yard. Com ele, nos dirigimos para o Hereford Arms, onde um quarto já estava reservado para nós.

— Eu pedi uma carruagem — disse Lestrade enquanto tomávamos uma xícara de chá.

— Conheço sua natureza energética e sei que você não se sentiria feliz até estar no local do crime.

— Foi muito gentil e atencioso da sua parte — respondeu Holmes. Mas é simplesmente uma questão *de pressão barométrica.*

Lestrade pareceu assustado.

— Eu não o compreendi bem...

— Como está o barômetro? Vejo que marca vinte e nove. Sem vento e nem uma nuvem no céu. Tenho aqui alguns cigarros que preciso fumar, e o sofá é muito superior aos que habitualmente encontramos nos hotéis rurais. Não acho provável que use a carruagem esta noite.

Lestrade riu com indulgência.

— Você, sem dúvida, já tirou suas conclusões pelas notícias dos jornais — disse ele. O caso é tão claro quanto um *pikestaff*, e quanto mais o conhecemos, mais claro fica. Porém, não se pode recusar o pedido de uma dama, e ainda mais sendo uma pessoa tão positiva. Ela já ouviu falar de você e quer a sua opinião, embora eu lhe tenha dito, repetidamente, que não havia nada que você pudesse fazer que eu ainda não tivesse feito. Deus abençoe minha alma! Está na porta a carruagem dela.

Ele mal tinha falado e entrava na sala uma das jovens mais adoráveis que eu já vi na minha vida. Os olhos violeta brilhavam, os lábios estavam entreabertos, tinha um rubor rosado nas bochechas, toda sua beleza natural se mostrava na sua excitante e empolgante preocupação.

— Oh, Sr. Sherlock Holmes! — ela exclamou olhando para um e para o outro de nós e, finalmente, com a rápida intuição de uma mulher, dirigiu-se ao meu companheiro: — Estou tão feliz por ter vindo. Vim para lhe dizer isso. — Eu sei que James não fez nada disso. Eu sei e quero que comece o seu trabalho logo. Nunca se deixe duvidar. — Nos conhecemos desde que éramos crianças, e conheço suas falhas como ninguém mais conhece; mas ele é muito terno para machucar até mesmo uma mosca. Tal acusação é absurda para quem realmente o conhece.

— Espero que possamos provar senhorita Turner — disse Sherlock Holmes. Pode confiar que tudo farei para inocentar seu amigo.

— Leu as evidências? Formou alguma conclusão? O senhor vê alguma brecha, alguma falha? Acha que ele é inocente?

— Eu acho que é muito provável.

— Olhe! — ela exclamou jogando a cabeça para trás e olhando desafiadoramente para Lestrade. Ouviu? Ele me dá esperanças.

Lestrade encolheu os ombros.

— Receio que meu colega tenha sido um pouco rápido em tirar suas conclusões — disse ele.

— Mas ele está certo. Oh! Eu sei que ele está certo. James nunca faria isso. E sobre a briga com o pai...tenho certeza de que a razão pela qual ele não falou sobre isso, com o investigador, foi porque dizia respeito a mim.

— De que maneira? — perguntou Holmes.

— Não é hora de esconder nada. James e seu pai tiveram muitas divergências sobre mim. McCarthy estava muito ansioso por haver um casamento entre nós. James e eu sempre nos amamos como irmãos; mas ele é jovem... e já viu muito pouco da vida, e... bem, ele naturalmente ainda não queria casar. Então houve brigas, e essa, tenho certeza, foi uma delas.

— E seu pai? — perguntou Holmes. Ele era a favor da união?

— Não, ele também era contra. Ninguém além de McCarthy era a favor.

Um rápido rubor passou por seu rosto jovem e fresco quando Holmes lançou um de seus olhares questionadores para ela.

— Obrigado por esta informação. Posso ver seu pai amanhã?

— Receio que o médico não permita.

— O médico?

— Sim, o senhor não sabe? Meu pobre pai já não é forte há alguns anos, mas isso o derrubou completamente. Ele foi para a cama e o Dr. Willows diz que ele está destruído e que seu sistema nervoso está muito afetado. McCarthy era o único homem, ainda vivo, que meu pai conheceu nos velhos tempos em Victoria.

— Ha! Em Victoria! Isso é importante.

— Sim, nas minas.

— Nas minas de ouro, onde, pelo que entendi, o Sr. Turner fez sua fortuna.

— Certamente.

— Obrigado Miss Turner. Você foi de grande ajuda para mim.

82

— O senhor me dará notícias amanhã? Sem dúvida, irá à prisão para ver James. Oh,caro Sr. Holmes, diga a ele que eu sei que ele é inocente.

— Direi Miss Turner.

— Eu devo ir para casa agora, pois papai está muito doente e ele sente minha falta, se eu o deixar muito tempo sozinho. Adeus, e Deus o ajude em seu trabalho.

Ela saiu apressadamente da sala, tão impulsivamente quanto entrara, e ouvimos as rodas de sua carruagem indo pela na rua.

— Tenho vergonha de você, Holmes — disse Lestrade com dignidade após alguns minutos de silêncio. Por que você deveria levantar esperanças se certamente a desapontará? Não sou muito sensível ao coração, mas você foi cruel.

— Vejo um caminho para inocentar James McCarthy — disse Holmes. — Você tem uma ordem para vê-lo na prisão?

— Sim, mas apenas para você e eu.

— Então reconsiderarei minha resolução sobre sair. Ainda temos tempo para pegar um trem para Hereford e vê-lo esta noite?

— Temos sim.

— Então vamos fazer isso. — Watson, temo que você as ache longas, mas ficarei ausente poucas horas.

Fui até a estação com eles e depois passei pelas ruas da pequena cidade, finalmente retornando ao hotel. Deitei no sofá e tentei me interessar por um romance de capa amarela. O enredo insignificante da história era tão desinteressante, quando comparado ao profundo mistério pelo qual estávamos passando, que descobri minha atenção vagando tão continuamente da ação ao fato. Finalmente joguei o livro pela sala e dei-me inteiramente à consideração dos eventos do dia. Supondo que a história desse infeliz jovem fosse absolutamente verdadeira, então que coisa infernal, que calamidade absolutamente imprevista e extraordinária poderia ter ocorrido entre o momento em que ele se separou de seu pai e o momento em que, atraído por seus gritos, ele correu para a clareira? Foi algo terrível e mortal. O que poderia ser? A natureza dos ferimentos pode não revelar algo para meus instintos médicos? Toquei a campainha e pedi o jornal semanal do condado, que continha um relato literal do inquérito. No depoimento do cirurgião, foi declarado que o terço posterior do osso parietal esquerdo e a metade esquerda do osso occipital haviam sido destruídos por um forte golpe de uma arma contundente. Marquei o local em minha própria cabeça. Claramente, esse golpe deve tê-lo sido atingido por trás. Isso foi em certa medida a favor do acusado, pois quando visto brigando, ele estava cara a cara com o pai. Ainda assim, não foi por muito tempo, pois o homem mais velho poderia ter virado as costas antes que o golpe o atingisse. Ainda assim, pode valer a pena chamar a atenção de Holmes para isso. Depois, houve a referência peculiar e moribunda a um rato. O que isso poderia significar? Não poderia ser delírio. Um homem que morre de um golpe repentino não costuma delirar. Não, era mais provável que fosse uma tentativa de explicar como ele conheceu seu destino. Mas o que isso poderia indicar? Eu remexi meu cérebro para encontrar alguma explicação possível. Havia ainda o incidente do pano cinza visto pelo jovem McCarthy. Se isso fosse verdade, o assassino deixou cair uma parte da sua veste, presumivelmente o sobretudo, em sua fulga e teve a coragem de voltar para buscálo no instante em que o filho estava ajoelhado de costas a uma pequena distância. Que teia de mistérios e possibilidades a coisa toda era! A opinião de Lestrade, não me surpreendia, mas eu tinha tamanha fé na astúcia de Sherlock Holmes que não podia perder as esperanças, tanto mais que cada fato novo parecia reforçar sua convicção sobre a inocência do jovem McCarthy.

Já era tarde quando de Sherlock Holmes voltou. Voltou sozinho, pois Lestrade estava hospedado em alojamentos na cidade.

— O barômetro continua muito alto — comentou ele, sentando-se. É importante que não chova antes que possamos ir examinar o solo do local do crime. Por outro lado, um homem deve estar no seu melhor e mais entusiasmado vigor físico e mental para executar um bom trabalho, e eu não desejo tentar fazê-lo quando estafado por uma longa jornada. Eu vi o jovem McCarthy.

— E o que ele lhe contou?

— Nada.

— Não acrescentou nenhuma informação?

— Nenhuma mesmo. Eu estava inclinado a pensar que ele sabia quem havia cometido o crime e estava protegendo essa pessoa, mas estou convencido agora de que ele está tão intrigado quanto todos os outros. Ele não é um jovem muito perspicaz, apesar de agradável e, aparentemente, ter um bom coração.

— Não posso admirar o gosto dele — comentei —, se é realmente verdadeiro o fato de não querer se casar com uma jovem tão encantadora como a senhorita Turner.

— Essa é uma história bastante dolorosa. Esse jovem está loucamente apaixonado por ela, mas há dois anos, quando ele era apenas um garoto, e antes que ele realmente a conhecesse, pois ela esteve fora durante cinco anos, em um internato, esse idiota caiu nas garras de uma garçonete em Bristol e casou-se com ela em um cartório. Ninguém sabe uma palavra sobre o assunto, mas você pode imaginar como deve ser enlouquecedor para ele ser censurado por não fazer o que mais queria, mas que ele sabia ser absolutamente impossível. Foi essa dor o que o fez levantar as mãos quando seu pai, no último encontro, o instigou a propor casamento a Miss Turner. Ele não tinha como se sustentar, e seu pai, que em todos os aspectos era um homem muito duro, o teria abandonado completamente se soubesse a verdade. Foi com essa garçonete que ele passou os últimos três dias em Bristol, e seu pai não sabia onde ele estava. Marque esse ponto. Isso é importante. O bem saiu do mal, pois a garçonete descobrindo pelos jornais que ele está com sérios problemas e provavelmente será enforcado, não quer mais saber dele e escreveu-lhe dizendo que ela já tem um marido nas Bermudas e que não há mais nenhum compromisso entre eles. Penso que essa notícia consolou o jovem McCarthy por tudo o que sofreu.

— Mas se ele é inocente, quem cometeu o crime?

— Quem? Eu chamaria sua atenção muito particularmente para dois pontos: um é que o homem assassinado tinha um encontro com alguém no lago, e que esse alguém não poderia ser seu filho, pois seu filho estava fora e ele não sabia quando voltaria. O segundo é que o homem assassinado gritou 'Cooee' antes que ele soubesse que seu filho havia retornado. Esses são os pontos cruciais dos quais o caso depende. E agora vamos falar sobre George Meredith, por favor, e deixaremos os outros assuntos para amanhã.

Não havia chuva, como Holmes havia predito, e a manhã começou clara e sem nuvens. Às nove horas, Lestrade chamou-nos com a carruagem e partimos para a fazenda Hatherley e o Lago Boscombe.

— Há notícias sérias esta manhã — observou Lestrade. Dizem que Turner, do Hall, anda tão doente que sua vida está por um fio.

— Um homem idoso, presumo — disse Holmes.

— Cerca de sessenta anos; mas sua saúde foi destruída pela vida que levava no exterior, e ele está doente há algum tempo. A morte de McCarthy teve um efeito muito ruim sobre ele. Ele era um velho amigo de McCarthy e, devo acrescentar, um grande benfeitor, pois soube que ele lhe "arrendou" a Fazenda Hatherley sem cobrar nada.

— De fato! Isso é interessante — disse Holmes.

— E de muitas outras maneiras Turner sempre o ajudou. Todo mundo aqui fala de sua bondade com o amigo.

— Realmente! Não lhe parece um tanto estranho que este McCarthy, que parece, tinha tão pouco, e que estava sob tais obrigações com Turner, falasse em casar seu filho com a filha de Turner, que é, presumivelmente, a única herdeira à propriedade, e de uma maneira tão insistente, como se fosse meramente o caso de uma proposta e tudo o mais se seguiria? E o mais intrigante é que o próprio Turner era contrário à ideia. A filha nos contou isso. Você não deduz algo?

— Chegamos às "deduções e conclusões" — disse Lestrade, piscando para mim. Já é muito difícil enfrentar os fatos, Holmes, não busque teorias e fantasias!

— Você está certo — disse Holmes timidamente. Você acha muito difícil lidar com os fatos.

— De qualquer forma, compreendi um fato que lhe parece difícil de entender — falou Lestrade com um pouco euforia.

— Qual é o fato?

— Que o McCarthy filho matou o McCarthy pai e que todas as teorias em contrário são meramente ilusórias.

— Antes fantasiar que não pensar — disse Holmes, rindo. Se não estou muito enganado esta é a Fazenda Hatherley, à esquerda.

— Sim é aqui.

Era uma construção ampla de aparência confortável, tinha dois andares e telhas de ardósia, havia grandes manchas amarelas de líquen nas paredes cinza. As cortinas fechadas e as chaminés sem fumaça davam-lhe uma aparência assombrada, como se o peso do crime estivesse sobre ela. Batemos à porta, e a empregada, a pedido de Holmes, nos mostrou as botas que seu patrão usava no momento de sua morte e também um par de botas do filho, mas não o par que ele usava no dia do crime. Tendo-as medido com muito cuidado, considerando sete ou oito pontos diferentes, Holmes desejou ser conduzido ao lago. Seguimos por um caminho sinuoso.

Sherlock Holmes se transformava quando seguia uma pista. Quem conhecia apenas o pensador e quieto homem da Baker Street não o teria reconhecido. Seu rosto corou e enrijeceu. Suas sobrancelhas estavam desenhadas em duas linhas negras e profundas, enquanto seus olhos brilhavam. Seu rosto se mantinha virado para o chão, os ombros curvados, os lábios comprimidos e as veias se destacavam como cordas de chicote em seu pescoço longo e musculoso. Suas narinas pareciam se dilatar com o prazer, puramente animal, pela perseguição, e sua mente estava tão absolutamente concentrada no assunto diante dele que uma pergunta ou comentário caia despercebido em seus ouvidos, ou, no máximo, provocava um rosnado rápido e impaciente como resposta. Rapidamente e silenciosamente, seguiu o caminho que percorria os prados e a floresta, até o Lago Boscombe. Era um solo úmido e pantanoso, como todo o distrito, e havia marcas de muitos pés, tanto no caminho quanto na relva curta que o delimitava de ambos os lados. Às vezes Holmes se apressava, às vezes parava para observar e, uma vez fez um pequeno desvio pelo prado. Lestrade e eu caminhamos atrás dele, o detetive indiferente e desdenhoso, enquanto eu observava meu amigo com interesse, pois tinha a convicção de que cada uma de suas ações era direcionada a um fim definido.

O Lago Boscombe, que é uma pequena folha d'água com cerca de cinquenta metros de diâmetro, está situado na divisa da Fazenda Hatherley e do parque privado do rico Sr. Turner. De um lado, acima da floresta, podíamos ver os pináculos vermelhos e salientes que marcavam a moradia do rico proprietário. No lado que ficava a Fazenda Hatherley, a floresta era muito densa e havia um estreito cinturão de relva encharcada entre a borda das árvores e a orla do lago. Lestrade nos mostrou o local exato em que o corpo fora encontrado e, de fato, tão úmido era o chão, que pude ver claramente os traços deixados pela queda do homem atingido. Para Holmes, como pude ver em seu rosto iluminado e olhos inquietos, muitas outras coisas eram perceptíveis na relva pisoteada.

Depois de andar em círculos, como um cão farejador, voltou-se para o meu companheiro.

— Por que você entrou no lago?

— Eu fiz uma busca com um ancinho. Pensei que poderia encontrar alguma arma ou outro traço. Mas como diabos...

Ora! Esse seu pé esquerdo, virado para dentro, está em todo lugar. Uma toupeira poderia rastreá-lo e ali desaparece entre os juncos. Oh, como tudo teria sido simples se eu estivesse estado aqui antes que tantos viessem como uma manada de búfalos e se afundassem por toda parte. Foi aqui que o grupo do caseiro veio, e eles cobriram todas as pistas com pegadas, de seis ou oito pés, ao redor do corpo. Mas aqui estão três marcas separadas dos mesmos pés. Ele pegou uma lente e deitou-se sobre sua capa para ter uma visão melhor e falava o tempo todo, mais consigo mesmo que conosco: Estes são os pés do jovem McCarthy. Por duas vezes ele estava andando, e uma vez ele correu rapidamente, de modo que as solas ficaram profundamente marcadas e os saltos mal visíveis. Isso confirma sua história. Ele correu quando viu o pai no chão. Aqui estão também os pés do pai enquanto ele andava para cima e para baixo. O que é isso? É o cabo da espingarda, apoiado, enquanto o filho ficou ouvindo o pai. E isto? O que temos aqui? Ponta de pés! Ponta de pés! Botas quadradas também, bastante incomuns! Elas vêm, elas vão, elas voltam — é claro que era para pegar o pano. De onde elas vieram?

Ele correu para cima e para baixo, às vezes perdendo, às vezes encontrando a pista até estarmos bem dentro da floresta e sob a sombra de uma grande faia, a maior árvore dos arredores. Holmes seguiu o caminho até o outro lado e deitou-se mais uma vez com seu rosto próximo ao chão e deu um pequeno grito de satisfação. Por um longo tempo, ele ficou ali, virando as folhas e os galhos secos, juntando, o que parecia ser terra, em um envelope e examinando com suas lentes não apenas o chão, mas também a casca da árvore até o ponto que pôde alcançar. Havia uma pedra irregular no meio do musgo, ele a examinou e a guardou cuidadosamente. Então seguiu um caminho através da floresta até chegar à estrada, onde todos os traços estavam perdidos.

— Foi um caso bem interessante — observou ele — voltando a sua maneira natural. Imagino que esta casa cinzenta à direita é a do caseiro. Vou entrar e conversar com Moran, e talvez escrever um bilhete. Feito isso, podemos voltar e almoçar. Podem ir para a carruagem e eu estarei com vocês em pouquíssimo tempo.

Demorou cerca de dez minutos. Holmes carregava com ele a pedra que havia apanhado na mata.

— Isso pode lhe interessar, Lestrade. É a arma do crime!

— Mas não vejo marcas — contestou Lestrade.

— Não há.

— Como pode afirmar, então?

— O mato estava começando a crescer debaixo dela. Só estava ali há alguns dias e não encontrei a marca de onde ela havia sido retirada. Sua forma corresponde às lesões. Não há sinal de nenhuma outra arma no local.

— Quem é o assassino?

— Um homem alto, canhoto, manca com a perna direita, usa botas de sola grossa e uma capa cinza, fuma charutos indianos com piteira e carrega um canivete no bolso. Existem várias outras indicações, mas essas devem ser suficientes para ajudar na procura.

Lestrade riu.

— Desculpa, ainda sou um cético — disse ele. Todas as teorias estão muito bem encaixadas, mas temos que prová-las a um júri britânico obstinado.

— *Nous verrons* — respondeu Holmes calmamente. Você trabalha com seu próprio método e eu trabalhei com o meu. Estarei ocupado esta tarde e provavelmente voltarei a Londres no trem noturno.

— Vai deixar seu caso inacabado?

— Não! Já está concluído.

— Mas ainda há um mistério...

— Está resolvido.

— Quem é o criminoso, então?

— O cavalheiro que descrevi.

— Mas quem é ele?

— Certamente não será difícil descobrir. Esta não é uma região tão populosa!

Lestrade encolheu os ombros.

— Sou um homem prático e realmente não posso me comprometer a percorrer a região à procura de um homem canhoto que manca de uma perna. Me tornaria um motivo de piada na Scotland Yard.

—Tudo bem — disse Holmes pacientemente. Dei-lhe uma chance. Chegamos ao seu alojamento. Adeus. Escrevo-lhe antes de partir.

Depois de deixar Lestrade fomos para o nosso hotel, onde almoçamos.

Holmes ficou em silêncio e enterrado em seus pensamentos com uma expressão de angustia no rosto, como alguém que se encontra em uma posição difícil.

— Ouça-me Watson. Sente-se nesta cadeira e deixe-me falar um pouco. Não sei bem o que fazer e quero o seu conselho. Acenda um charuto e deixe-me expor.

— Por favor, faça isso.

— Ao considerar esse caso, há dois pontos sobre as declarações do jovem McCarthy que nos chamaram a atenção, embora tenham me impressionado a seu favor e a você contra ele. Um foi o relato de seu pai ter gritado 'Cooee' antes de vê-lo e o outro foi a referência estranha e moribunda a um rato. O pai murmurou várias palavras, mas só isso o filho entendeu. Desses dois fatos nossa reflexão deve começar e presumiremos que o rapaz disse a absoluta verdade.

— Que significaria 'Cooee' então?

— Bem, obviamente não poderia ter sido dirigido ao filho. Ele achava que o filho estava fora. Por mero acaso ele estava ao alcance do chamado. O 'Cooee' foi usado para atrair a atenção da pessoa com quem o velho McCarthy tinha um encontro. 'Cooee' é um grito distintamente australiano e usado entre os australianos. Há uma forte presunção de que a pessoa que McCarthy esperava encontrar no Lago Boscombe era alguém que estivera na Austrália.

— E o rato?

Sherlock Holmes pegou um papel dobrado do bolso e o colocou sobre a mesa.

— Este é um mapa da colônia de Victoria. Eu telegrafei para Bristol ontem à noite para pedi-lo.

Sherlock colocou a mão sobre parte do mapa.

— O que você lê?

— ARAT, eu li.

— E agora? — perguntou levantando a mão.

— BALLARAT.

— Sim. Essa foi a palavra que o homem pronunciou e da qual seu filho captou apenas as duas últimas sílabas. Ele estava tentando pronunciar o nome de seu assassino. "Fulano" de Ballarat.

— Fantástico!

— É óbvio. Até agora, veja bem, eu estreitei o campo considerando apenas dois pontos. A posse de uma roupa cinza é um terceiro ponto. — Acreditando em todas as palavras do jovem McCarthy, saímos agora da mera suposição para a concepção definitiva de um australiano de Ballarat com uma capa cinza.

— Certamente.

— E quem se sentiria à vontade na região? O lago só pode ser acessado pela Fazenda Hatherley ou pela propriedade de Turner. Estranhos não podem passear por ali.

— Realmente!

— Então vem a nossa expedição de hoje: ao examinar o terreno, obtive as insignificantes informações que passei àquele imbecil do Lestrade.

— Como você os definiu?

— Você conhece meu método. É baseado na observação de detalhes.

— A altura, eu sei que você pode julgar pelo comprimento dos passos. As botas podem ser identificadas pelas pegadas...

— Sim, eram botas peculiares.

— Como sabe que o sujeito manca?

— A impressão do pé direito é sempre menos distinta que a do esquerdo. Ele coloca menos peso sobre ele. Por quê? Porque ele é coxo.

— E sobre ser canhoto?

— Você ficou impressionado com a natureza da lesão registrada pelo médico no inquérito. O golpe foi dado por trás, e estava no lado esquerdo. Só um canhoto faria dessa maneira. O assassino ficou atrás daquela árvore durante a conversa entre pai e filho.

— Ele até havia fumado lá. Encontrei as cinzas de um charuto, que meu conhecimento específico sobre as cinzas do tabaco me permite reconhecer como um charuto indiano — como você sabe, dediquei alguma atenção a isso e escrevi uma pequena monografia sobre as cinzas de cento e quarenta variedades do fumo de cachimbos, charutos e cigarros — tendo encontrado as cinzas, então olhei em volta e descobri o toco do charuto entre o musgo. Era um charuto indiano, da variedade que é enrolada em Rotterdam.

— E o suporte de charuto?

— Pude ver que a ponta do charuto não estivera em sua boca. Portanto, ele usou uma piteira. A ponta havia sido cortada, mas o corte não era perfeito, então deduzi um canivete cego.

— Holmes, você desenhou uma rede em volta desse homem da qual ele não pode escapar e salvou uma vida inocente tão verdadeiramente como se tivesse cortado o cordão que o enforcaria. Vejo a direção em que tudo isso aponta. O culpado é...

— Sr. John Turner — gritou o garçom do hotel, abrindo a porta da nossa sala de estar conduzindo uma visita.

O homem que entrou era uma figura impressionante. Tinha os passos lentos e mancava. Os ombros curvados davam a aparência de decrepitude, ainda assim seus traços duros de linhas profundas e escarpadas e seus enormes membros mostravam que ele possuía uma força incomum de corpo e de caráter. A barba era emaranhada, os cabelos grisalhos e as sobrancelhas pendentes combinavam e davam um ar de dignidade e poder a sua aparência. Seu rosto era de um branco pálido, enquanto os lábios e os cantos das narinas estavam tingidos de um tom de azul. Estava claro para mim que aquele homem estava acometido por alguma doença crônica e mortal.

— Por favor, sente-se no sofá — disse Holmes gentilmente. O senhor recebeu meu bilhete?

— Sim, o caseiro o trouxe a mim. O senhor disse que queria me ver aqui para evitar escândalos...

— Pensei que as pessoas comentariam se eu fosse a sua casa!

— E por que o senhor queria me ver?

Ele olhava para o meu companheiro com desespero nos olhos cansados, como se sua pergunta já estivesse respondida.

— Sim — disse Holmes, respondendo ao olhar e não às palavras. — É isso: eu sei tudo sobre o assassinato do Sr. McCarthy!

O velho afundou o rosto nas mãos.

— Deus me ajude! Mas eu não teria permitido que o jovem fosse prejudicado. Dou-lhe a minha palavra que eu me entregaria se ele fosse condenado no tribunal.

— Fico feliz em ouvir isso — disse Holmes gravemente.

— Eu já teria falado se não fosse pela minha querida garota. Isso partiria seu coração — partirá quando ela souber que serei preso.

— Isso pode não ocorrer — disse Holmes.

— O quê?

— Eu não sou agente oficial. Foi sua filha quem exigiu minha presença aqui, e estou agindo no interesse dela. O jovem McCarthy deve ser solto, no entanto.

— Eu sou um homem moribundo — tenho diabetes há anos. Meu médico disse que é improvável que eu viva mais um mês. No entanto, prefiro morrer sob meu próprio teto ao de uma prisão.

Holmes levantou-se e sentou-se à mesa com a caneta na mão e um maço de papéis diante dele.

— Apenas nos diga a verdade. Anotarei os fatos. O senhor assinará e Watson poderá testemunhar. — Só divulgarei sua confissão no extremo, só para salvar o jovem McCarthy. Prometo que não o usarei a menos que seja absolutamente necessário.

— Está tudo bem — disse o velho. É possível que eu não viva até o julgamento, então isso pouco importa para mim, mas eu gostaria de poupar Alice dessa decepção. E agora vou esclarecer tudo para o senhor; demorou um longo tempo para as coisas acontecerem, mas não vou demorar muito para contá-las:

— O senhor não conheceu esse homem morto, o McCarthy. Ele era um diabo encarnado. Eu lhe digo isso. Deus o mantenha fora das garras de um homem como ele. Seu domínio estava sobre mim nesses vinte últimos anos e ele destruiu a minha vida. Vou lhe contar primeiro como fiquei sob o poder dele.

— Foi no início da década de 1860, nas escavações. Eu era um jovem rapaz de sangue quente e imprudente, pronto para enfrentar para qualquer coisa. Meti-me com maus companheiros, bebia muito, não tive sorte em minha concessão, fui para o mato e, em uma palavra, tornei-me o que chamam aqui de "ladrão de estrada". Éramos seis e tínhamos uma vida selvagem e livre, roubando fazendas de gado de tempos em tempos ou parando os vagões nas estradas para as minas. Black Jack de Ballarat foi o nome que eu escolhi, e ainda somos lembrados na colônia como a "Gangue Ballarat".

— Um dia, um comboio de ouro desceu de Ballarat a Melbourne, ficamos à espera dele e o atacamos. Havia seis soldados e seis de nós, esvaziamos quatro de suas selas na primeira salva de balas. Três dos nossos também foram mortos, antes de pegarmos o ouro. Coloquei minha pistola na cabeça do motorista da carroça, que era exatamente esse homem, o McCarthy. Desejaria ter atirado nele, mas poupei-o, embora tenha visto seus olhos perversos fixos no meu rosto, como se para gravar todas as minhas feições. Fugimos com o ouro, nos tornamos homens ricos e seguimos para a Inglaterra sem levantar suspeitas. Aqui me afastei dos meus velhos amigos e decidi me estabelecer em uma vida tranquila e respeitável. Comprei esta propriedade, que por acaso estava à venda, e me decidi a fazer algum bem usando o meu dinheiro, para compensar a maneira como eu o ganhei. Também casei e embora minha esposa tenha morrido jovem, ela me deixou minha querida pequena Alice. Mesmo quando ela era apenas um bebê, sua mão pequenina parecia me levar pelo caminho certo, como nada havia feito antes. Resumindo, virei uma nova folha e fiz o meu melhor para compensar o passado.

—Tudo estava indo muito bem quando McCarthy colocou suas garras em mim. Eu tinha ido à cidade em busca de um investimento e o encontrei na Regent Street sem um pobre casaco nas costas ou uma bota no pé.

— Aqui estamos, Jack — diz ele — me tocando no braço. — Seremos tão bons quanto uma família para você. Nós dois, eu e meu filho, e você cuidará de nós. Senão... na Inglaterra, um país bom, cumpridor da lei, sempre há um policial em qualquer lugar.

— Eles vieram para a região oeste, não havia como afastá-los e viveram sem pagar aluguel na minha melhor terra. Não havia descanso para mim, nem paz, nem esquecimento; onde eu estava, havia seu rosto astuto e sorridente a me vigiar. Ficou pior quando Alice cresceu, pois ele logo viu que eu tinha mais medo de ela conhecer meu passado que da polícia. Tudo o que ele queria, ele tinha, e o que quer que fosse eu lhe dei sem questionar: terra, dinheiro, casas, até que finalmente ele quis algo que eu não podia dar. Ele quis Alice.

— O filho dele, cresceu, e a minha filha também, e quando soube que eu estava com a saúde debilitada, pareceu-lhe um belo golpe que seu rapaz entrasse em toda a propriedade. Mas lá estava eu firme. Eu não teria seu sangue amaldiçoado misturado ao meu;

não que eu não gostasse do rapaz, mas seu sangue estava nele, e isso bastava. Eu fiquei firme. McCarthy ameaçou. Eu o desafiei a fazer o pior. Nós deveríamos nos encontrar no lago, na divisa de nossas terras para conversar sobre o assunto.

— Quando desci, o encontrei conversando com o filho, então fumei um charuto e esperei atrás de uma árvore até que ele ficasse sozinho. Enquanto eu ouvia sua fala, tudo o que era mais amargo em mim parecia me atiçar. Ele estava pedindo ao filho que se casasse com minha filha. Falava com pouca consideração, sem se importar pelo que ela poderia pensar, como se ela fosse uma vagabunda das ruas. Fiquei louco em pensar que eu e tudo o que eu mais prezava estaríamos no poder de um homem como aquele. — Eu não poderia romper o vínculo? Eu já era um homem moribundo e desesperado. Apesar de ter a mente clara e membros bastante fortes, sabia que meu próprio destino estava selado. Mas minha memória e minha garota! Ambos poderiam ser salvos se eu pudesse silenciar aquela língua suja. Eu fiz isso, Sr. Holmes. Eu faria de novo. Cometi muitos pecados, mas levei uma vida de martírio para expiá-los e minha garota estar enredada nas mesmas malhas que me seguravam era mais do que eu poderia aguentar. Eu o derrubei e o golpeei sem escrúpulos, como se ele fosse um animal imundo e venenoso. Seu grito trouxe de volta seu filho; mas eu tinha ganhado a cobertura da mata, apesar de ter sido forçado a voltar para buscar a capa que deixei cair durante a fuga. Essa é a história verdadeira, senhores, de tudo o que ocorreu.

— Não cabe a mim julgá-lo — disse Holmes, enquanto o velho assinava a declaração que ele redigira. Rezo para que eu nunca seja exposto a essa tentação!

— Assim espero senhor... E o que pretende fazer?

— Em vista da sua saúde, nada. O senhor sabe que em breve terá que responder por sua ação em um tribunal muito superior ao nosso. Manterei sua confissão e, se McCarthy for condenado, serei forçado a usá-la. Caso contrário, o seu segredo, esteja o senhor vivo ou morto, estará seguro conosco.

— Adeus — disse o velho solenemente. Seus próprios leitos de morte, quando eles vierem, serão mais leves graças à paz que vocês deram ao meu.

Mancando e tremendo toda a sua estrutura gigante, saiu lentamente da sala.

— Deus nos ajude — disse Holmes depois de um longo silêncio. Por que o destino é tão inconveniente com vermes indefesos? Eu nunca passo por um caso como esse sem pensar nas palavras de Baxter e dizer: "vá, mas, pela graça de Deus, Sherlock Holmes.

James McCarthy foi absolvido no Tribunal com base em uma série de objeções formuladas por Holmes e submetidas ao advogado de defesa. O velho Turner viveu sete meses após a nossa conversa, mas agora está morto; e há toda a perspectiva de que os jovens possam viver juntos e felizes na ignorância da nuvem negra que repousa sobre o passado.

V

AS CINCO SEMENTES DE LARANJA

Quando olho para as minhas anotações e registros dos casos de Sherlock Holmes entre os anos 1882 e 1890, sou confrontado por tantos que apresentam características estranhas e interessantes que não é fácil saber qual escolher e qual deixar. Alguns, no entanto, já ganharam publicidade através dos jornais, e outros não ofereceram um campo para as qualidades peculiares que meu amigo possuía em tão alto grau, e que é o objetivo desses escritos ilustrar. Alguns confundiram sua habilidade analítica e seriam como narrativas, começos sem fim, enquanto outros foram apenas parcialmente esclarecidos e tiveram suas explicações baseadas mais em conjecturas e suposições que naquela prova lógica absoluta que lhe era tão especial. Existe, no entanto, um dos últimos, que foi tão notável em seus detalhes, tão surpreendente em seus resultados, que me sinto tentado a expô-lo, embora envolva alguns aspectos que nunca foram totalmente esclarecidos e provavelmente nunca serão.

O ano de 1887 forneceu uma série de casos, de maior ou menor interesse, dos quais guardo os registros. Entre meus títulos sob esse período de doze meses, encontro um relato do episódio na Câmara Paradol, do caso da Amateur Mendicant Society, que mantinha um clube de luxo no subsolo de um armazém de móveis, dos fatos relacionados ao desaparecimento de *Sophy Anderson*, das aventuras dos Grice Patersons na ilha de Uffa e, finalmente, do caso de envenenamento de Camberwell. Neste último, devo lembrar-lhes, Sherlock Holmes conseguiu, dando corda no relógio do morto, provar que ele havia feito o mesmo duas horas antes e que, portanto, o falecido havia ido para a cama naquele intervalo de tempo — uma dedução que foi da maior importância para esclarecer o caso. Tudo isso eu posso contar em uma data futura, mas nenhum deles apresenta características tão marcantes como o conjunto de circunstâncias que agora descreverei.

Foi nos últimos dias de setembro e os vendavais equinociais se instalaram com uma violência excepcional. Durante todo o dia o vento uivou e a chuva bateu contra as janelas, de modo que, mesmo aqui no coração de uma grande cidade como Londres fomos forçados a levantar a mente por um instante da rotina da vida e reconhecer a presença das grandes forças da natureza que grita contra a humanidade através das grades de sua civilização. Quando a noite chegou, a tempestade ficou mais forte e mais barulhenta, e o vento gemia como uma criança através da chaminé. Sherlock Holmes sentou-se melancolicamente ao lado da lareira, fazendo uma indexação cruzada de seus registros de crimes, enquanto eu, do outro lado, mergulhava em uma das belas histórias marítimas de Clark Russell até que o uivo do vendaval de fora pareceu se misturar ao texto e a torrente da chuva prolongou-se nos golpes das ondas do mar. Minha esposa estava em visita à mãe dela e, por alguns dias, fui morar mais uma vez em meus antigos aposentos na Baker Street.

— Ouça — eu disse, olhando para o meu companheiro. Foi certamente o barulho da campainha. Quem poderia vir esta noite? Espera algum amigo?

— Exceto você, não tenho nenhum respondeu ele. Não incentivo visitas.

— Um cliente, então?

— Se assim for, é um caso sério. Nada menos levaria um homem a sair neste dia e a esta hora. O mais provável é que seja um amigo da proprietária.

Sherlock Holmes estava errado em sua conjectura, pois houve um passo no corredor e uma batida na porta. Ele esticou o braço comprido para afastar a lâmpada de si mesmo e a colocou em direção à cadeira vazia sobre a qual um recém-chegado deveria se sentar.

— Entre! — disse ele.

O homem que entrou era jovem, tinha vinte e dois anos aparentemente. Estava bem-vestido e bem-cuidado, com algo de requinte e delicadeza em sua postura. O guarda-chuva molhado que segurava e a sua longa e impermeável capa de chuva contavam sobre o mal tempo que enfrentara. Ele olhou em volta, ansioso, sob o brilho da lâmpada, e pude ver que seu rosto estava pálido e seus olhos pesados, como os de um homem que está sobrecarregado de ansiedade.

— Eu lhe devo um pedido de desculpas — disse colocando os óculos de ouro. Espero que não esteja sendo inconveniente. Temo ter trazido alguns vestígios da ventania e da chuva para a sua confortável sala.

— Dê-me sua capa e guarda-chuva — disse Holmes. Vou pendurá-los aqui no gancho e estarão secos em um momento. Você veio do sudoeste, eu vejo.

— Sim, de Horsham.

— Essa mistura de argila e marga que vejo nas biqueiras de seus sapatos é bastante peculiar.

— Vim pedir conselhos.

— Isso é facilmente obtido.

— E ajuda.

— Isso nem sempre é tão fácil.

— Eu ouvi falar sobre o senhor, Sr. Holmes. Ouvi do major Prendergast como o salvou no escândalo do Tankerville Club.

— Ah, claro. Ele foi injustamente acusado de trapacear nas cartas.

— Ele disse que o senhor pode resolver qualquer coisa.

— Ele falou de mais.

— Disse que o senhor nunca foi derrubado.

— Fui derrubado quatro vezes — três vezes por homens e uma vez por uma mulher.

— Mas o que é isso comparado ao número de seus sucessos?

— É verdade que geralmente tenho tido sucesso.

— Então poderá ter comigo também.

— Peço que puxe sua cadeira para perto do fogo e me dê alguns detalhes sobre o seu caso.

— Não é comum.

— Nenhum dos que vêm a mim são. Eu sou o último tribunal de apelação.

— Ainda assim eu questiono se, com toda a sua experiência, já ouviu uma sequência de eventos mais misteriosos e inexplicáveis que aqueles que aconteceram em minha própria família.

— Você me enche de interesse — disse Holmes. Por favor, forneça os fatos essenciais desde o início, e depois posso questioná-lo sobre os detalhes que me parecerem mais importantes.

O jovem puxou a cadeira para perto da lareira e direcionou os pés molhados para o fogo.

— Meu nome é John Openshaw, meus negócios têm, até onde posso entender, pouco a ver com esse horrível momento que estou passando. É uma questão hereditária; para lhe dar uma ideia dos fatos, vou ao início do caso.

— O senhor deve saber que meu avô teve dois filhos — meu tio Elias e meu pai Joseph. Meu pai tinha uma pequena fábrica em Coventry, que ele ampliou na época da invenção da bicicleta. Ele tinha a patente do pneu que não fura, o Openshaw. Seu negócio teve tanto sucesso que ele pode vendê-lo e se aposentar usufruindo de uma considerável renda.

— Meu tio Elias emigrou para a América quando jovem e se tornou fazendeiro na Flórida, onde se saiu muito bem. Na época da guerra, lutou no exército de Jackson e, posteriormente, sob o comando de Hood, chegando a ser coronel. Quando Lee se rendeu, meu tio voltou para sua fazenda, onde permaneceu por três ou quatro anos. Por volta de 1869 ou 1870, ele voltou para a Europa e comprou uma pequena propriedade em Sussex, perto de Horsham. Ele havia feito uma fortuna considerável nos Estados Unidos, e a razão para deixar aquele país foi sua aversão aos negros e seu desagrado pela política republicana que estendeu a eles o direito ao voto. Ele era um homem excêntrico, de temperamento forte, de boca suja quando estava zangado e de uma disposição mais retraída. Durante todos os anos em que morou em Horsham, pouquíssimas vezes foi a cidade. Ele tinha um jardim e duas ou três lavouras em volta de sua casa, e ali fazia seu exercício, embora, muitas vezes, por semanas seguidas ele não saísse de seu quarto. Ele bebia bastante conhaque e fumava muito, não convivia em sociedade e não queria amigos, nem mesmo o próprio irmão.

— Eu não o incomodava; na verdade, ele até gostava de mim. Viu-me pela primeira vez quando eu era um jovem de doze anos. Isso ocorreu no ano de 1878, oito ou nove anos depois que ele havia retornado à Inglaterra. Pediu ao meu pai que me deixasse morar com ele e foi muito bom pra mim. Quando estava sóbrio, gostava de jogar gamão e damas comigo. Tornei-me seu representante junto aos criados e aos comerciantes, de modo que, quando eu tinha dezesseis anos, eu era o dono da casa. Guardava todas as chaves, podia ir aonde quisesse e fazer tudo o que tinha vontade, desde que não o perturbasse em sua privacidade. Havia uma exceção: ele tinha um quarto no sótão, que era invariavelmente trancado e que ele não permitia que eu ou qualquer outra pessoa entrasse ali. Eu espiava pela fechadura, com curiosidade infantil, mas nunca pude ver mais que uma porção de baús velhos e embrulhos, como seria de se esperar em um quartinho abandonado.

Um dia — era março de 1883 —, uma carta com um carimbo estrangeiro estava sobre a mesa em frente ao prato do coronel. Não era comum ele receber cartas, pois todas as suas contas eram pagas em dinheiro, e ele não tinha nenhum amigo. "Da India!" disse ele, enquanto a pegava: "Selo postal Pondicherry!"O que pode ser isso? Ao abri-la às pressas, saltaram cinco sementinhas secas de laranja, que caíram sobre seu prato. Comecei a rir, mas minha risada foi congelada pela expressão do seu rosto. Seus lábios caíram, os olhos estavam agitados, a pele ficou branca e ele encarava o envelope que ainda segurava com a mão trêmula: "KKK!" — ele gritou — e depois: "Meu Deus, meu Deus, meus pecados me envolveram!"

— O que é isso, tio? — perguntei.

— Morte — disse ele. E levantando-se da mesa, retirou-se para o quarto, deixando-me palpitando de horror.

— Peguei o envelope e vi rabiscado com tinta vermelha na aba interna, logo acima da cola, a letra "K" três vezes repetida. Não havia mais nada a não ser as cinco sementes secas. Qual poderia ser o motivo de seu terror avassalador? Saí da mesa do café da manhã e, ao subir a escada, encontrei-o descendo com uma chave velha e enferrujada, na mão, que devia pertencer ao sótão e também com uma pequena caixa de latão, como uma caixa de dinheiro, na outra mão.

— Podem fazer o que quiserem, mas eu ainda os vencerei, disse ele com um juramento.

— Diga a Mary que hoje vou querer a lareira acessa no meu quarto e mande chamar o Fordham, o advogado de Horsham.

— Fiz o que ele ordenou e, quando o advogado chegou, foi convidado a ir até o quarto. O fogo estava queimando intensamente na lareira e na grade havia uma massa de cinzas pretas e macias, como papel queimado. A caixa de latão estava aberta e vazia ao lado. Ao olhar para a caixa, notei sobressaltado que na tampa estava impressa a letra "K" como a que eu havia visto pela manhã no envelope.

— Desejo que você John, testemunhe minha vontade. Deixo tudo o que tenho, com todas as vantagens e desvantagens, para meu irmão seu pai, de quem você, sem dúvida, será o herdeiro. — Se você puder desfrutar em paz, muito bem! Se você achar que não pode, siga meu conselho, meu garoto, e dê tudo ao seu maior inimigo. Lamento dar-lhe esta faca de dois gumes, mas não posso saber como virão os acontecimentos. Por favor, assine onde o Sr. Fordham determinar.

— Eu assinei o papel como indicado, e o advogado o levou consigo. O incidente estranho causou, como o senhor pode imaginar, a impressão mais profunda em mim. Eu refleti sobre ele e revirei todos os aspectos em minha mente, sem poder entender.

— Não consegui me livrar do sentimento de pavor que ele deixou para trás, embora a sensação tenha se tornado menos intensa com o passar das semanas quando nada aconteceu para atrapalhar a rotina habitual de nossas vidas. Pude ver uma mudança em meu tio: ele bebia mais que nunca e estava menos inclinado a qualquer tipo de contato com outras pessoas. Passava a maior parte do tempo em seu quarto, com a porta trancada por dentro, mas às vezes emergia em uma espécie de frenesi bêbado e saía da casa. Andava no jardim com um revólver na mão, gritando que ele não tinha medo de ninguém, e que ele não se deixaria enjaular por qualquer homem ou pelo diabo. Quando esses ataques terminavam, ele entrava tumultuosamente pela porta e trancava-a atrás dele, como um homem que já não pode mais resistir ao terror que está nas raízes de sua alma. Nessas ocasiões, via seu rosto, mesmo em um dia frio, como se estivesse sido banhado em uma bacia.

— Para encerrar o assunto, Sr. Holmes, e não abusar de sua paciência, chegou a noite em que ele saiu bêbado e nunca mais voltou. Nós o encontramos, quando fomos procurá-lo, com o rosto enfiado em um pequeno poço que tinha um resíduo verde e ficava ao fundo do jardim. Não havia sinal de violência e o poço tinha menos que um metro de profundidade, de modo que a investigação, tendo em conta sua conhecida excentricidade, apresentou um veredicto de "suicídio". Mas eu, que o vi estremecer com o pensamento da morte, tive muita dificuldade para me convencer de que ele havia se esforçado para encontrá-la. O caso foi encerrado e meu pai tomou posse da propriedade e de cerca de catorze mil libras que estavam creditadas no banco.

— Um momento — interveio Holmes — sua narrativa é uma das mais notáveis que já ouvi. Diga-me a data do recebimento da carta e a data do suposto suicídio de seu tio.

— A carta chegou em 10 de março de 1883. Sua morte foi sete semanas depois, na noite de 2 de maio.

— Obrigado. Pode prosseguir.

— Quando meu pai assumiu a propriedade de Horsham, ele, a meu pedido, fez um exame cuidadoso do sótão, que sempre estava trancado. Encontramos a caixa de latão lá, embora seu conteúdo tenha sido destruído. No interior da lata havia uma etiqueta de papel, com a letra "K" três vezes repetida e sob elas estava escrito: "Cartas, memorandos, recibos e um registro". Presumimos que os escritos indicassem a natureza dos papéis que haviam sido destruídos pelo coronel Openshaw. De resto, não havia coisas de muita importância no sótão. Eram muitos papéis e cadernos sobre a vida de meu tio na América. Alguns deles eram da época da guerra e mostraram que ele cumprira bem seu dever e guardava a reputação de um bravo soldado. Outros eram da época da reconstrução dos estados do Sul, e diziam sobre política, pois o coronel desempenhara um importante e ativo papel na oposição aos políticos do Norte que iam para o Sul em busca de benefícios próprios.

— Era o começo de 1884 quando meu pai veio morar em Horsham, e tudo correu bem até janeiro de 1885. No quarto dia após o ano-novo, ouvi meu pai dar um grito de surpresa ao nos sentarmos à mesa do café da manhã. Lá estava ele, sentado com um envelope recém-aberto em uma mão e cinco sementes secas de laranja na palma estendida da outra mão. Ele sempre zombava do que chamava de "sua história" sobre o coronel, mas parecia muito assustado e intrigado agora que a mesma coisa lhe havia acontecido.

— Que diabos isso significa, John? — ele gaguejou.

— Meu coração disparou. É o "KKK" — eu disse

— Ele olhou dentro do envelope. É isso mesmo... aqui estão as letras. Mas o que está escrito acima delas?

— Coloque os papéis no relógio de sol — eu li, espiando por cima do ombro dele.

— Que papéis? Que relógio de sol? — ele perguntou.

— O relógio de sol no jardim. Não há outro — eu disse —, mas os papéis devem ser aqueles que foram destruídos.

— Quanta bobagem! — exclamou ele — agarrando-se fortemente a sua coragem. Estamos em uma terra civilizada e não podemos acreditar em tolices desse tipo. De onde vem essa carta?

— De Dundee — olhe o carimbo do correio.

— Alguma brincadeira absurda — disse ele. O que eu tenho a ver com relógio de sol e papéis? Não prestarei atenção a essas bobagens.

— Eu certamente falaria com a polícia.

— E ririam de mim! Nada disso!

— Então me deixe fazer isso?

— Não, eu proíbo você. Não vou me incomodar com esse absurdo.

— Foi em vão discutir com ele, pois ele era um homem muito obstinado. Eu andei com o coração cheio de pressentimentos.

— No terceiro dia após a chegada da carta, meu pai viajou para visitar um velho amigo dele, o major Freebody, que está no comando de um dos fortes em Portsdown Hill. Fiquei feliz por ele ir, pois me parecia que ele estava mais longe do perigo quando estava longe de casa. Eu estava errado. No segundo dia de sua ausência, recebi um telegrama do major, chamando-me imediatamente. Meu pai havia caído em um dos profundos poços que abundam na vizinhança e estava deitado sem sentido, com o crânio quebrado. Fui rapidamente, mas ele faleceu sem nunca ter recuperado sua consciência. Aparentemente, ele retornara de Fareham no crepúsculo, e como o terreno era desconhecido para ele, e o poço não estava cercado, a investigação não hesitou em apresentar o veredicto de "morte por causas acidentais". Cuidadosamente, ao examinar todos os fatos relacionados a sua morte, não consegui encontrar nada que pudesse sugerir a ideia de assassinato. Não havia sinais de violência, pegadas, assaltos ou registros de estranhos sendo vistos nas estradas. E, no entanto, não preciso lhe dizer que minha mente estava longe de ficar à vontade e que eu tinha quase certeza de que alguma trama horrível fora tecida em torno dele.

— Dessa maneira sinistra, recebi a minha herança. O senhor vai me perguntar por que eu não me descartei dela? — Respondo: porque estava bem convencido de que nossos problemas estavam ligados de algum modo a um incidente na vida de meu tio, e que o perigo seria tão urgente em uma casa quanto em outra qualquer.

— Foi em janeiro de 1885 que meu pai chegou ao fim e dois anos e oito meses se passaram desde então. Durante esse período, vivi feliz em Horsham e comecei a acreditar que essa maldição tivesse passado pela família e terminado na geração anterior. Infelizmente eu começara a relaxar muito cedo; ontem de manhã, o golpe caiu sobre mim da mesma forma que atingira meu tio e meu pai.

O jovem tirou do colete um envelope amassado e, sobre a mesa, deixou cair cinco pequenas sementes secas de laranja.

— Este é o envelope — continuou ele. O carimbo postal é de Londres — divisão leste. Dentro estão as mesmas três letras que estavam na carta para o meu tio e para o meu pai: "KKK"; e depois : "Coloque os papéis no relógio de sol. "

— O que é que você fez?

— Nada.

— Nada?

— Para dizer a verdade — ele afundou o rosto nas mãos finas e brancas —, me senti impotente. Eu me senti como um daqueles coelhos quando a cobra está vindo em sua direção se contorcendo. Parece que estou ao alcance de algum mal avassalador e inevitável, com o qual nenhuma previsão ou precaução pode lutar.

— Hem? — disse — Sherlock Holmes. Você deve agir, meu rapaz, ou estará perdido. — Só o afinco pode salvá-lo. Não é hora de desespero.

— Eu fui à polícia.

— E?...

— Eles ouviram a minha história com um sorriso. Estou convencido de que o inspetor formou a opinião de que as cartas são brincadeiras e que as mortes de meus parentes foram realmente acidentais, como se deduziu nas investigações e não deveriam ser relacionadas aos avisos.

Holmes sacudiu as mãos cerradas no ar.

— Imbecilidade incrível! — exclamou.

— No entanto, me permitiram um policial, que pode permanecer em casa comigo.

— Ele veio com você esta noite?

— Não. Recebeu ordens para ficar em minha casa.

Novamente Holmes indignou-se.

— Por que você veio até mim? E por que você não veio diretamente a mim?

— Eu não o conhecia. Foi apenas hoje que falei com o major Prendergast sobre meus problemas e fui aconselhado por ele a procurá-lo.

— Faz realmente dois dias que você recebeu a carta? Deveríamos ter agido antes. Suponho que você não tenha mais detalhes além dos que colocou diante de nós — nenhum indício sugestivo que possa nos ajudar?

— Há uma coisa — disse John Openshaw.

Ele remexeu no bolso do casaco, pegou um pedaço de papel azul e colocou-o sobre a mesa.

—Tenho alguma lembrança — disse ele. — No dia em que meu tio queimou os papéis, observei que as margens pequenas e sem queima que estavam no meio das cinzas eram dessa cor específica. Encontrei esta única folha no chão do quarto dele e estou inclinado a pensar que pode ser um dos papéis que talvez tenha saído do meio dos outros e, dessa maneira, tenha escapado à destruição. Além das sementes, só isso eu tenho e não vejo como pode ajudar. Acho que é uma página de algum diário particular. A escrita é sem dúvida do meu tio.

Holmes moveu a lâmpada, e nós dois nos inclinamos sobre a folha de papel, que mostrava pela borda irregular que realmente havia sido arrancada de caderno. No alto da folha — março de 1869 —, abaixo, as anotações:

— Dia 4 - Hudson veio. A mesma antiga plataforma.

— Dia 7- Sementes enviadas para McCauley, Paramore e John Swain de St.Augustine.

— Dia 9 - McCauley desapareceu.

— Dia 10 - John Swain desapareceu.

— Dia 12 - Visitei Paramore. Tudo certo.

— Obrigado! — disse Holmes, dobrando o papel e o devolvendo ao visitante. Agora você não deve perder mais um instante. Não podemos perder tempo nem para discutir o que você me disse. Vá para sua casa instantaneamente e aja.

— O que devo fazer?

— Há apenas uma coisa a fazer e faça-a imediatamente. Você vai colocar este pedaço de papel que nos mostrou na caixa de latão. — Deve colocar junto um bilhete explicando que todos os outros papéis foram queimados por seu tio e que este é o único que resta. Você deve afirmar isso com total convicção. Feito isso, vai colocar a caixa no relógio de sol, conforme as instruções que foram mandadas anteriormente. Você entende?

— Sim!

— Não pense em vingança no momento. Acho que poderemos conseguir isso usando a lei; mas temos nossa rede para tecer, enquanto a deles já está tecida. A primeira atitude é remover o perigo premente que o ameaça. A segunda será esclarecer o mistério e punir os culpados.

— Agradeço — disse o jovem, levantando-se e vestindo sua capa. — O senhor me deu ânimo e esperança. Certamente farei o que me aconselhar.

— Não perca tempo. E, acima de tudo, cuide-se enquanto isso, pois não creio que possa haver dúvida que você está ameaçado por um perigo muito real e iminente. Como você volta para casa?

— De trem. Aquele que sai de Waterloo.

— Ainda não são nove horas. As ruas estarão lotadas, eu creio que esteja em segurança. Fique atento!

— Eu estou armado.

— Está bem. Amanhã começarei a trabalhar no seu caso.

— Vejo você em Horsham, então?

— Não, seu problema está em Londres. É aqui que devo procurá-lo.

— Voltarei em um dia ou em dois dias, com notícias sobre a caixa e os papéis. Vou seguir seu conselho com todos os detalhes.

Ele apertou nossas mãos e se despediu.

Lá fora, o vento ainda uivava e a chuva batia contra as janelas. Essa estranha história parecia ter chegado através dos elementos em fúria — soprada sobre nós como um lençol de algas sobre o mar revolto — e agora fora reabsorvida por eles também.

Sherlock Holmes ficou sentado por algum tempo em silêncio, com a cabeça projetada para frente e os olhos fixos no brilho vermelho do fogo. Depois acendeu o cachimbo e, recostando-se na cadeira, observava os anéis azuis de fumaça que se perseguiam até o teto.

— Acho Watson — comentou finalmente —, que em todos os nossos casos não tivemos nada mais fantástico que isso.

— Exceto, talvez, o *Signo dos Quatro*.

— Sim. Talvez... E, no entanto, John Openshaw me parece estar andando em meio a perigos ainda maiores que os Sholtos.

— Você já formou alguma concepção definitiva sobre quais são esses perigos?

— Não há dúvida!

— Quais são eles? Quem é esse "KKK" e por que ele persegue essa família infeliz?

Sherlock Holmes fechou os olhos e apoiou os cotovelos nos braços da cadeira, com as pontas dos dedos juntas.

— "O cérebro ideal" deduziria, uma vez demonstrado um fato único em todos os seus aspectos, não apenas toda a cadeia de eventos que o criou, mas também todos os resultados que se seguiriam. Como Cuvier pôde descrever corretamente um animal inteiro pela contemplação de um único osso, o observador que entende completamente um elo de uma série de incidentes deve ser capaz de indicar com precisão todos os outros. Ainda não captamos os resultados que somente a razão pode alcançar. Há problemas que podem ser resolvidos apenas com o estudo dos fatos, mas confundem aqueles que buscaram a solução com a ajuda dos sentidos. Para levar a arte, ao seu ápice, é necessário que o pensador seja capaz de utilizar todos os fatos que vieram ao seu conhecimento; e isso por si só implica, como você verá, a posse de todo o conhecimento, o que, mesmo nos dias de educação livre e enciclopédias, é uma conquista um tanto rara. Não é impossível, no entanto, que um homem possua todo o conhecimento que provavelmente lhe será útil em seu trabalho: é para isso eu me esforço. Se bem me lembro, nos primeiros dias de nossa amizade, você definiu meus limites de uma maneira muito precisa.

—Sim — respondi, rindo. Fiz avaliações singulares. Em filosofia, astronomia e política você ganhou zero, eu me lembro. Médio conhecimento em botânica. Em geologia, profundo conhecimento no que diz respeito às manchas de lama de qualquer região em torno de Londres. Em química: excêntrico. Anatomia: não sistemático. Em literatura sensacionalista e en registros criminais: excepcional. É ainda violinista, boxeador, espadachim, advogado e pratica o autoenvenenamento com cocaína e tabaco. Acho que esses foram os principais pontos da minha análise.

Holmes sorriu com o último item.

108

— Eu digo agora, como eu disse então, que um homem deve manter seu pequeno sótão, o cérebro, com todos os móveis que ele provavelmente usará e o resto ele pode guardar no quarto de despejo ou na sua biblioteca, onde ele pode obtê-lo quando quiser ou precisar. Em um caso como o que nos foi apresentado esta noite, precisamos certamente reunir todos os nossos recursos. Por favor, me entregue o volume da letra "K" da *American Encyclopaedia* que fica na prateleira ao seu lado. Obrigado. Agora vamos considerar a situação e ver o que pode ser deduzido dela: em primeiro lugar, podemos começar com a forte presunção que o coronel Openshaw tinha motivos muito fortes para deixar a América.

— Os homens jovens não mudam todos os seus hábitos e trocam de bom grado o clima encantador da Flórida pela vida solitária de uma cidade da província inglesa. Seu extremo amor à solidão na Inglaterra sugere a ideia que ele estava com medo de alguém ou alguma coisa. Portanto essa vai ser uma hipótese no nosso trabalho.

— Quanto ao que ele temia, só poderemos deduzir considerando as cartas que foram recebidas por ele e seus sucessores. Você observou os carimbos das cartas?

— O primeiro foi de Pondicherry, o segundo de Dundee e o terceiro de Londres.

— Do leste de Londres. O que você deduz disso?

— São todos portos marítimos... que o escritor estava a bordo de um navio.

— Excelente. Já temos uma pista. Não há dúvida que a probabilidade — a forte probabilidade — é que o emissor estivesse a bordo de um navio. — Agora vamos considerar outro ponto: no caso de Pondicherry, decorreram sete semanas entre a ameaça e seu desfecho, no de Dundee foram apenas três ou quatro dias. Isso lhe sugere alguma coisa?

— Tempos proporcionais às distâncias.

— Mas a carta também tinha uma distância a percorrer...

— Então eu não vejo o ponto!

— Há pelo menos uma presunção de que a embarcação em que o homem ou homens estão é um veleiro. Parece que eles sempre enviam seu aviso quando iniciam a missão. Veja a rapidez com que o crime seguiu a mensagem quando esta veio de Dundee. Se tivessem vindo de Pondicherry em um navio a vapor, teriam

109

chegado junto com a carta. Mas, sete semanas se passaram. Penso que essas sete semanas representam a diferença entre o correio que trouxe a carta e o veleiro que trouxe o emissor dela.

— É possível!

— Mais que isso: é provável. E agora você vê a urgência deste novo caso, e por que pedi ao jovem Openshaw que se cuidasse. O crime sempre aconteceu ao final do tempo em que os remetentes precisavam para percorrer a distância. Essa última carta vem de Londres e, portanto, pode não haver tempo.

— Meu Deus! O que significa essa perseguição implacável?

— Os documentos que o coronel Openshaw carregava são obviamente de importância vital para a pessoa ou pessoas do veleiro. É bastante claro que deve haver mais de uma pessoa: um homem sozinho não poderia ter realizado duas mortes de maneira a enganar os investigadores. Deve ter vários neles, e eles devem ser homens de recursos e determinação. Querem os papéis. Não importa quem os detenha. Dessa forma, "KKK" deixa de ser as iniciais de um indivíduo e se torna a sigla de uma sociedade.

— Mas de que sociedade?

— Você nunca — disse Sherlock Holmes, inclinando-se para frente e baixando a voz — ouviu falar da Ku Klux Klan?

— Não...

Holmes folheou o livro que mantinha sobre os joelhos.

— Aqui está: Ku Klux Klan. Nome derivado da semelhança com o som produzido ao se engatilhar um rifle. Essa terrível sociedade secreta foi formada por alguns ex-soldados confederados nos estados do sul após a Guerra Civil, e rapidamente formou filiais locais em diferentes partes do país, principalmente no Tennessee, Louisiana, Carolinas, Geórgia e Flórida. Seu poder era usado com propósitos políticos, principalmente para aterrorizar eleitores negros e no assassinato e expulsão, do país, daqueles que se opunham a suas ideias. Suas crueldades eram geralmente precedidas de um aviso enviado ao homem marcado de alguma forma extraordinária, mas geralmente reconhecida — um raminho de folhas de carvalho em algumas partes, sementes de melão ou sementes de laranja em outras. Ao receber o aviso, a vítima podia abjurar abertamente suas convicções anteriores, ou fugir do país. Se ele os desafiasse, a morte viria infalivelmente sobre ele, e de uma maneira estranha e imprevista. Tão perfeita era a organização da sociedade, e tão sistemáticos seus métodos, que não há o registro de alguém que tenha conseguido enfrentá-la impunemente, ou que algum de seus ultrajes tenha sido atribuído aos autores. Por alguns anos a organização floresceu apesar dos esforços do governo dos Estados Unidos e das melhores classes da comunidade no sul. No ano de 1869, o movimento entrou em colapso repentinamente, embora tenha havido surtos esporádicos com as mesmas características desde aquela data.

— Observe — disse Holmes largando o volume — que o desaparecimento repentino da sociedade coincidiu com a saída do coronel Openshaw da América com os papéis da sociedade. Pode muito bem ter sido uma relação de causa e efeito. Não é de admirar que ele e sua família tenham alguns dos espíritos mais implacáveis em seu caminho. Esse registro e o diário podem comprometer alguns dos mais importantes homens do sul e que muitos não dormirão tranquilos até que esses documentos sejam recuperados.

— Então a página que vimos...

— É o que pensamos. Ela dizia, se bem me lembro: envio das sementes para A, B e C — isto é, "enviamos o aviso da sociedade a eles". Depois, há registros sucessivos que A e B morreram ou deixaram o país e, finalmente, que C foi visitado e houve um resultado sinistro. Eu acho, doutor, que podemos deixar alguma luz entrar nessa escuridão e acreditar que a única chance do jovem Openshaw é fazer o que eu lhe disse. Não há mais nada a ser dito ou a ser feito esta noite, então me entregue meu violino e vamos tentar esquecer por meia hora a tempestade e os modos intempestivos e monstruosos de nossos semelhantes.

Tinha clareado pela manhã e o sol brilhava suave através do véu de nuvens que pairava sobre a grande cidade. Sherlock Holmes tomava seu café da manhã quando desci.

— Vai me desculpar por não ter esperado por você Prevejo que terei um dia muito ocupado investigando este caso do jovem Openshaw.

— Que medidas tomará?

— Vai depender muito dos resultados das minhas primeiras investigações. Talvez eu precise ir até Horsham.

—Você não vai lá primeiro?

— Não, começarei minhas buscas aqui na cidade. — Basta tocar a campainha e a criada trará o seu café.

Enquanto esperava, levantei o jornal fechado que estava sobre a mesa. Ele tinha uma manchete que me enviou um calafrio ao coração.

— Holmes — gritei. Já é tarde demais!

— Ah! — disse ele, pousando a xícara. Eu temia isso. Como aconteceu?

Ele falou calmamente, mas eu pude ver que ele estava profundamente comovido.

— Chamou-me a atenção o nome de Openshaw e o título "Tragédia perto da ponte de Waterloo". Aqui está a notícia:

Entre as nove e as dez horas da noite passada, um policial da Divisão H, de plantão perto da ponte de Waterloo, ouviu um grito de socorro e um barulho de queda na água. A noite, era extremamente escura e tempestuosa, de modo que, apesar da ajuda de vários transeuntes, era praticamente impossível efetuar um resgate. O alarme foi dado e com a ajuda da polícia fluvial, o corpo acabou sendo recuperado. Provou-se ser o corpo de um jovem cavalheiro cujo nome, como aparece em um envelope encontrado no seu bolso, era John Openshaw e cuja residência fica perto de Horsham. Supõe-se que ele possa ter descido apressadamente para pegar o último trem da Estação Waterloo, e que na escuridão extrema tenha perdido o caminho e caído da beira de um dos locais de desembarque de barcos a vapor. O corpo não exibia nenhum sinal de violência. Não há dúvida de que a morte foi um lamentável acidente. Essa morte deveria ter o efeito de chamar a atenção das autoridades para as péssimas condições em que se encontram os desembarcadouros à margem do rio.

Ficamos em silêncio por alguns minutos. Holmes estava muito deprimido e abalado, como eu nunca tinha visto.

— Isso machuca meu orgulho, Watson, disse ele finalmente. É um sentimento mesquinho, sem dúvida, mas machuca meu orgulho. Tornou-se um assunto pessoal agora e, se Deus me enviar saúde, colocarei minhas mãos nessa gangue. O jovem veio até mim em busca de ajuda e eu o mandei para a morte...

Holmes pulou da cadeira e andou pela sala com uma agitação incontrolável, com um rubor nas bochechas pálidas. Abria e fechava nervosamente as suas longas e finas mãos.

—Eles devem ser demônios astutos. Como poderiam tê-lo achado ali? O aterro não leva em linha direta para a estação. A ponte, sem dúvida, estava cheia demais, mesmo naquela noite de tempestade, para o propósito deles. Bem, Watson, veremos quem vencerá em longo prazo. Eu vou sair agora!

— Vai à polícia?

— Não; Eu serei minha própria polícia. Quando eu tecer a teia, eles podem pegar as moscas, mas não antes.

Durante todo o dia eu estava envolvido em meu trabalho profissional, e já era tarde da noite antes de retornar à Baker Street. Sherlock Holmes ainda não havia voltado. Eram quase dez horas antes de ele entrar, parecendo pálido e cansado. Ele caminhou até o aparador e, arrancando um pedaço do pão, devorou-o vorazmente. Depois bebeu um longo gole de água.

—Você está faminto — comentei.

— Estou mesmo. Esqueci-me de comer. Não comi nada após o café da manhã.

— Nada?

— Não tive tempo para pensar nisso.

— E como você se saiu?

— Bem.

— Você tem uma pista?

— Eu os tenho na palma da minha mão. O jovem Openshaw não permanecerá por muito tempo sem vingança. Watson, vamos colocar a própria marca demoníaca sobre eles. Já planejei tudo!

— O que você quer dizer?

Ele pegou uma laranja do armário e, cortando-a em pedaços, colocou as sementes sobre a mesa. Destas, ele pegou cinco e as jogou em um envelope. No interior da aba, ele escreveu de "S.H. para J.C". Depois, selou-o e dirigiu-o ao Capitão James Calhoun, *Barque Lone Star*, Savannah, Geórgia.

— Isso o aguardará quando ele entrar no porto — disse Holmes, rindo. Pode dar-lhe uma noite sem dormir. Ele achará ser um aviso sobre o seu destino tão certo quanto Openshaw achou antes dele.

— E quem é esse capitão Calhoun?

— O líder da gangue. Terei os outros, mas ele primeiro.

— Como você descobriu isso?

— Ele pegou uma grande folha de papel, no bolso, toda coberta de datas e nomes.

— Passei o dia inteiro revisando os registros e arquivos dos documentos antigos de Lloyd, seguindo todos os navios que tocaram Pondicherry em janeiro e fevereiro de 1883. Havia trinta e seis navios de grande tonelagem que chegaram lá durante esses meses. Destes, um, o *Lone Star* , instantaneamente atraiu minha atenção, pois, embora tenha sido relatado como tendo saído de Londres, o nome é mesmo que é dado a um dos estados da União.

— Texas, eu acho.

— Eu não tinha e não tenho certeza de qual; mas sei que o navio devia ter origem norte-americana.

— E mais o que descobriu?

— Procurei nos registros de Dundee e, quando descobri que o *Barque Lone Star* estava lá em janeiro de 1885, minha suspeita se tornou uma certeza. Eu então perguntei sobre os navios que atualmente estão no porto de Londres.

— E?...

O *Barque Lone Star* chegou aqui na semana passada. Fui até o Albert Dock e descobri que ele havia sido levado rio abaixo pela maré da manhã de hoje, em direção a Savannah. Fiz uma ligação para Gravesend e soube que ele havia passado há algum tempo e, como o vento é oriental, não tenho dúvidas que ele agora passou pelos Goodwins e não está muito longe da Ilha de Wight.

— O que você vai fazer então?

— Oh, tenho minhas mãos sobre Calhoun. Ele e os dois companheiros, como eu apurei, são os únicos americanos nativos no navio. Os outros são finlandeses e alemães. Sei também que eles estavam, todos os três, longe do navio na noite passada. Obtive essa informação do estivador que carregava sua carga. Quando o navio chegar a Savannah, o correio já terá levado a carta com as cinco sementes e um telegrama informando a polícia de Savannah que esses três cavalheiros são muito procurados aqui, sob a acusação de assassinato.

Contudo, sempre existe uma falha nos melhores planos humanos, e os assassinos de John Openshaw nunca receberiam as sementes de laranja que lhes mostrariam que outro, tão astuto e resoluto quanto eles, estava em seu caminho. Muito longos e muito severos foram os vendavais equinociais naquele ano. Esperamos muito tempo pelas notícias do *Barque Lone Star*, mas nenhuma jamais chegou até nós. Ouvimos finalmente que em algum lugar distante do Atlântico, um poste de popa foi visto balançando na calha de uma onda e as letras *"L.S."* estavam gravadas nele. Jamais saberemos o destino do *Barque Lone Star...*

VI

O HOMEM DO LÁBIO TORCIDO

Isa Whitney, irmão do falecido Elias Whitney, diretor do Colégio Teológico de St. George's, era viciado em ópio. Adquiriu esse hábito, pelo que entendi, sob a influência de um maluco quando ele estava na faculdade; após ler a descrição de De Quincey sobre seus sonhos e sensações, ele havia ensopado seu tabaco com láudano, na tentativa de produzir os mesmos efeitos. Descobriu, como muitos outros fizeram, que a prática é mais fácil que o abandono do vício e, por muitos anos, continuou sendo escravo da droga. Tornou-se motivo de horror e pena dos amigos e parentes. Posso vê-lo, com o rosto amarelado e pálido, as pálpebras caídas e as pupilas miúdas, todo encolhido em uma cadeira. Representava os destroços e a ruína de um homem nobre.

Uma noite, em junho de 1889, tocou a minha campainha, por volta da hora em que um homem dá o seu primeiro bocejo e olha para o relógio.

Fiquei quieto em minha cadeira e minha esposa deitou o bordado no colo e fez uma careta de decepção.

— Um paciente! — exclamou ela. Você terá que sair.

Gemi, pois tive um cansativo dia de trabalho.

Ouvimos a porta se abrir, algumas palavras apressadas e depois passos rápidos sobre o piso. Nossa porta se abriu e uma senhora, vestida com cores escura e um véu preto, entrou na sala.

— Desculpem minha visita tão tarde — ela começou — e, subitamente perdendo o autocontrole, correu e jogou os braços em volta do pescoço da minha esposa e soluçou em seu ombro.

— Oh, eu estou com tantos problemas! — chorava. Quero tanto uma ajuda...

— Por quê? — perguntou minha esposa, levantando o véu: É Kate Whitney! Como você me assustou, Kate! Eu não tinha ideia de quem era quando entrou!

116

— Não sabia o que fazer, então vim direto a você.

Sempre foi assim. As pessoas que estavam sofrendo vinham a minha esposa como pássaros a um farol.

— Foi muito bom que tenha vindo. Tome um pouco de vinho e água e sente-se aqui confortavelmente para que possa nos contar tudo. Prefere que eu mande James para a cama?

— Oh, não, não! Também preciso do conselho e da ajuda do médico. — É sobre Isa. Ele não aparece em casa há dois dias. Estou muito preocupada com ele!

Não era a primeira vez que falava conosco sobre os problemas do marido: comigo como médico, com minha esposa como velha amiga e companheira de escola.

Nós a acalmamos e confortamos com as palavras que pudemos encontrar. Ela sabia onde estava o marido? Seria possível que pudéssemos trazê-lo de volta para casa?

Parece que sim. Ela tinha a informação que, ultimamente, durante seus delírios ele procurava um antro de ópio no extremo leste da cidade. Até agora, suas orgias sempre se limitaram ao dia, e ele voltava, se contorcendo à noite. Mas agora as alucinações estavam sobre ele há quarenta e oito horas, e ele ficou ali, sem dúvida entre a ralé das docas, inalando a droga ou dormindo sob os efeitos dela.

Lá ele seria encontrado, ela tinha certeza disso, no Pub of Gold, em Upper Swandam Lane. Mas o que ela deveria fazer? Como ela poderia, uma mulher jovem e tímida, entrar em tal lugar e arrancar o marido dentre os depravados que o cercavam?

Havia um problema e apenas uma maneira de tentar resolvê-lo.

— Posso acompanhá-la a este lugar?

E então como um segundo pensamento — por que ela deveria vir? Eu era o médico de Isa Whitney e, como tal, tinha influência sobre ele. Eu poderia lidar melhor com o caso se estivesse sozinho.

Prometi a ela que o mandaria para casa em um coche dentro de duas horas, se ele estivesse realmente no endereço que ela havia me dado.

E assim, em dez minutos, deixei minha poltrona e minha acolhedora sala de estar para ir atrás de uma missão estranha, como me pareceu na época, embora só o futuro pudesse mostrar o quão estranho seria.

Não houve grande dificuldade no primeiro momento da minha aventura. Upper Swandam Lane é um beco vil que se es-

117

conde atrás dos altos cais que se alinham no lado norte do rio, a leste da London Bridge. Entre uma loja de roupas e uma loja de gim, um lance íngreme de degraus me levou a uma lacuna negra como a boca de uma caverna. Encontrei o covil que estava procurando. Ordenando que meu coche esperasse, desci os degraus, desgastados no centro pelo passar incessante de pés bêbados; sob a luz de uma lamparina tremeluzente acima da porta, encontrei a trava e entrei em uma sala comprida e baixa, com uma cortina espessa de fumaça marrom do ópio. Era coberta com beliches de madeira, como a proa de um navio de emigrante.

Através da escuridão, podia-se vislumbrar corpos deitados em estranhas poses, ombros curvados, joelhos dobrados, cabeças jogadas para trás e queixos apontados para cima. Aqui e ali um par de olhos escuros e sem brilho observa o recém-chegado. Entre as sombras negras brilhavam pequenos círculos vermelhos de luz, ora brilhantes, ora fracos, conforme o veneno ardia ou quase se apagava nos cachimbos de metal. Algumas pessoas ficavam em silêncio, mas algumas murmuraram para si mesmas, e outras conversaram juntas com uma voz estranha, baixa e monótona. A conversa saía em jorros e, em seguida, sucumbia no silêncio. Cada um murmurava seus próprios pensamentos e prestava pouca atenção às palavras do vizinho. No outro extremo havia um pequeno braseiro de carvão queimando, ao lado do qual, em um banquinho de madeira com três pernas, havia um velho alto e magro com o queixo sobre os punhos, os cotovelos sobre os joelhos e os olhos fixos no fogo.

Quando entrei, um atendente malaio se apressou com um cachimbo e um suprimento da droga, me mostrando para um lugar vazio no beliche.

— Obrigado. Eu não vim para ficar — disse eu. Procuro um amigo. O Sr. Isa Whitney.

Houve um movimento e uma exclamação a minha direita, e, olhando através da escuridão, vi Whitney, pálido, abatido e despenteado, olhando para mim.

— Meu Deus! É Watson — ele disse.

Ele estava em um estado lamentável e com os nervos aflorados.

— Watson, que horas são?

— Quase onze.

— De que dia?

— Hoje é sexta-feira, dia dezenove de junho.

— Deus do céu! Eu pensei que era quarta-feira. É quarta-feira. Por que você quer me assustar?

Ele afundou o rosto nos braços e começou a soluçar alto.

— Eu digo que é sexta-feira. Sua esposa está esperando há dois dias por você. Deveria ter vergonha de si mesmo!

— E tenho! Mas você se confunde, Watson, pois só estou aqui há algumas horas: três, se não quatro... Eu vou para casa com você. Não quero assustar a Kate — coitada da pequena Kate. Me dê sua mão! Você tem um coche?

— Sim, tenho um esperando.

— Então eu irei nele. Mas devo algo. Olhe o que devo, Watson. Estou totalmente sem condições.

Eu andei pela passagem estreita, entre a fila dupla de gente dormindo, prendendo a respiração para manter fora a fumaça vil e estonteante da droga, a procura do gerente. Quando passei pelo homem alto que estava sentado perto do braseiro, senti um súbito puxão na minha roupa e uma voz baixa sussurrou: Passe por mim e depois olhe para mim.

As palavras foram bastante claras ao meu ouvido. Eu olhei para baixo. Elas só poderiam ter vindo do velho ao meu lado, e, no entanto ele estava totalmente absorto. Era muito magro, muito enrugado, encurvado pela idade. Tinha um cachimbo de ópio pendurado entre os joelhos, como se tivesse caído pela completa lassidão de seus dedos.

Dei dois passos à frente e olhei para trás. Usei todo o meu autocontrole para não irromper em um grito de espanto.

Ele virou as costas para que ninguém pudesse vê-lo, exceto eu. Seu corpo havia sido preenchido, suas rugas sumiram, os olhos sem brilho recuperaram a luz e ali, sentado junto ao fogo e sorrindo para minha surpresa, não havia outro senão Sherlock Holmes. Ele fez um leve movimento pedindo para eu me aproximar e instantaneamente, quando virou o rosto novamente para os outros, voltou a uma senilidade trêmula e os lábios caíram.

— Holmes! Eu sussurrei: o que diabos você está fazendo neste lugar?

— Fale o mais baixo que puder. Tenho excelentes ouvidos. Se você puder se livrar daquele seu amigo, eu ficaria extremamente feliz em conversar um pouco com você.

— Tenho um coche lá fora.

— Então o mande para casa. Não se preocupe, pois ele parece estar fraco demais para tentar fazer qualquer doidice. Recomendo que também envie um bilhete, através do cocheiro, a sua esposa dizendo-lhe que você está comigo. Se esperar lá fora, estarei com você em cinco minutos.

Era difícil recusar qualquer pedido de Sherlock Holmes, pois eles eram sempre extremamente definidos e apresentados com um ar de total domínio.

Senti que quando embarcasse Whitney no coche, minha missão estaria cumprida; e, quanto ao resto, eu não poderia desejar nada melhor que me associar ao meu amigo em uma daquelas grandes aventuras que eram a condição normal de sua existência.

Em alguns minutos, escrevi o bilhete, paguei a conta de Whitney, o levei até o coche e o vi partir na escuridão. Em muito pouco tempo, uma figura emergiu do antro de ópio e eu estava andando pela rua com Sherlock Holmes.

Por duas ruas, arrastou-se com as costas encurvadas e o pé incerto. Então, olhando rapidamente em volta, endireitou-se e soltou uma gostosa gargalhada.

— Suponho, Watson, que você tenha imaginado que eu adicionei o fumo do ópio às injeções de cocaína e a todas as outras pequenas fraquezas sobre as quais você já me alertou com as suas opiniões médicas.

— Eu certamente fiquei surpreso ao encontrá-lo.

— Mas não mais que eu ao vê-lo.

— Vim para buscar um amigo.

— E eu para encontrar um inimigo.

— Um inimigo?

— Sim; um dos meus inimigos naturais, ou, devo dizer, minha presa natural. Resumidamente: estou no meio de uma investigação muito notável e espero encontrar uma pista nas divagações incoerentes desses viciados, como já fiz antes. Se eu tivesse sido reconhecido naquele esconderijo, minha vida não valeria mais nada; já o usei antes para meus propósitos, e o malandro Lascar que o administra jurou vingança contra mim. Há um alçapão na parte de trás daquele prédio, perto da esquina do Paul's Wharf, que poderia contar algumas histórias estranhas sobre o que se passou por ali nas noites sem lua.

— O quê! Você não quer dizer corpos?

— Sim, corpos, Watson. Seríamos homens ricos se tivéssemos mil libras para cada pobre diabo que foi morto naquele esconderijo. — É a armadilha mais vil de assassinatos de toda a margem do rio, e temo que Neville St. Clair tenha entrado nela para nunca mais sair. — Nosso carro deveria estar aqui.

Ele colocou os dois dedos indicadores entre os dentes e deu assobiou estridente — um sinal que foi respondido por um apito semelhante a distância, seguido pelo chocalhar de rodas e tilintar dos cascos de cavalos.

— Agora, Watson — disse Holmes quando o coche apareceu na escuridão, jogando dois fachos dourados de luz amarela pelas lanternas laterais — você vem comigo, não é?

— Se eu puder ser útil.

— Oh, um camarada fiel é sempre útil; e um cronista ainda mais. Meu quarto no The Cedars tem duas camas.

— No The Cedars?

— Sim; essa é a casa do Sr. St. Clair. Fico lá enquanto conduzo o inquérito.

— Onde fica?

— Perto de Lee, em Kent. Temos uma viagem de mais de onze quilômetros a nossa frente.

— Não estou entendendo nada...

— Claro que não! Você saberá de tudo rapidamente. Salte aqui em cima. — Obrigado, John; não precisaremos de você. Aqui está meia coroa. Procure-me amanhã, por volta das onze horas. Solte o cabresto e até mais!

Holmes bateu levemente no cavalo com o chicote, e seguimos pela interminável sucessão de ruas sombrias e desertas, que se alargavam gradualmente, até estarmos atravessando uma ampla ponte balaustrada, com o rio escuro fluindo lentamente abaixo de nós. Além havia outro deserto sombrio de tijolos e argamassa, seu silêncio era quebrado apenas pelos passos pesados e regulares do policial, ou pelas canções e gritos de algum grupo tardio de foliões.

Uma grossa nuvem flutuava lentamente pelo céu, e uma ou duas estrelas brilhavam vagamente aqui e ali através das suas fendas. Holmes dirigiu em silêncio, com a cabeça afundada no peito e o ar de um homem perdido em pensamentos, enquanto, eu sentado ao seu lado, seguia curioso para saber o que poderia ser essa nova missão que parecia sobrecarregar seus poderes com tanta força, mas não queria interromper a corrente de seus pensamentos.

— Você tem um grande dom Watson: o silêncio. Isso o torna inestimável como companheiro. Dou-lhe minha palavra que gosto de ter alguém para conversar, pois meus pensamentos não são muito agradáveis. Estava imaginando o que dizer a essa cara senhora hoje à noite quando ela me encontrar à porta.

— Você esquece que eu não sei nada sobre isso?

— Terei tempo para contar os fatos do caso antes de chegarmos a Lee. — Parece absurdamente simples, e, no entanto, de alguma forma não consigo entender nada. Há bastantes detalhes, sem dúvida, mas não consigo colocar o fio em minhas mãos. Vou contar-lhe o caso de forma clara e concisa, Watson, e talvez você possa ver uma faísca onde tudo está escuro para mim.

— Comece, então!

— Alguns anos atrás — para ser preciso, em maio de 1884 — chegou a Lee um cavalheiro, Neville St. Clair, que parecia ter muito dinheiro. Comprou uma casa grande, arrumou a propriedade muito bem e vivia em bom estilo. Aos poucos, ele fez amigos no bairro e, em 1887, casou-se com a filha de um cervejeiro local, com quem agora tem dois filhos. Ele não tinha ocupação, mas tinha participação em várias empresas e ia para a cidade normalmente pela manhã, retornando no trem das 17h14min. O Sr. St. Clair agora tem 37 anos, é um homem de hábitos temperados, um bom marido, um pai muito carinhoso e é estimado por todos que o conhecem. Posso acrescentar que todas as suas dívidas no presente momento, tanto quanto pudemos determinar, totalizam oitenta e oito libras e dez xelins, enquanto ele tem para seu crédito no Capital & Counties Bank, duzentas e vinte libras. Não há razão, portanto, para pensar que problemas de dinheiro estão pesando em sua mente.

— Na segunda-feira passada, o Sr. Neville St. Clair foi à cidade mais cedo que o habitual, observando antes de sair que tinha dois afazeres importantes e que traria para seu menino uma caixa de blocos de madeira. Sua esposa recebeu um telegrama, nessa mesma segunda-feira, logo após a sua partida. Ele dizia que um considerável valor, por ela esperado, estavam a sua disposição nos escritórios da Aberdeen Shipping Company. Você bem sabe que em Londres, o escritório da empresa fica em Fresno Street, que se ramifica na Upper Swandam Lane, onde você me encontrou esta noite. A Sra. St. Clair almoçou, foi para a cidade, fez algumas compras, foi ao escritório da empresa, pegou seu pacote e encontrava-se exatamente às 16h35min andando pela Swandam Lane no caminho de volta à estação. Você me seguiu até aqui?

— Sim. Está tudo muito claro.

— Se você se lembra, a segunda-feira foi um dia extremamente quente, e a Sra. St. Clair andou devagar, olhando em volta na esperança de ver um carro de aluguel, pois não gostava do bairro em que se encontrava. Enquanto caminhava por Swandam Lane, de repente ouviu um grito, e ficou gelada ao ver o marido olhando e acenando para ela de uma janela de um segundo andar. A janela estava aberta e ela viu claramente o rosto dele, que ela descreve como sendo terrivelmente assustado. Ele acenou as mãos freneticamente para ela e desapareceu da janela tão subitamente que lhe pareceu que ele havia sido puxado, por uma força irresistível, por trás. Um ponto singular que chamou sua atenção feminina foi que, embora ele usasse um casaco escuro, com o qual saiu de casa, estava sem a camisa e gravata.

— Convencida de que algo estava errado com ele, ela desceu correndo os degraus — pois a casa não passava do antro de ópio em que você me encontrou esta noite — e, correndo pela sala da frente, tentou subir as escadas que levavam ao primeiro andar. Ao pé da escada ela encontrou o patife do Lascar, de quem já lhe falei, que a empurrou para trás e, auxiliado por um dinamarquês, que atua como assistente ali, a empurrou para a rua. Cheia das mais enlouquecedoras dúvidas e medos, ela correu pela rua e, por rara boa sorte, encontrou na Fresno Street vários policiais com um inspetor, todos a caminho da ronda. O inspetor e dois homens a acompanharam e, apesar da resistência contínua do proprietário, foram para a sala em que o Sr. St. Clair havia sido visto pela última vez. Não havia sinal dele lá. De fato, em todo aquele andar não havia ninguém a não ser um pobre coitado de aspecto hediondo, que, ao que parece, mora lá. Tanto ele quanto o Lascar juraram firmemente que ninguém mais esteve na sala da frente durante a tarde. A negação foi tão determinada que o inspetor ficou convencido e quase já acreditava que a Sra. St. Clair havia sido iludida quando, com um grito, ela agarrou uma pequena caixa de madeira que estava sobre a mesa e abriu sua tampa. Dessa caixa, caiu uma cascata de blocos infantis. Era o brinquedo que o Sr. St. Clair prometera levar para casa.

— Essa descoberta, e a evidente confusão que o aleijado mostrou, fizeram o inspetor perceber que o assunto era sério. As salas foram cuidadosamente examinadas, e todos os resultados apontaram para um crime abominável. A sala da frente era claramente mobiliada como uma sala de estar e levava a um pequeno quarto, que dava para a parte de trás de um dos cais. Entre o cais e a janela do quarto, há uma faixa estreita, seca na maré baixa, mas coberta na maré alta com pelo menos um metro e meio de água. A janela do quarto era ampla e se abria por baixo. No exame, vestígios de sangue eram vistos no parapeito da janela, e várias gotas espalhadas eram visíveis no chão de madeira do quarto. — Escondidas atrás de uma cortina na sala da frente estavam todas as roupas do Sr. Neville St. Clair, com exceção do casaco. Suas botas, suas meias, o chapéu e o relógio — todos estavam lá. Não havia sinais de violência em nenhuma de seus pertences e não havia outros vestígios do Sr. Neville St. Clair. Aparentemente, pela janela devia ter saído, já que nenhuma outra saída foi descoberta, e as manchas de sangue no peitoril davam pouca esperança de que ele poderia ter se salvado nadando, pois a maré estava muito alta no momento da tragédia.

— Agora falarei sobre os vilões que parecem estar diretamente envolvidos no crime: o Lascar era conhecido por ser um homem dos antecedentes mais vis, mas como, pela história da Sra. St. Clair, ele estava ao pé da escada poucos segundos depois da aparição do marido na janela. Ele dificilmente poderia ter sido mais que um acessório no crime. Em sua defesa declarou absoluta ignorância afirmando que não tinha conhecimento dos atos de Hugh Boone, seu inquilino, e que não podia explicar de forma alguma a presença das roupas do cavalheiro desaparecido.

— Isso quanto ao gerente da Lascar. Agora, quanto ao aleijado sinistro que vive no segundo andar do antro de ópio, e que certamente foi o último ser humano cujos olhos se voltaram para Neville St. Clair: o nome dele é Hugh Boone, e seu rosto hediondo é familiar a todo homem que vai muito à cidade. Ele é um mendigo profissional, mas, para evitar os regulamentos policiais, ele finge ter um pequeno comércio de velas de cera. A pouca distância da Threadneedle Street, no lado esquerdo, há, como você deve ter observado, um pequeno ângulo na parede. Ali é que essa criatura toma seu assento diário, de pernas cruzadas, com seu pequeno estoque de velas no colo, e como ele é um espetáculo piedoso, uma pequena chuva de caridade desce no gorro de couro oleoso que fica na calçada ao lado dele. Vi o sujeito mais de uma vez antes de conhecê-lo profissionalmente e fiquei surpreso com a colheita que ele conseguiu em pouco tempo. Sua aparência, como vê, é tão notável que ninguém pode passar por ele sem observá-lo. Seus cabelos alaranjados, o rosto pálido desfigurado por uma cicatriz horrível que, por sua contração, elevou a borda externa do lábio superior, o queixo de buldogue e o par de olhos escuros muito penetrantes, que apresentam um grande contraste com a cor de seus cabelos o distinguem na multidão comum de mendigos. Se distingue também por ser sagaz, pois ele está sempre pronto para responder a qualquer gracejo que possa ser jogado contra ele pelos transeuntes. Esse é o homem que agora conhecemos como o inquilino do antro de ópio e que foi o último a ver o cavalheiro que procuramos.

— Mas um aleijado? O que ele poderia ter feito sozinho contra um homem sadio?

— Ele é aleijado, no sentido que anda manco; mas em outros aspectos, ele parece ser um homem forte e bem-nutrido. Certamente, sua experiência médica lhe diria, Watson, que a fraqueza em um membro é frequentemente compensada pela força excepcional nos outros.

— Continue sua narrativa!

— A Sra. St. Clair desmaiou ao ver o sangue na janela, e ela foi levada para casa em um carro de aluguel pela polícia. Sua presença não ajudaria nas investigações. O inspetor Barton, encarregado do caso, fez um exame cuidadoso das instalações, mas sem encontrar nada que esclarecesse o assunto. Um erro foi cometido ao não prender Boone imediatamente, pois ele teve tempo de se comunicar com seu amigo Lascar, mas essa falha foi logo corrigida, e ele foi capturado e revistado, sem encontrar nada que pudesse incriminá-lo. É verdade que havia manchas de sangue na manga direita da camisa, mas ele apontou para o dedo anelar, cortado perto da unha, e explicou que o sangramento vinha dali, acrescentando que já havia estado na janela pouco antes e que as manchas observadas ali vinham sem dúvida da mesma fonte. Ele negou vigorosamente ter visto o Sr. Neville St. Clair e jurou que a presença das roupas em seu quarto era tanto um mistério para ele quanto para a polícia. Quanto à afirmação da Sra. St. Clair, que ela realmente vira o marido na janela, ele declarou que ela devia estar louca ou sonhando. Ele foi levado, protestando em voz alta, para a delegacia, enquanto o inspetor permaneceu no local na esperança que a maré vazante pudesse trazer alguma nova pista.

— E conseguiu, embora não encontrassem no banco de lama o que temiam encontrar. Era o casaco de Neville St. Clair, e não Neville St. Clair, que estava sendo descoberto à medida que a maré diminuía. — E o que você acha que eles acharam nos bolsos?

— Não consigo imaginar!

— Não, acho que você não imaginaria. Todos os bolsos recheados de centavos e meio centavos: quatrocentos e vinte e um centavos e duzentos e setenta meio centavos. Não era de admirar que o casaco não tivesse sido varrido pela maré. Mas um corpo humano é uma questão diferente. Há um redemoinho feroz entre o cais e a casa. Parece provável que o casaco pesado permanecesse no fundo enquanto o corpo despojado era sugado pelo rio.

— Eu entendi que todas as outras roupas foram encontradas na sala. O corpo estaria vestido apenas com um casaco?

— Não, mas o fato pode ser explicado de maneira bastante específica. Suponha que Boone tenha empurrado Neville St. Clair pela janela, sem ninguém ter visto. O que ele faria? Imediatamente lhe ocorreria a necessidade de se livrar das roupas reveladoras. Ele pegaria o casaco e jogá-lo-ia fora. Ocorreu-lhe, porém, a possibilidade do casaco boiar e não afundar; tinha pouco tempo, pois ouvira a briga lá embaixo quando a esposa de St. Clair tentou forçar sua subida, e talvez já tivesse ouvido de seu aliado, Lascar, que a polícia estava vindo pelas ruas. Então pega o que acumulou na sua mendicância e enfia todas as moedas nos bolsos do casaco para se certificar que ele afundaria. Teria feito o mesmo com as

126

outras peças de roupa, se não tivesse ouvido o barulho dos degraus abaixo; só tivera tempo para fechar a janela antes que a polícia aparecesse.

— Parece viável!

— Vamos tomar essa explicação como uma hipótese, por falta de outra melhor. Boone, como já lhe disse, foi preso e levado para a delegacia, mas não foi possível provar algo contra ele. Durante anos ele é conhecido como um mendigo profissional, mas sua vida parece ter sido muito tranquila e inocente. Assim está o caso e algumas questões precisam ser respondidas: o que Neville St. Clair estava fazendo no antro de ópio? O que aconteceu com ele enquanto esteve lá? Onde ele está agora e o que Hugh Boone teve a ver com o seu desaparecimento? Todas essas questões estão longe de uma resposta, como sempre. Confesso que não consigo me lembrar de nenhum caso, dentro da minha experiência, que tenha achado à primeira vista tão simples e, no entanto, que apresentasse tantas dificuldades...

Enquanto Sherlock Holmes detalhava essa série de eventos, estávamos andando pelos arredores da grande cidade. Depois que as últimas casas abandonadas foram deixadas para trás, seguimos chocalhando entre cercas campestres. Quando ele já terminava seu relato, passávamos por duas aldeias dispersas, onde algumas luzes ainda brilhavam nas janelas.

— Estamos nos arredores de Lee. Cortamos três condados ingleses em nossa curta viagem: começando em Middlesex, passando por um ângulo de Surrey e terminando em Kent. Vê aquela luz entre as árvores? É o Cedars, e ao lado da lâmpada está uma mulher cujos ouvidos ansiosos já captaram, tenho poucas dúvidas, o tilintar dos cascos de nossos cavalos.

— Por que você não está conduzindo o caso da Baker Street?

— Porque há muitas perguntas que devem ser feitas por aqui. — A Sra. St. Clair gentilmente colocou um quarto com duas camas a minha disposição, e você pode ter certeza que ela dará boas-vindas ao meu amigo e colega. Detesto encontrá-la, Watson, quando não tenho notícias do marido. Aqui estamos. Eia!

Paramos em frente a uma grande casa que ficava dentro de um amplo terreno. Um garoto de estábulo correu para segurar as rédeas dos cavalos e, saltando, segui Holmes pelo pequeno e sinuoso caminho de cascalho que levava à casa. Quando nos aproximamos, a porta se abriu e uma pequena mulher loira apareceu. Vestia uma espécie de robe de seda leve, com um toque de chiffon rosa no decote e nos punhos. Sua figura se delineava contra a luz interior, uma mão estava sobre a porta e a outra levantada em sua ânsia, o corpo levemente curvado, a cabeça, projetada para frente, exibia um rosto com os olhos ansiosos e lábios semiabertos, era uma pergunta em pessoa.

— E então? Alguma novidade?

Vendo que éramos dois, ela deu um grito de esperança, mas logo caiu no choro ao ver meu companheiro balançando negativamente a cabeça e encolhendo os ombros.

— Não há boas notícias?

— Nenhuma.

— Nem más?

— Não.

— Graças a Deus por isso! Mas entrem. Vocês devem estar cansados, pois tiveram um longo dia.

— Este é meu amigo, Dr. Watson. Ele tem sido indispensável, sua presença é vital em vários dos meus casos, e um lance de sorte me permitiu trazê-lo comigo e associá-lo a esta investigação.

— Estou feliz em vê-lo — disse ela pressionando minha mão calorosamente. — Certamente, o senhor perdoará qualquer coisa que possa estar faltando em nossas acomodações, quando considerar o golpe que se abateu tão repentinamente sobre nós.

— Minha querida senhora sou um veterano e, senão fosse, posso muito bem ver que não é necessário pedir desculpas. Se eu puder ajudar, à senhora ou ao meu amigo aqui, ficarei feliz de verdade.

— Sr. Sherlock Holmes — disse a senhora quando entramos em uma sala de jantar, bem iluminada, onde sobre a mesa havia sido arrumada uma ceia fria —, eu gostaria muito de fazer uma ou duas perguntas simples, as quais eu imploro que dê uma resposta clara.

— Certamente senhora!

Não se preocupe com meus sentimentos. Não sou histérica, nem vou desmaiar. Eu simplesmente desejo ouvir sua opinião real.

— Sobre qual ponto?

— No seu coração, o senhor acha que Neville está vivo?

Sherlock Holmes parecia encabulado com a pergunta.

— Fale francamente! — ela repetiu, de pé sobre o tapete e olhando atentamente para ele recostado em uma cadeira de vime.

— Francamente...eu acho que não.

— O senhor acha que ele está morto?

— Eu acho.

— Assassinado?

— Possivelmente!

— Em que dia?

— Na segunda-feira.

— Então, Sr. Holmes, pode me explicar como recebi uma carta dele hoje?

Sherlock Holmes levantou-se da cadeira como se tivesse recebido um choque.

— O quê?

— Sim hoje.

Ela sorriu, segurando um pedaço de papel no ar

— Posso ver?

— Certamente.

Ele a pegou com entusiasmo e, alisando-a sobre a mesa, puxou a lâmpada e a examinou atentamente. Eu havia deixado minha cadeira e estava olhando por cima do ombro dele. O envelope era muito grosseiro, havia sido carimbado em Gravesend e a data era daquele mesmo dia, ou melhor, do dia anterior, pois já era depois da meia-noite.

— Escrita grosseira — murmurou Holmes. — Certamente, esta não é a letra de seu marido, senhora.

— Não, mas a que veio dentro é dele.

— Percebo também que quem quer que tenha sobrescritado o envelope teve que perguntar sobre o endereço.

— Como pode dizer isso?

— O nome, está perfeitamente preto, a tinta secou sozinha. O restante é da cor acinzentada, o que mostra que o mata-borrão foi usado. Se o endereço tivesse sido escrito imediatamente após o nome, nenhum seria de uma profunda cor negra. Esse homem escreveu o nome e houve uma pausa antes de escrever o endereço, o que pode significar apenas que ele não o conhecia. É claro, é um detalhe, mas não há nada tão importante quanto os detalhes. Vamos agora ver a carta. Ha! Havia algo aqui!

— Sim, havia um anel. O anel com o sinete dele.

— A senhora tem certeza de que esta é a letra do seu marido?

— Sim. Uma das letras dele.

— Uma das letras?

— A letra de quando ele escrevia às pressas. É muito diferente de sua escrita habitual, e eu a conheço muito bem.

"Querida, não tenha medo. Tudo vai dar certo. Há um erro enorme que pode demorar um pouco para ser corrigido. Espere com paciência."

NEVILLE.

— Escrito a lápis na folha de um livro do formato octavo, sem marca d'água. Postado hoje em Gravesend por um homem com o polegar sujo — murmurou Holmes. Ha! E a aba foi colada, se não estou muito enganado, por uma pessoa que estava mascando fumo. A senhora não tem dúvida de que é a letra do seu marido?

— Nenhuma! Neville escreveu essas palavras.

— E elas foram postadas hoje em Gravesend. — Bem, Sra. St. Clair, as nuvens diminuiram, embora não me atreva a dizer que o perigo acabou.

— Mas ele pode estar vivo, Sr. Holmes!

— A menos que seja uma falsificação muito boa para nos colocar na pista errada. Afinal, o anel não prova nada. Pode ter sido tirado dele.

— Não, não; é a sua própria escrita!

— Muito bem. Pode, no entanto, ter sido escrito na segunda-feira e postado somente hoje.

— Isso é possível...

— Se assim for, muito pode ter acontecido nesse ínterim.

—Oh, não deve me desencorajar, Sr. Holmes. Eu sei que está tudo bem com ele. Há uma união tão forte entre nós que eu saberia se o mal viesse sobre ele. No mesmo dia em que o vi pela última vez, ele se cortou no quarto, e eu que estava aqui na sala de jantar subi as escadas com a máxima certeza de que algo havia acontecido. O senhor acha que eu sentiria essa insignificância e ignoraria sua morte?

— Já vi demais para não saber que a impressão de uma mulher pode ser mais valiosa que a conclusão de um raciocínio analítico. Nesta carta certamente tem uma evidência muito forte para corroborar sua opinião. Mas se seu marido está vivo e é capaz de escrever cartas, por que ele deveria ficar longe da senhora?

— Não consigo imaginar...

— Na segunda-feira ele não fez comentários antes de deixar a senhora?

— Não.

— E a senhora ficou surpresa ao vê-lo em Swandam Lane?

— Muito surpresa.

— A janela estava aberta?

— Sim.

— Então ele poderia ter chamado a senhora?

— Poderia sim.

— Pelo que entendi, ele só deu um grito incompreensível?

— Isso mesmo.

— Um pedido de ajuda, a senhora diria?

— Sim. Ele acenou com as mãos.

— Mas poderia ter sido um grito de surpresa? A surpresa com a visão inesperada da senhora poderia fazê-lo levantar as mãos?

— É possível!

— A senhora acha que ele foi puxado para trás?

— Sim, pois ele desapareceu tão de repente!

— Ele pode ter pulado para trás. Não viu mais ninguém na sala?

— Não vi, mas aquele homem horrível confessou ter estado lá, e o Lascar estava no pé da escada.

— Seu marido, até onde pôde ver, vestia suas roupas comuns?

— Estava sem camisa e gravata. Vi claramente seu pescoço nu.

— Ele já comentou sobre Swandam Lane?

— Nunca.

— Ele já mostrou algum sinal de ter usado ópio?

— Nunca.

— Obrigado, senhora St. Clair. Esses são os principais pontos sobre os quais gostaria de ter absoluto conhecimento. Agora jantaremos um pouco e depois nos deitaremos. Teremos um dia muito cansativo amanhã.

Um quarto grande e confortável com duas camas havia sido colocado a nossa disposição; enfiei-me rapidamente sob os lençóis, pois estava muito cansado depois de uma noite de aventuras.

Sherlock Holmes era um homem, que quando tinha um problema não resolvido, passava dias e até uma semana, sem descanso, revirando, reorganizando os fatos, olhando-o sob todos os pontos de vista até que ele entendesse ou se convencesse de que seus dados eram suficientes. Logo ficou evidente para mim que agora ele estava se preparando para passar a noite toda sentado. Tirou o casaco e o colete, vestiu um grande roupão azul e depois vagou pelo quarto coletando travesseiros da cama e almofadas do sofá e poltronas. Com eles construiu uma espécie de divã oriental, sobre o qual se empoleirou de pernas cruzadas, tinha uma onça de tabaco e uma caixa de fósforos a sua frente. Na penumbra da lâmpada, eu o vi sentado com o velho cachimbo entre os lábios e a fumaça azul subindo silenciosa em espirais. Com os olhos fixos no teto estava imóvel. A luz brilhava sobre seus traços aquilinos e fortes. Assim ele estava quando caí no sono e continuava quando com uma exclamação me fez acordar e eu vi o sol do verão brilhando dentro do quarto.

O cachimbo ainda estava entre seus lábios, a fumaça azul ainda ondulava para cima e a sala estava cheia de uma densa névoa de tabaco, mas nada restava da pilha de cigarros que eu tinha visto na noite anterior.

— Acordado, Watson?

— Sim.

— Pronto para um passeio matinal?

— Certamente.

— Então se vista. Ninguém está acordado ainda, mas eu sei onde o garoto do estábulo dorme, e em breve teremos um carro a nossa disposição.

Ele riu para si mesmo enquanto falava, seus olhos brilhavam, e ele parecia um homem diferente do pensador sombrio da noite anterior.

Enquanto me vestia, olhei para o relógio. Não era de admirar que ninguém estivesse acordado. Eram quatro e vinte e cinco. Eu mal tinha terminado quando Holmes voltou com a notícia de que o garoto estava atrelando os cavalos.

— Quero testar minha teoria — disse ele, calçando as botas. Penso, Watson, que agora você está na presença de um dos grandes tolos da Europa. Eu mereço ser chutado daqui até Charing Cross. Mas acho que finalmente tenho a chave do caso.

E onde está ela? — perguntei sorrindo.

— No banheiro — ele respondeu. Oh, sim, eu não estou brincando — continuou ele, vendo meu olhar de incrédulo. — Acabei de pegá-la e enfiá-la nesta bolsa de Gladstone. Vamos e veremos se ela cabe na fechadura.

Descemos as escadas o mais silenciosamente possível e saímos para o sol brilhante da manhã. Na estrada, estavam os cavalos no carro, com o cocheiro seminu segurando as rédeas. Nós dois entramos e, logo, seguimos pela London Road. Algumas carroças do campo estavam circulando, trazendo legumes para a metrópole, mas as filas de vilas de ambos os lados eram tão silenciosas e sem vida quanto uma cidade em um sonho.

— Em alguns pontos, foi um caso singular — disse Holmes, estimulando os cavalos ao galope. Confesso que fui tão cego quanto uma toupeira, mas é melhor perceber o erro tarde que nunca!

Na cidade, os primeiros madrugadores estavam começando a olhar sonolentos pelas janelas enquanto passávamos pelas ruas do lado de Surrey. Passando pela Waterloo Bridge Road, atravessamos o rio e, subindo a Wellington Street, viramos bruscamente para a direita e entramos na Bow Street. Sherlock Holmes era bem conhecido pela polícia local, e os dois policiais à porta o saudaram. Um deles segurava as rédeas enquanto o outro nos guiava.

— Quem está de plantão? — perguntou Holmes.

— Inspetor Bradstreet, senhor.

— Olá, Bradstreet, como você está?

Um oficial alto e robusto havia descido a passagem de pedra, com um boné de pala e jaqueta amarrotada.

— Gostaria de ter uma conversa com você, Bradstreet.

— Certamente, Sr. Holmes. Entre na minha sala.

Era uma pequena sala tipo escritório, com um enorme livro sobre a mesa e um telefone projetando-se da parede. O inspetor sentou-se à mesa.

— Em que posso ajudá-lo, Sr. Holmes?

— O motivo da minha vinda é aquele pedinte, Boone — que foi acusado de estar envolvido no desaparecimento do Sr. Neville St. Clair, de Lee.

— Sim. Ele foi preso para novas investigações.

— Fiquei sabendo. Ele está aqui?

— Na cela.

— Ele está quieto?

— Oh, ele não dá problemas. Mas é um canalha sujo!

— Sujo?

— Sim, só conseguimos fazê-lo lavar as mãos. Seu rosto é tão preto quanto o de um carvoeiro em serviço. Quando o caso for resolvido, ele tomará o banho obrigatório da prisão; e acho que, se você o visse, concordaria que ele está precisando.

— Gostaria muito de vê-lo.

— Gostaria? Venha por aqui e pode deixar sua mala.

— Não, vou precisar dela.

— Venha por aqui, por favor.

Ele nos conduziu por uma passagem, abriu uma porta gradeada, desceu uma escada sinuosa e nos levou a um corredor caiado de branco com uma fileira de portas de cada lado.

— A terceira cela da direita é a dele — disse o inspetor. Aqui está! Silenciosamente afastou para trás um painel que ficava na parte superior da porta e observou:

— Ele está dormindo, mas pode vê-lo muito bem.

Nós dois olhamos pela grade. O prisioneiro estava deitado com o rosto virado na nossa direção, em um sono muito profundo, respirando lenta e pesadamente. Ele era um homem de tamanho médio, vestido com roupas grosseiras, uma camisa colorida podia ser vista através de seu casaco esfarrapado. Ele estava, como o inspetor dissera, extremamente sujo, mas a sujeira que cobria seu rosto não conseguia ocultar sua repulsiva feiura. Um largo vergão de uma velha cicatriz atravessava do olho ao queixo e, por sua contração, virava um lado do lábio superior, de modo que três dentes ficavam expostos em um rosnado constante. Uma farta cabeleira vermelha crescia sobre a testa muito estreita.

— Ele é uma beleza, não é? — disse o inspetor.

— Certamente precisa de um banho — observou Holmes. Eu tinha essa ideia e tomei a liberdade de trazer o material comigo.

Abriu a bolsa Gladstone enquanto falava e tirou, para meu espanto, uma esponja de banho muito grande.

— Você é engraçado...— riu o inspetor.

— Se você fizer a grande gentileza de abrir a porta muito silenciosamente, em breve o faremos uma figura muito mais respeitável.

134

— Não vejo porque negar seu pedido. Ele não merece as celas da Bow Street, não é?

Enfiou a chave na fechadura e todos entramos em silêncio na cela. O dorminhoco se virou e depois se acomodou mais uma vez em um sono profundo. Holmes inclinou-se para o jarro de água, umedeceu a esponja e esfregou-a duas vezes vigorosamente no rosto do prisioneiro.

— Deixe-me apresentá-los — gritou ele — ao Sr. Neville St. Clair, de Lee, no Condado de Kent.

Nunca em minha vida eu tivera essa visão. O rosto do homem se soltou sob a esponja como a casca de uma árvore. Foi-se a tonalidade marrom! Também se foi a horrível cicatriz que o marcava e o lábio torcido que dava um sorriso repulsivo de desprezo. Um puxão arrancou o cabelo vermelho emaranhado, e ali, sentado em sua cama, estava um homem pálido, de rosto triste e aparência refinada, de cabelos pretos e pele lisa, esfregando os olhos e olhando-nos com espanto sonolento. De repente, percebendo a exposição, ele soltou um grito e se jogou com o rosto enfiado no travesseiro.

— Grandes céus! — gritou o inspetor — é, de fato, o homem desaparecido. Eu o conheço pela fotografia.

O prisioneiro virou-se com o ar inconsolado de um homem que se abandona ao seu destino.

— Seja assim — disse ele. E agora: qual é a acusação?

— Do sumiço do Sr. Neville não pode ser; mas pode ser acusado de tentativa de suicídio — disse o inspetor com um sorriso. Estou há vinte e sete anos na força, mas isso realmente leva o troféu!

— Se eu sou o Sr. Neville St. Clair é óbvio que nenhum crime foi cometido e que, portanto, estou ilegalmente detido.

— Nenhum crime, mas um erro muito grande foi cometido — disse Holmes. Você teria feito melhor confiando em sua esposa.

— Não foi por minha esposa; foi pelas crianças — gemeu o prisioneiro. Deus me ajude, eu não queria que tivessem vergonha do pai. Meu Deus! Que exposição! O que eu posso fazer?

Sherlock Holmes sentou-se ao lado dele e deu-lhe um tapinha gentil no ombro.

— Se você deixar um tribunal esclarecer a questão — ele disse — é claro que haverá publicidade. Por outro lado, se você convencer as autoridades policiais de que não há um crime e que você não pode ser acusado de nada, não haverá razão alguma para que os detalhes cheguem aos jornais. O inspetor Bradstreet tomaria, tenho certeza, seu depoimento sobre qualquer coisa que você possa nos dizer e o enviaria às autoridades competentes. O caso nunca chegaria ao tribunal.

— Deus te abençoe! — exclamou o prisioneiro agradecido. — Eu prefiro a prisão, sim, até mesmo a execução, a deixar meu segredo miserável manchar a vida de meus filhos.

— Vocês serão os primeiros a ouvirem minha história: meu pai era professor em Chesterfield, onde recebi uma excelente educação. Viajei na minha juventude, subi ao palco e finalmente me tornei repórter em um jornal da noite em Londres. Um dia, meu editor desejou ter uma série de artigos sobre a mendicância na metrópole, e eu me ofereci para fornecê-los. Foi assim que todas as minhas aventuras começaram. Mendigando pude obter os fatos sobre os quais baseei meus artigos. Quando ator aprendi todos os segredos da maquiagem e era famoso por minha habilidade. Aproveitei-a para minhas conquistas. Pintei meu rosto e, para despertar muita pena, fiz uma boa cicatriz e fixei um lado do lábio, formando uma torção, com a ajuda de uma pequena fita adesiva cor de carne. Depois, com cabelos ruivos e uma vestimenta adequada, assumi minha posição na parte comercial da cidade, aparentemente como vendedor de velas, mas realmente como mendigo. Durante sete horas, dediquei-me ao meu ofício e, quando voltei para casa à noite, descobri, para minha surpresa, que havia recebido nada menos que vinte e seis xelins e quatro centavos.

Escrevi meus artigos e não pensei mais sobre o assunto até que, algum tempo depois, fui fiador da dívida de um amigo e recebi uma cobrança de vinte e cinco libras. Eu não tinha onde conseguir o dinheiro e uma ideia repentina veio a mim. Implorei um prazo de quinze dias ao credor, pedi umas férias aos meus empregadores e passei o tempo implorando na cidade sob meu disfarce. Em dez dias eu tinha o dinheiro e pagava a dívida.

— Vocês podem imaginar o quão difícil era me dedicar a um trabalho árduo a duas libras por semana, quando eu sabia que poderia ganhar muito dinheiro, em um só dia, manchando meu rosto com um pouco de tinta, colocando meu gorro no chão e ainda sentado. Foi uma longa luta entre meu orgulho e o dinheiro, mas finalmente o dinheiro falou mais alto. Abandonei as reportagens e me sentei dia após dia no canto que eu havia escolhido pela primeira vez. Inspirava pena pelo meu rosto medonho e enchia meus bolsos de moedas. Apenas um homem sabia do meu segredo. Ele era o detentor de um esconderijo em que eu costumava me hospedar em Swandam Lane, de onde eu podia sair todas as manhãs como um mendigo esquálido e à noite me transformar em um homem bem-vestido da cidade. Esse sujeito, o Lascar, era muito bem pago por seus quartos, e eu sabia que meu segredo estava seguro em seu poder.

— Logo estava arrecadando somas consideráveis. Não quero dizer que qualquer mendigo nas ruas de Londres ganhe setecemtas libras por ano — o que é menos que minhas receitas médias —, mas eu tinha vantagens excepcionais ao me transformar e também uma capacidade de responder rapidamente e com graça a qualquer provocação. Com o tempo essa prática melhorou e me fez um personagem bastante reconhecido na cidade. Durante todo o dia, uma torrente de moedas de um centavo e às vezes uma moeda de prata, caia sobre mim, e só em um dia muito ruim não conseguia ganhar mais que duas libras.

— À medida que fiquei mais rico, fiquei mais ambicioso, aluguei uma casa no campo e, me casei, sem que ninguém suspeitasse da minha real ocupação. Minha querida esposa sabia que eu tinha negócios na cidade, mas não sabia o quê.

— Na segunda-feira passada eu terminei o dia e estava me vestindo, no meu quarto acima do antro de ópio, quando olhei pela janela e vi, para meu horror e surpresa, que minha esposa estava na rua, com os olhos fixos em mim. Dei um grito de surpresa, levantei os braços para cobrir o rosto e, correndo para o meu confidente, o Lascar, implorei a ele para impedir que alguém viesse até mim. Ouvi a voz dela no andar de baixo, mas sabia que ela não podia subir. Rapidamente tirei as roupas que estava vestindo, vesti as de mendigo, coloquei os pigmentos e a peruca. Mesmo os olhos de uma esposa não conseguiriam descobrir um disfarce tão completo. Ocorreu-me que poderia haver uma busca no quarto e que as roupas poderiam me trair. Abri a janela — reabrindo com a minha violência um pequeno corte que eu fizera em mim mesmo no quarto de minha casa naquela manhã —, peguei meu casaco, que estava com os bolsos cheios das moedas que eu acabara de tirar da bolsa de couro e atirei-o ao rio. Ele desapareceu no Tamisa. As outras roupas, eu as teria jogado em seguida, mas houve uma corrida de policiais subindo a escada, e alguns minutos depois, para meu alívio, em vez de ser identificado como Sr. Neville St. Clair, fui preso como seu assassino.

— Sabendo que minha esposa ficaria terrivelmente preocupada, tirei meu anel e o confiei ao Lascar, no momento em que nenhum policial estava me observando, junto com um rabisco apressado, dizendo a ela que não tinha motivos para temer.

— Eu estava determinado a preservar meu disfarce o máximo possível e, portanto, queria ficar com o rosto muito sujo.

— Não há nada mais a ser esclarecido.

— Esse bilhete só chegou ontem — disse Holmes.

— Deus! Que semana ela deve ter passado!

— A polícia ficou vigiando esse Lascar — disse o inspetor Bradstreet — e posso entender perfeitamente que ele teve dificuldade para postar uma carta sem ser observado. Provavelmente ele a entregou a algum cliente marinheiro, que a esqueceu por alguns dias.

— Foi isso — disse Holmes — assentindo com a cabeça. Não tenho dúvida! Você nunca foi processado por mendigar?

— Muitas vezes; mas era uma multa insignificante...

— Porém, deve parar por aqui — disse Bradstreet. Se quer que a polícia esconda esse caso, não deve haver mais "Hugh Boone".

— Juro pelos juramentos mais solenes que um homem pode fazer!

— Nesse caso, acho provável que não sejam tomadas mais medidas. Mas se você for encontrado novamente, tudo será divulgado. — Sr. Holmes: estou muito grato por ter esclarecido o assunto. Gostaria de saber como alcançou seus resultados.

— Cheguei a eles — disse meu amigo a Bradstreet — sentando-me em cinco travesseiros e consumindo uma onça de tabaco. — Watson, acho que, se formos para Baker Street agora, chegaremos a tempo do café da manhã.

VII

A AVENTURA DO CARBÚNCULO AZUL

Visitei meu amigo Sherlock Holmes na segunda manhã depois do Natal, com a intenção de lhe desejar as boas-festas como de costume. Ele estava deitado no sofá, vestindo um roupão roxo, com o cachimbo ao seu alcance à direita e uma pilha de jornais matinais amassados, evidentemente recém-lidos, perto de si. Ao lado do sofá, havia uma cadeira de madeira e, no ângulo das costas, pendia um chapéu de feltro muito desbotado, surrado e rasgado em vários lugares. Uma lupa e uma pinça sobre o assento da cadeira sugeriam que o chapéu havia sido suspenso dessa maneira para ser examinado.

— Você está ocupado? Te incomodo?

— De modo nenhum! Fico feliz em ter um amigo com quem eu possa discutir minhas conclusões. O caso é trivial — apontou na direção do chapéu velho —, mas há pontos que não são inteiramente desprovidos de interesse e até de aprendizado.

Eu me sentei em uma poltrona e esquentei minhas mãos diante do fogo crepitante, pois havia uma geada forte e as janelas tinham grossas camadas de cristais de gelo.

— Suponho que, por mais simples que pareça, esse caso tem alguma história mortal ligada a ele — que é a pista que o guiará na solução do mistério e na punição de algum criminoso.

— Não, não. Sem crime — disse Sherlock Holmes, rindo. Apenas um daqueles pequenos incidentes que acontecem quando se tem quatro milhões de pessoas disputando um espaço de poucos metros quadrados. Em meio às ações e reações de uma multidão pode-se esperar toda combinação possível de acontecimentos, muitos pequenos problemas poderão surgir. Eles podem ser impressionantes e bizarros sem serem criminosos. Já tivemos experiência assim!

— Muitas vezes! Nos seis últimos casos que registrei minhas anotações, três foram totalmente livres de qualquer crime.

— Precisamente. Você alude a minha tentativa de recuperar os documentos de Irene Adler, ao caso de Miss Mary Sutherland e à aventura do homem com o lábio torcido. Não tenho dúvidas de que esse pequeno assunto cairá na mesma categoria. Você conhece Peterson, o comissário?

— Sim.

— Ele encontrou este chapéu. Seu dono é desconhecido. Peço que você o examine não como um chapéu maltratado, mas como um problema intelectual. Primeiro vou contar-lhe como veio parar aqui: chegou na manhã de Natal, na companhia de um belo ganso gordo, que, sem dúvida, está neste momento sendo assado no forno de Peterson. Por volta das quatro horas da manhã de Natal, Peterson, que, como você sabe, é um sujeito muito honesto, estava voltando de uma pequena comemoração e caminhava indo para casa pela Tottenham Court Road. A sua frente, ele viu, à luz do gás, um homem alto, andando com uma leve embriaguez e carregando um ganso branco pendurado no ombro. Quando ele chegou à esquina da Goodge Street, havia uma briga entre esse estranho e um pequeno grupo de arruaceiros. Um deles arrancou o chapéu do homem, que levantou a bengala para se defender e, balançando-a sobre a cabeça, quebrou uma vitrine atrás dele. Peterson se apressou para proteger o estranho de seus agressores; mas o homem, assustado por ter quebrado a janela, ao ver uma pessoa de uniforme oficial correndo em sua direção, largou o ganso, saiu em disparada e desapareceu em meio ao labirinto de pequenas ruas que ficam ao lado da Tottenham Court. O grupo de rapazes também fugiu com a aparição de Peterson, de modo que ele ficou em posse do campo de batalha, e também dos espólios da vitória na forma deste chapéu amassado e de um apetitoso ganso de Natal.

— Por que Peterson não os devolveu ao dono?

— Meu caro Watson, aí está o problema! É verdade que "For Mrs. Henry Baker" estava impresso em um pequeno cartão amarrado à perna esquerda do ganso, e também é verdade que as iniciais "HB" são legíveis no forro deste chapéu, mas como existem alguns milhares de Bakers e algumas centenas de Henry Bakers nesta cidade, não é fácil devolver propriedades perdidas a nenhum deles.

— O que, então, Peterson fez?

— Ele me trouxe o chapéu e o ganso na manhã de Natal, sabendo que até os menores problemas são do meu interesse. O ganso que mantivemos até esta manhã, deu sinais de que, apesar da leve geada, precisava ser comido sem demora. Peterson levou-o, portanto, para dar-lhe o destino final de um ganso, enquanto continuo a guardar o chapéu do cavalheiro desconhecido que perdeu sua ceia de Natal.

— Ele não fez um anúncio?

— Não.

— Então, que pista você poderia ter sobre a identidade dele?

— Somente o quanto pudermos deduzir.

— Examinando o chapéu dele?

— Precisamente.

— Mas você está brincando! O que você pode obter deste velho chapéu de feltro maltratado?

— Aqui está minha lente. Você conhece meus métodos. O que você pode entender sobre a personalidade do homem que usou este chapéu?

Peguei o objeto esfarrapado em minhas mãos e o examinei com desânimo. Era um chapéu preto muito comum da forma redonda usual, duro e muito desgastado. O forro era de seda vermelha, mas estava bastante descolorido. Não havia o nome do fabricante, mas como Holmes observou, as iniciais "HB" estavam gravadas de um lado. Foi perfurado na aba para um segurador de chapéus, mas o elástico estava faltando. De resto, estava rasgado, extremamente empoeirado e manchado em vários lugares, embora parecesse ter havido alguma tentativa de esconder as manchas, colorindo-as com tinta de escrever.

— Não vejo nada — disse eu — devolvendo-o ao meu amigo.

— Pelo contrário, Watson, você pode ver tudo. Você falha, no entanto, em raciocinar com o que vê. Você é muito tímido em tirar suas conclusões.

— Então, por favor, diga-me o que você pode deduzir deste chapéu?

Ele o pegou e olhou para ele da maneira introspectiva como lhe era peculiar.

— É talvez menos sugestivo do que poderia ter sido, mas ainda existem algumas deduções que são muito claras e outras que representam pelo menos uma forte probabilidade: que o homem era altamente intelectual é obvio, e também que ele foi bastante bem-sucedido nos últimos três anos, embora agora tenha caído em dias ruins. Ele é prudente, mas menos agora que antigamente, apontando para um retrocesso moral que, quando tomado com o declínio de suas posses, parece indicar alguma influência maligna, provavelmente bebida, trabalhando nele. Isso pode explicar também o fato natural de que sua esposa deixou de amá-lo.

— Meu querido Holmes!

— Ele, no entanto, manteve algum grau de respeito próprio — continuou Holmes, desconsiderando meu espanto. Ele é um homem que leva uma vida sedentária, sai pouco, está fora de forma, é de meia idade, tem cabelos grisalhos que cortou nos últimos dias e os unta com creme de limão. Estes são os fatos mais diretos que devem ser deduzidos do seu chapéu. Além disso, é extremamente improvável que ele tenha gás encanado em sua casa.

— Você certamente está brincando, Holmes!

— Nem um pouco. É possível que, mesmo agora, quando eu forneci esses resultados, você não consiga ver como eles foram alcançados?

— Não tenho dúvidas de que não sou muito estúpido, mas devo confessar que sou incapaz de segui-lo. Por exemplo, como você deduziu que esse homem era intelectual?

Para responder, Holmes enfiou o chapéu na cabeça. Ele passou por cima da testa e se assentou na ponta do nariz.

— É uma questão de capacidade cúbica. Um homem com uma cabeça tão grande deve ter algo nela...

— E sobre o declínio das posses?

— Este chapéu tem três anos. Foi quando estas abas planas enroladas na borda foram lançadas. É um chapéu da melhor qualidade. Observe a faixa de seda com nervuras e o excelente revestimento. Se esse homem pôde comprar um chapéu tão caro há três anos, e não teve outro chapéu desde então, certamente faltou-lhe dinheiro!

— Isso ficou claro o suficiente, certamente. Mas e a prudência e o retrocesso moral?

Sherlock Holmes riu.

— Aqui está a prudência — disse ele, colocando o dedo no pequeno aro destinado ao elástico para segurar o chapéu. Os chapéus não são vendidos com esse aro. Se o homem ordenou que o colocasse, é um sinal de certa prudência, já que se esforçou para tomar essa precaução contra o vento. Mas, como vemos, o elástico se rompeu e ele não se preocupou em substituí-lo, é óbvio que ele tem agora menos prudência que antigamente, o que é uma forte prova de uma natureza enfraquecida. Por outro lado, ele tentou ocultar algumas dessas manchas sobre o feltro, pintando-as com tinta, o que é um sinal que ele não perdeu totalmente o respeito próprio.

— Seu raciocínio é certamente possível.

— Os pontos adicionais: que ele é de meia-idade, que seu cabelo está grisalho, que foi recentemente cortado e que ele usa creme de limão, foram recolhidos a partir de um exame minucioso da parte inferior do revestimento. A lente revela um grande número de pontas de cabelo, cortadas com uma boa tesoura de barbeiro. Todas elas parecem engorduradas e há um odor distinto de limão. Você observará que essa poeira não é a poeira cinzenta da rua, mas a poeira marrom e macia da casa, mostrando que este chapéu ficou em ambiente fechado por muito tempo, enquanto as marcas de umidade no interior são uma prova positiva que o usuário transpira muito e, portanto, dificilmente poderia estar na melhor forma.

— E a esposa dele? Você disse que ela havia deixado de amá-lo!

— Este chapéu não é escovado há semanas. Quando eu o vir, meu caro Watson, com uma semana de acumulação de poeira em seu chapéu, e quando sua esposa permitir que você saia em tal estado, temerei que você também tenha perdido o afeto dela.

— Mas ele pode ser solteiro.

— Não, ele estava levando para casa o ganso como uma oferta de paz para sua esposa. Lembre-se do cartão na perna da ave.

— Você tem uma resposta para tudo! Como pôde deduzir que o gás não é encanado em sua casa?

— Uma mancha de cera, ou até duas, pode vir por acaso; mas quando vejo nada menos que cinco, acho que há pouca dúvida de que o indivíduo deve entrar em contato frequente com cera derretida — Sobe as escadas à noite provavelmente com o chapéu em uma mão e uma vela acesa na outra. De qualquer forma, ele nunca teria manchas de cera vindas de um jato de gás. Você está satisfeito?

— Você é muito criativo — eu disse, rindo; mas, como você disse, não houve nenhum crime cometido e nenhum dano causado, exceto a perda de um ganso, tudo isso parece ser um desperdício de energia.

Sherlock Holmes abriu a boca para responder quando a porta se abriu e Peterson, o comissário, entrou correndo na sala com as bochechas coradas e o rosto de um homem que está atordoado de espanto.

— Holmes! O ganso, senhor...

— Ele voltou à vida e voou pela janela da cozinha?

Holmes se virou no sofá para ter uma visão melhor do rosto excitado do homem.

— Veja aqui, senhor! Veja o que minha esposa encontrou em seu papo!

Ele estendeu a mão e exibiu no centro da palma uma pedra azul cintilante, um pouco menor que o tamanho de um feijão, mas com tanta pureza e esplendor que brilhava como um ponto elétrico na concavidade de sua mão escura.

Sherlock Holmes deu um assobio.

— Que isso Peterson! — Este é realmente um tesouro. Suponho que você saiba o que tem na mão!

— Um diamante, senhor? Uma pedra preciosa. Corta o vidro como se fosse a ferramenta do vidraceiro.

— É mais que uma pedra preciosa. É *a* pedra preciosa.

— Não é o carbúnculo azul da condessa de Morcar! Eu exclamei.

— Precisamente. Eu reconheço seu tamanho e forma, visto que tenho lido o anúncio sobre ele, no *The Times,* todos os dias ultimamente. É absolutamente único, e seu valor só pode ser estimado, mas a recompensa oferecida de mil libras certamente não representa nem a vigésima parte do seu valor de mercado.

— Mil libras! Grande senhor da misericórdia!

O comissário caiu em uma cadeira e nos encarou muito espantado.

— Essa é a recompensa, e tenho motivos para saber que existem considerações sentimentais, em segundo plano, que induziriam a condessa a dispor da metade de sua fortuna só para recuperar esta gema.

— Foi perdida, se bem me lembro, no Hotel Cosmopolitan — comentei.

144

— Precisamente, em 22 de dezembro, apenas cinco dias atrás. John Horner, um encanador, foi acusado de retirá-la da caixa de joias da dama. A evidência contra ele era tão forte que o caso foi remetido aos tribunais. Eu tenho um relato do assunto aqui, acredito.

— Holmes vasculhou os jornais, olhando as datas, até finalmente encontrar um, dobrar e ler o seguinte parágrafo:

Hotel Cosmopolitan Jewel — Roubo. John Horner, vinte e seis anos, encanador, foi acusado de ter, no dia 22 deste, abstraído do estojo de joias da condessa de Morcar a gema valiosíssima conhecida como carbúnculo azul. James Ryder, atendente do hotel, disse em seu depoimento que havia conduzido Horner até o vestiário da condessa de Morcar, no dia do assalto, para poder soldar a segunda barra da grelha da lareira, que estava solta. Ele ficou com Horner por algum tempo, mas finalmente foi chamado. Ao voltar ele descobriu que Horner havia desaparecido, que o armário havia sido arrombado e que a pequena caixa de couro na qual, como havia ficado sabendo depois, a condessa guardava sua joia, estava vazia sobre a penteadeira. Ryder deu o alarme instantaneamente, e Horner foi preso na mesma noite; mas a pedra não foi encontrada com ele nem em sua casa. Catherine Cusack, empregada da condessa, depôs que ao ouvir o grito de consternação de Ryder, ao descobrir o assalto, correu para a sala onde encontrou a cena descrita pela testemunha. Foi o inspetor Bradstreet, da divisão B, quem deu voz de prisão a Horner, que lutou freneticamente e protestou contra sua culpa veementemente. Evidências de ter uma condenação anterior, por assalto, levaram o prisioneiro ao tribunal superior. Horner, que havia mostrado sinais de intensa emoção durante o julgamento, desmaiou com a conclusão deste e foi levado para fora do tribunal.

— Hum! Foi isso que aconteceu no tribunal de polícia — disse Holmes, pensativo, jogando o jornal de lado.

— A questão a ser resolvida agora é a sequência de eventos que começam em uma caixa de joias jogada sobre uma penteadeira e terminam no papo de um ganso na Tottenham Court Road. Veja bem, Watson, nossas pequenas deduções assumiram subitamente um aspecto muito mais importante e menos inocente. Aqui está a pedra; a pedra veio do ganso, e o ganso veio do Sr. Henry Baker, o cavalheiro do chapéu e todas as outras características com as quais eu o aborreci. Portanto, agora devemos nos dedicar a encontrar esse cavalheiro e a determinar qual o papel que ele desempenhou nesse pequeno mistério. Para fazer isso, devemos primeiro tentar os meios mais simples, e esses, sem dúvida, estão em um anúncio publicado em todos os jornais da tarde. Se isso falhar, recorrerei a outros métodos.

— O que dirá no anúncio?

— Me dê um lápis e esse pedaço de papel. Vejamos: Encontrado na esquina da Goodge Street, um ganso e um chapéu de feltro preto. Henry Baker poderá reavê-los comparecendo às 18h30 desta noite no 221B, Baker Street. Isso é claro e conciso.

— Muito. Mas ele vai ver?

— Certamente está de olho nos jornais, pois, para um pobre homem, a perda foi muita. Ele estava possivelmente muito assustado com a sua falta de sorte de quebrar a vitrine e com a aproximação de Peterson, não pensou em nada além de fugir, mas desde então deve ter se arrependido amargamente do impulso que o levou a largar o ganso. Além disso, a menção de seu nome fará com que ele veja, pois todos que o conhecem chamaram a sua atenção para o fato. Aqui está, Peterson, vá até a agência de publicidade e coloque isso nos jornais vespertinos.

— Em quais, senhor?

— No *Globe, Star, Pall Mall, St. James's Gazette, Evening News, Standard, Echo* e em quaisquer outros que lhe ocorram.

— Está bem, senhor. E esta pedra?

— Eu ficarei com a pedra. E, Peterson, compre um ganso no seu caminho de volta e deixe-o aqui comigo, pois devemos ter um ganso para dar a esse cavalheiro no lugar daquele que sua família está devorando agora.

Quando o comissário se foi, Holmes pegou a pedra e a segurou contra a luz.

— É uma pedra linda — disse ele. Veja como ela brilha! — Claro que é o núcleo e foco do crime. Toda boa pedra é. São as iscas de estimação do diabo. Nas gemas maiores e mais antigas, todas as facetas podem representar uma ação sangrenta. Esta pedra ainda não tem vinte anos. Foi encontrada nas margens do rio Amoy, no sul da China, e é notável por possuir todas as características do carbúnculo, exceto pelo fato de ser azul na sombra em

146

vez de vermelha. Apesar de jovem, já tem uma história sinistra: houve dois assassinatos, um arremesso de vitríolo, um suicídio e vários assaltos provocados por causa desses dois gramas e meio de carvão cristalizado. Quem pensaria que um enfeite tão bonito seria um motivo para forca e prisão? Vou trancar a pedra no meu cofre e mandar uma mensagem para a condessa para dizer-lhe que a temos.

— Você acha que esse homem, o Horner, é inocente?

— Ainda não posso dizer.

— Você acha que este outro, o Henry Baker, tem alguma coisa a ver com o assunto?

— Acho que é muito mais provável que Henry Baker seja um homem absolutamente inocente, que não fazia ideia que a ave que ele carregava tinha um valor consideravelmente maior que se fosse feita de ouro maciço. Determinarei esse fato por um teste muito simples se tivermos uma resposta para o nosso anúncio.

— E você não pode fazer nada até então?

— Nada.

— Nesse caso, continuarei minhas visitas profissionais. Voltarei à noite na hora que você mencionou, pois gostaria de ver a solução de um caso tão emaranhado.

— Muito feliz em vê-lo. Janto às sete. Há uma galinhada, eu acredito. A propósito, tendo em vista as ocorrências recentes, talvez eu deva pedir à Sra. Hudson para examinar seu papo.

Eu me demorei em uma visita, e passava um pouco das seis e meia quando me encontrei na Baker Street mais uma vez. Ao me aproximar da casa, vi um homem alto, de chapéu escocês, com um casaco abotoado até o queixo, esperando do lado de fora, no semicírculo brilhante que era formado pela luz do lampião. Assim que cheguei, a porta foi aberta e fomos levados juntos para a sala de Holmes.

— Sr. Henry Baker, acredito — disse ele, levantando-se da poltrona e cumprimentando o visitante com o ar fácil de gentileza que sabe assumir tão prontamente. Por favor, pegue esta cadeira perto do fogo, Sr. Baker. É uma noite fria e observo que sua circulação é mais adaptada ao verão que ao inverno. — Ah, Watson, você chegou na hora certa. Esse é o seu chapéu, Sr. Baker?

— Sim, senhor, esse é sem dúvida o meu chapéu.

Ele era um homem grande, com ombros arredondados, uma cabeça enorme e um rosto largo de aparente inteligência arrematado por uma barba pontuda de um marrom grisalho. Um toque vermelho no nariz e nas bochechas e um leve tremor da mão estendida, confirmavam a suposição de Holmes sobre seus hábitos. Seu casaco preto desbotado estava todo abotoado, com a gola levantada e os pulsos finos se projetavam das mangas, sem um sinal de punho ou camisa. Ele falou de maneira lenta e entrecortada, escolhendo suas palavras com cuidado e dava a impressão de um homem culto que fez mau uso da sorte.

— Nós mantivemos suas coisas por alguns dias — disse Holmes — porque esperávamos ver um anúncio divulgando o seu endereço. Por que não o fez?

Nosso visitante riu bastante envergonhado.

— Xelins... não os tenho com abundancia como antes — observou ele. — Eu não tinha dúvidas que a gangue que me agrediu tinha levado meu chapéu e o ganso. Não queria gastar mais dinheiro numa tentativa em vão de recuperá-los.

— Muito natural! A propósito, sobre o ganso: fomos obrigados a comê-lo.

— Comê-lo? Nosso visitante levantou-se da cadeira, assustado.

— Sim, teria sido inútil para alguém se não o tivéssemos feito. Mas presumo que esse outro ganso, no aparador, que tem mais ou menos mesmo peso e está muito fresco, responderá igualmente bem ao seu propósito, não é mesmo?

— Oh, certamente, certamente — respondeu o Sr. Baker com um suspiro de alívio.

— Ainda temos as penas, pernas, papo, etc. da sua própria ave, então se você desejar...

O homem deu uma gargalhada.

— Eles só poderão ser úteis como relíquias da minha aventura, além disso, não consigo ver para que serviriam. Não, senhor, acho que, com sua permissão, vou limitar minhas atenções à ave que percebo no aparador.

Sherlock Holmes olhou bruscamente para mim com um leve encolher de ombros.

— Aí está o seu chapéu e o seu ganso — disse ele. Você se incomodaria em me dizer a origem da outra ave? Sou um conhecedor de aves e raramente vi um ganso tão sadio.

— Certamente, que não, senhor — disse Baker, que se levantara e já carregava a ave recém-adquirida debaixo do braço. — Pertenço a um pequeno grupo que frequenta o Alpha Inn, perto do Museu — nós podemos ser encontrados no próprio Museu durante o dia. Este ano, nosso bom anfitrião, Windigate, instituiu o "clube do ganso", e, em troca de algumas moedas por semana, cada um de nós receberia uma ave no Natal. Minha parte foi devidamente paga e o resto da história o senhor conhece. Estou muito grato ao senhor, pois uma boina escocesa não se encaixa aos meus anos nem a minha seriedade. Com um cumprimento cômico, ele se curvou solenemente para nós dois e seguiu seu caminho.

— Encerramos com o Sr. Henry Baker — disse Holmes quando ele fechou a porta atrás de si. É certo que ele não sabe nada sobre o assunto. Você está com fome, Watson?

— Ainda não!

— Então sugiro que transformemos nosso jantar em uma ceia e sigamos essa pista enquanto ainda está quente.

Era uma noite fria, então pegamos nossos casacos e enrolamos cachecóis sobre nossos pescoços. Do lado de fora, as estrelas brilhavam friamente em um céu sem nuvens, e a respiração dos transeuntes soprava fumaça como tiros de pistola. Nossos passos ecoaram alto enquanto passávamos pela rua dos médicos, a Wimpole Street, depois fomos pela Harley Street, e assim por Wigmore Street até Oxford Street. Em quinze minutos estávamos em Bloomsbury, no Alpha Inn, que é uma pequena casa pública na esquina de uma das ruas que levam a Holborn. Holmes abriu a porta do bar e pediu dois copos de cerveja ao senhorio de rosto vermelho e avental branco.

— Sua cerveja deve ser excelente se for tão boa quanto seus gansos — disse Holmes.

— Meus gansos?

O homem pareceu surpreso.

— Sim. Eu estava conversando há apenas meia hora com o Sr. Henry Baker, que era membro do seu "clube de ganso".

— Ah! Sim, agora eu entendo. Mas eles não são *meus* gansos.

— De quem são?

— Consegui as duas dúzias de um vendedor em Covent Garden.

— De fato! Eu conheço alguns deles. De qual foi?

— Breckinridge é o nome dele.

— Não o conheço. Bebamos a boa saúde e a prosperidade de seu negócio. — Boa noite.

— Agora, para o Sr. Breckinridge — continuou Holmes — abotoando o casaco quando saímos no ar gelado. Lembre-se, Watson, que, embora tenhamos uma coisa tão banal como um ganso em uma das extremidades dessa cadeia, temos na outra ponta um homem que certamente pegará sete anos de servidão penal, a menos que possamos provar a sua inocência. É possível que nossa investigação apenas confirme sua culpa; mas, de qualquer forma, temos uma linha de investigação que foi esquecida pela polícia e que uma chance singular colocou em nossas mãos. Vamos segui-la até o fim. Caminhemos para o sul em marcha rápida!

Passamos por Holborn, descemos a Endell Street e, por um zigue-zague de ruas miseráveis, chegamos ao Covent Garden Market. Uma das maiores barracas trazia o nome de Breckinridge, e o proprietário, um homem com aparência de apostador em cavalos, com um rosto esperto e bigodes finos, ajudava um garoto a fechar os toldos.

— Boa noite! Está uma noite fria — disse Holmes.

O vendedor assentiu e lançou um olhar interrogativo para o meu companheiro.

— Vendeu todos os gansos, pelo que vejo — continuou Holmes, apontando para as prateleiras, de mármore, vazias.

— Vendo-lhe quinhentos amanhã de manhã.

— Isso não é bom!

— Ainda há alguns na barraca naquela barraca iluminada.

— Mas eu fui recomendado a você.

— Quem me recomendou?

— O senhorio do Alpha.

— Ah, sim; enviei-lhe duas dúzias.

— Boas aves! Onde você as comprou?

Para minha surpresa, a pergunta provocou uma explosão de raiva no vendedor.

—Agora, não, senhor — ele disse, com a cabeça inclinada e os braços na cintura. Aonde quer você chegar? Esclareça agora!

— Está claro o suficiente. Gostaria de saber quem lhe vendeu os gansos que forneceu ao Alpha.

— Não vou lhe contar. E agora?

— É uma questão sem importância; mas não sei por que ficou tão irritado.

— Irritado? Ficaria igualmente irritado se estivesse sendo tão incomodado quanto eu. Quando pago muito dinheiro por um bom artigo, deveria ser o fim do negócio; mas não é: onde estão os gansos? Para quem você vendeu os gansos? De quem você comprou os gansos? Parece que eles eram os únicos gansos do mundo. Quanto barulho causado por causa deles...

— Eu não tenho conexão com outras pessoas que lhe estão fazendo perguntas — disse Holmes descuidadamente. Se não quer nos dizer, a aposta está encerrada e isso é tudo. Queria apenas provar meu conhecimento sobre aves, e apostei cinco libras que o ganso que comi foi criado no campo.

— Então, você perdeu a aposta, porque foi criado na cidade — retrucou o vendedor.

— O senhor está enganado.

— Eu afirmo que ela foi criada na cidade.

— Não acredito nisso.

— O senhor acha que sabe mais sobre aves que eu? Lido com elas desde que era uma criança. Eu lhe afirmo, todos aqueles gansos que foram para o Alpha foram criados na cidade.

— Nunca vai me convencer disso!

— O senhor quer apostar comigo, então?

— Ganharei facilmente o seu dinheiro, pois sei que estou certo. Apostarei um soberano com o senhor, apenas para ensiná-lo a não ser teimoso.

O vendedor riu.

— Traga-me os livros, Bill — disse ele.

O garoto trouxe um volume pequeno e fino e um grande com a capa engordurada, colocou-os juntos sob a lâmpada pendurada.

— E então, "Sr. Dono da Verdade"? Eu pensei que estava sem gansos, mas antes que eu termine, verá que ainda resta um na minha loja. Vê este livrinho?

— Sim!

— Esta é a lista dos meus fornecedores. Veja, aqui nesta página estão os fornecedores do campo, e os números, depois de cada nome, correspondem às páginas do livro-caixa. Vê esta outra página escrita com tinta vermelha? É a lista dos fornecedores da cidade. — Leia o terceiro nome para mim.

— Sra. Oakshott, 117, Brixton Road - 249 — leu Holmes.

— Agora consulte o livro-caixa nessa página.

Holmes procurou a página indicada.

— Aqui está: Sra. Oakshott, 117, Brixton Road, fornecedora de ovos e aves.

— Qual é a data da última entrada?

— Vinte e dois de dezembro. Vinte e quatro gansos a sete xelins e seis pence.

— Sim, aí está. — E logo abaixo?

— Vendidos ao Sr. Windigate do Alpha, por doze xelins.

— O que tem a dizer?

Sherlock Holmes parecia profundamente envergonhado. Tirou um soberano do bolso e jogou-o sobre o balcão. Afastou-se com o ar de um homem cujo desgosto é tão profundo que não encontra palavras para se manifestar. A alguns metros, ele parou sob um poste de luz e riu da maneira satisfeita e silenciosa que lhe era peculiar.

— Quando vir um homem com bigodes deste corte e um papel de cor rosa despontando do seu bolso, você sempre pode atraí-lo com uma aposta — disse Holmes. Ouso dizer que, se tivesse posto cem libras na frente dele, este homem não teria me dado informações tão completas quanto as obtidas através de uma suposta aposta. — Watson, estamos, chegando ao final de nossa missão, e o único ponto que resta a ser determinado é se devemos visitar essa Sra. Oakshott esta noite ou se devemos reservá-la para amanhã. Ficou claro, pelo que aquele sujeito ranzinza disse, que há outras pessoas investigando esse assunto, e eu deveria...

Seus comentários foram subitamente interrompidos por um barulho alto que eclodiu da barraca que havíamos acabado de sair. Ao nos virarmos, vimos um sujeito com cara de rato parado no centro do círculo de luz amarela que era lançado pela lâmpada que balançava, enquanto Breckinridge, o vendedor, parado na porta de sua tenda, sacudia os punhos, com força, em direção ao homem assustado.

— Já cansei de vocês e de seus gansos — ele gritou. Quero que vocês todos se juntem ao diabo. Se me incomodar mais com sua conversa boba, eu colocarei o cachorro para fazer você correr daqui. Traga a Sra. Oakshott aqui e eu responderei a ela. O que você tem a ver com isso? Eu comprei os gansos de você?

— Não; mas um deles era meu — lamentou o homem.

— Vá incomodar a Sra. Oakshott então!

— Ela me disse para perguntar a você.

— Pode perguntar ao rei da Prússia, que eu não me importo. Eu já tive muito aborrecimento! Saia já daqui!

O vendedor avançou sobre o homem que sumiu na escuridão.

— Ha! isso pode nos salvar de uma visita à Brixton Road — sussurrou Holmes. Venha comigo, e veremos quem é este sujeito.

Passando pelos grupos dispersos de pessoas que passeavam em torno das barracas ainda iluminadas, meu companheiro rapidamente alcançou o homem e o tocou no ombro. Ele virou-se e pude ver à luz do gás que todos os vestígios de cor haviam sumido de seu rosto.

— Quem são vocês? O que querem? — ele perguntou com uma voz trêmula.

— Com licença — disse Holmes, sem graça —, mas não pude deixar de ouvir as perguntas que fez ao vendedor. Acho que poderia ser útil a você!

— Você? Quem é Você? Como pode saber alguma coisa sobre o assunto?

— Meu nome é Sherlock Holmes. Meu ofício é saber o que as outras pessoas não sabem.

— Mas não pode saber nada sobre isso!

— Está enganado. Eu sei tudo sobre isso. Você está procurando por alguns gansos que foram vendidos pela Sra. Oakshott, de Brixton Road, a um vendedor chamado Breckinridge e por ele ao Sr. Windigate, do Alpha, que os vendeu aos membros do seu clube, do qual o Sr. Henry Baker faz parte.

— Oh, o senhor é mesmo o homem que eu gostaria de encontrar! — exclamou o rapaz com as mãos estendidas e trêmulas. Mal posso explicar como estou interessado nesse assunto.

Sherlock Holmes parou um veículo de quatro rodas que estava passando.

— Neste caso, é melhor conversarmos em uma sala aconchegante, e não neste mercado varrido pelo vento — disse Holmes.

— Por favor, diga-me, antes de irmos mais longe, quem eu tenho o prazer de ajudar?

O homem hesitou por um instante.

— Meu nome é John Robinson — ele respondeu com um olhar desconfiado.

— Não, quero saber o seu nome verdadeiro — disse Holmes calmamente. É sempre complicado conversar com quem usa um nome falso.

Um rubor saltou para as bochechas brancas do estranho.

— Bem, meu nome verdadeiro é James Ryder.

— Exatamente! Atendente principal do Hotel Cosmopolitan.

— Por favor, entre no carro e em breve poderei contar tudo o que você gostaria de saber.

O homenzinho ficou olhando de um para o outro com os olhos meio assustados e meio esperançosos, como quem não tem certeza se está à beira de um golpe de sorte ou de uma catástrofe. Então ele entrou no carro e, em meia hora, estávamos de volta à sala de estar na Baker Street. Nada foi dito durante a nossa viagem, mas a respiração alta e fina de nosso novo companheiro, e o fechar e abrir de suas mãos, falavam da tensão nervosa dentro dele.

— Aqui estamos! — Holmes disse alegremente quando entramos na sala. — O fogo é muito acolhedor neste clima. Parece estar com frio, Sr. Ryder. Sente-se na cadeira de vime, perto da lareira. Vou colocar meus chinelos antes de resolvermos essa sua pequena questão. Você quer saber o que aconteceu com esses gansos?

— Sim senhor!

— Ou melhor, o senhor quer saber sobre um único ganso.

— Imagino que seja sobre uma ave branca, com uma barra preta na cauda.

Ryder tremeu de emoção.

— Oh, senhor... pode me dizer para onde foi?

— Esteve aqui!

— Aqui?

— Sim, era uma ave notável. Não me admiro de seu interesse por ela. Pôs um ovo depois de morto — um ovo pequeno e azul —, o mais bonito e brilhante que já foi visto. Eu o tenho aqui no meu museu.

Nosso visitante ficou de pé e agarrou-se a lareira com a mão direita. Holmes destrancou seu cofre e mostrou-lhe o carbúnculo azul, que brilhava como uma estrela, com um resplendor frio, brilhante e com várias facetas. Ryder ficou olhando-o, sem saber se deveria reconhecê-lo ou não.

— O jogo acabou, Ryder Firme-se ou cairá no fogo! Por favor, ajude-o a voltar para a cadeira, Watson. Ele não tem sangue-frio para cometer um crime e ficar impune. Dê a ele um pouco de conhaque. Assim! Agora ele parece um pouco mais humano, pois um verme ele é, com certeza!

Por um momento ele cambaleou e quase caiu, mas o conhaque trouxe um pouco de cor as suas bochechas, e ele se sentou fixando os olhos assustados no acusador.

— Tenho quase todos os elos em minhas mãos e todas as provas que eu poderia precisar, então há pouco que você precise me dizer. Ainda assim, esse pouco pode ser esclarecido para concluir o caso. — Você já ouviu falar, Ryder, dessa pedra azul da condessa de Morcar?

— Foi Catherine Cusack quem me contou — disse ele com a voz engasgada.

— Entendo...a criada de sua senhoria. A tentação da riqueza repentina tão facilmente adquirida foi demais para você, assim como já foi para muitos homens melhores que você; não foi muito escrupuloso nos meios que usou. Parece-me, Ryder, que existe em você um perfeito cafajeste. Você sabia que este homem, Horner, o encanador, já se envolvera em alguma coisa semelhante antes, e que a suspeita recairia rapidamente sobre ele. O que você fez então? Forçou um pequeno reparo no quarto da condessa — você e sua aliada Cusack — e conseguiu que Horner fosse o homem enviado para executar o trabalho. Quando ele partiu, você mexeu na caixa de joias, deu o alarme sobre o roubo e fez com que prendesse esse homem infeliz. Você então...

Ryder se jogou de repente no tapete e agarrou os joelhos do meu companheiro.

— Pelo amor de Deus, tenha piedade! — ele gritou. Pense no meu pai! Na minha mãe! Isso partiria seus corações. Eu nunca errei antes! Eu nunca errarei novamente. Eu juro. Juro por uma Bíblia. Não me leve a um tribunal! Pelo amor de Deus, não!

— Volte para a sua cadeira — disse Holmes severamente. É fácil encolher-se e ajoelhar-se agora, mas você não pensou no pobre Horner, no banco dos réus, acusado por um crime sobre o qual ele nada sabia.

— Vou fugir, Sr. Holmes. Vou sair do país e então a acusação contra ele será extinta.

— Hum! Vamos conversar sobre isso. Conte-nos o relato verdadeiro do caso. Como a pedra foi parar no papo do ganso e como o ganso foi parar no mercado? Diga-nos a verdade, pois aí reside a sua única esperança de perdão.

Ryder passou a língua sobre os lábios ressecados.

— Vou lhe contar exatamente como aconteceu, senhor: quando Horner foi preso, pareceu-me que seria melhor eu fugir com a pedra porque não sabia se a polícia não pensaria em mim e não revistaria meu quarto. Não havia lugar no hotel onde seria seguro. Saí como se estivesse uma missão e fui para a casa da minha irmã. Ela é casada com um homem chamado Oakshott e mora em Brixton Road, onde engordava aves para o mercado. Durante todo o caminho, todos os homens que encontrei me pareciam policiais ou detetives; e, apesar da noite muito fria, o suor escorria pelo meu rosto antes de eu chegar à estrada Brixton. Minha irmã me perguntou qual era o problema e por que eu estava tão pálido. Disse a ela que estava aturdido com o roubo da joia no hotel. Fui para o quintal, fumei um cachimbo e me perguntei o que seria melhor fazer.

Certa vez, tive um amigo chamado Maudsley, que foi preso e acaba de cumprir sua pena em Pentonville. Um dia ele me contou sobre os métodos dos ladrões e como eles repassavam os objetos roubados. Sabia que ele seria fiel a mim, pois conhecia uma ou duas coisas sobre ele; então decidi ir para Kilburn, onde ele morava, e confiar a ele o meu segredo. Ele me mostraria como transformar a pedra em dinheiro. Mas como chegar até ele em segurança? Pensei nas agonias pelas quais passara ao vir do hotel. Eu poderia a qualquer momento ser agarrado e revistado, e haveria a pedra no bolso do meu colete. Estava encostado na parede e olhava para os gansos que ciscavam em volta dos meus pés. De repente tive uma ideia capaz de despistar o melhor detetive do mundo:

— Minha irmã me disse algumas semanas antes que eu poderia escolher um ganso como um presente de Natal, e eu sabia que ela era correta quanto a sua palavra. Eu levaria meu ganso agora e levaria minha pedra para Kilburn dentro dele. Havia um pequeno galpão no quintal e para detrás dele eu dirigi uma das aves — uma grande e bem bonita, branca, com uma barra preta na cauda. Peguei-o e, abrindo seu bico, empurrei a pedra pela goela o mais longe que meu dedo podia alcançar. O ganso engoliu em seco, e eu senti a pedra passar ao longo de seu pescoço e cair em seu papo. O bicho bateu as asas e grasnou resistindo, o que faz minha irmã ir ver o que estava acontecendo. Quando me virei para falar com ela, o danado se soltou e se misturou aos outros.

— O que você estava fazendo com aquele ganso, Jem? — perguntou ela.

— Você disse que me daria um no Natal, e eu estava escolhendo o mais gordo.

— Oh — diz ela —, já escolhemos o seu — o ganso de Jem, como o chamamos. É aquele grande e branco ali. São vinte e seis: um para você, um para nós e duas dúzias para o mercado.

— Obrigado, Maggie, mas se é tudo a mesma coisa para você, prefiro ter o que estava lidando agora.

— O outro é mais pesado e nós o engordamos especialmente para você.

— Deixa pra lá. Vou pegar o que escolhi, e vou pegá-lo agora.

— Como quiser! — disse ela, um pouco chateada. Qual é o do seu desejo?

— Aquele branco com a cauda barrada de preto, bem no meio do gansaral.

— Está muito bem! Mate-o e o leve com você.

— Fiz o que ela disse, Sr. Holmes, e carreguei o ganso até Kilburn. Disse ao meu amigo o que tinha feito, pois ele é um homem acostumado com os malfeitos. Ele riu até engasgar e pegamos uma faca para abrirmos o ganso. Meu coração despedaçou-se, pois não havia sinal da pedra, e eu sabia que havia ocorrido um erro terrível. Deixei a ave, voltei correndo para a casa da minha irmã e fui para o quintal. Não havia mais nenhum ganso lá.

— Onde estão as aves Maggie? — perguntei

— Foram para o mercado, Jem.

— Quem as comprou?

— Breckinridge, de Covent Garden.

— Mas havia outro com uma cauda barrada? — perguntei. — Igual ao que eu escolhi?

— Sim, Jem; havia dois de cauda barrada, e eu nunca consegui diferenciá-los.

— Percebi o que tinha acontecido e fui imediatamente à barraca do Sr.Breckinridge, mas ele havia vendido o lote de uma só vez, e nem uma palavra me diria aonde haviam ido. Vocês o ouviram esta noite. Ele sempre me respondeu assim. Minha irmã pensa que estou ficando louco. Às vezes acho que estou mesmo... E agora! Sou um ladrão sem nunca ter tocado na riqueza pela qual vendi minha honestidade. Deus me ajude! Deus me ajude!

O homem começou a soluçar convulsivamente, com o rosto enterrado nas mãos.

Houve um longo silêncio, interrompido apenas por sua respiração pesada e pela batida regular das pontas dos dedos de Sherlock Holmes na beira da mesa. Então meu amigo se levantou e abriu a porta.

— Saia! — disse ele.

— O que senhor? Oh, Deus te abençoe!

— Sem mais palavras! Saia!

E não foram necessárias mais palavras. Houve uma corrida, o barulho nas escadas, o bater de uma porta e o tropel nítido de passos pela rua.

— Afinal, Watson — disse Holmes, estendendo a mão para o cachimbo. — Não sou contratado pela polícia para suprir suas deficiências. Se Horner estivesse em perigo, seria diferente; mas esse sujeito não aparecerá para testemunhar contra ele, e o caso será encerrado. Estou ocultando um crime, mas é possível que esteja salvando uma alma. Esse homem não vai errar de novo; ele está terrivelmente assustado. Enviá-lo para a prisão agora, fará dele um eterno presidiário. Vivemos o tempo do perdão. O acaso colocou em nosso caminho um problema singular e sua solução é a recompensa. Se você tiver a bondade de tocar a campainha, doutor, iniciaremos outra investigação, na qual também uma ave será o principal atrativo!

VIII

A AVENTURA DA BANDA MANCHADA

Ao olhar para as minhas anotações dos setenta casos nos quais estudei, durante os últimos oito anos, os métodos do meu amigo Sherlock Holmes, encontro muitos trágicos, alguns cômicos, um grande número meramente estranho, mas nenhum comum; pois, trabalhando — mais pelo amor a sua arte que pela aquisição de riqueza — recusava-se a associar-se a qualquer investigação que não tendesse ao incomum e até mesmo ao fantástico. De todos esses casos variados, no entanto, não me lembro de nenhum que apresentasse características mais incomuns que aqueles associados à conhecida família Surrey, os Roylotts de Stoke Moran. Os eventos em questão ocorreram nos primeiros dias de minha associação com Holmes, quando estávamos dividindo quartos como solteiros na Baker Street. Eu os registrei antes, mas uma promessa de sigilo foi feita na época, da qual só fui libertado no último mês com morte prematura da senhora a quem o juramento foi dado. Talvez seja melhor que os fatos agora venham à tona, pois tenho informações que existem rumores generalizados sobre a morte do Dr. Grimesby Roylott, que tendem a tornar o assunto ainda mais terrível que a verdade.

Foi no início de abril do ano de 1883 que eu acordei uma manhã e encontrei Sherlock Holmes em pé, completamente vestido, ao lado da minha cama. Ele costumava acordar tarde, e como o relógio na lareira me mostrou que eram apenas sete e quinze, olhei para ele com surpresa, e talvez com um pouco de ressentimento, pois eu era regular nos meus hábitos.

— Sinto muito acordá-lo, Watson, mas foi uma sucessão esta manhã. A senhora Hudson foi acordada, me acordou e eu a você!

— O que é então, um incêndio?

— Não; uma cliente. Uma jovem chegou em um estado considerável de excitação e insiste em me ver. Ela está esperando na sala de estar. Quando as jovens senhoras andam pela metrópole a essa hora da manhã e jogam pessoas sonolentas para fora de suas camas, presumo que tenham algo muito urgente a comunicar. Se for um caso interessante, tenho certeza de que gostaria de segui-lo desde o início. De qualquer forma, pensei que deveria chamá-lo e lhe dar uma chance.

— Meu caro companheiro, eu não perderia isso por nada!

Nada me dava mais prazer que seguir Holmes em suas investigações profissionais e admirar suas deduções rápidas, tão rápidas quanto as intuições, e ainda assim sempre fundamentadas em uma base lógica com a qual ele desvendava os problemas que lhe eram submetidos. Eu rapidamente vesti minhas roupas e estava pronto em alguns minutos para acompanhar meu amigo até a sala de estar. Uma mulher vestida de preto e com véu pesado, que estava sentada perto da janela, levantou-se quando entramos.

— Bom dia — disse Holmes alegremente. Meu nome é Sherlock Holmes. Este é meu amigo íntimo e associado, Dr. Watson, diante de quem você pode falar tão livremente quanto diante só de mim. Ha! Fico feliz em ver que a senhora Hudson teve o bom senso de acender o fogo. Aproxime-se. Pedirei uma xícara de café quente, pois observo que a senhora está tremendo.

— Não é o frio, o que me faz tremer — disse a jovem em voz baixa, mudando de lugar, conforme Holmes sugeriu.

— O que é então?

— É medo, Sr. Holmes. É terror!

Ela levantou o véu enquanto falava, e pudemos ver que ela estava realmente em um estado de lamentável agitação. Tinha o rosto pálido e contraído e os olhos inquietos e assustados como os de um animal quando caçado. Suas feições eram as de uma mulher de trinta anos, mas seu cabelo estava coberto de um cinza prematuro e sua expressão era cansada e abatida. Sherlock Holmes a observou com seu olhar rápido e completo.

— Você não deve temer — disse ele suavemente, inclinando-se para frente e lhe tocando no antebraço. Em breve resolveremos suas questões, não tenho dúvida. A senhorita chegou de trem esta manhã, pelo que vejo.

— O senhor me conhece?

— Não, mas eu observo a segunda metade de um bilhete de volta na palma da sua luva esquerda. Deve ter começado a viagem

160

muito cedo, andou de charrete, por estradas ruins, antes de chegar à estação.

Ela ficou receosa e olhou confusa para o meu companheiro.

— Não há mistério, minha prezada senhorita — disse ele, sorrindo. A manga esquerda da sua jaqueta está manchada de lama em sete lugares. As marcas são frescas. Não há veículo, exceto uma charrete, que espirra lama dessa maneira, e só no passageiro que se senta no lado esquerdo do cocheiro.

— Quaisquer que sejam suas razões, o senhor está perfeitamente correto — disse ela. Sai de casa antes das dezoito horas, cheguei a Leatherhead às vinte e entrei no primeiro trem para Waterloo. Senhor, eu não aguento mais essa tensão; vou enlouquecer se continuar. Não tenho a quem recorrer — ninguém, exceto uma pessoa que gosta de mim, e ele, coitado, é de pouca ajuda. Eu ouvi falar de você, Sr. Holmes; ouvi falar do senhor pela Sra. Farintosh, a quem ajudou na hora de sua dolorosa necessidade. Era ela que tinha seu endereço. O senhor, acha que também pode me ajudar ou, pelo menos, lançar um pouco de luz através da densa escuridão que me cerca? No momento, não posso recompensá-lo por seus serviços, mas em um mês ou seis semanas estarei casada, com o controle da minha própria renda, e então o senhor não me achará ingrata.

Holmes abriu a gaveta de sua escrivaninha, retirou um pequeno caderno e o consultou.

— Farintosh — disse ele. Ah sim, eu me lembro do caso; estava ligado a uma tiara de opala. Acho que foi antes do seu tempo, Watson. Só posso dizer, senhorita, que terei o maior prazer em dedicar o mesmo cuidado ao seu caso. Quanto à recompensa, minha profissão é sua própria recompensa; mas senhora tem a liberdade de arcar com quaisquer despesas que eu possa ter, no momento que melhor lhe convier. E agora peço que ponha diante de nós tudo o que puder nos ajudar a formar uma opinião sobre o assunto.

— Ai! — respondeu nossa visitante. O pior da minha situação está no fato de meus medos serem tão vagos e minhas suspeitas dependerem tão inteiramente de pequenos pontos, que podem parecer triviais para os outros. Até aquele, em quem confio e tenho o direito de procurar ajuda e conselhos, considera tudo o que lhe digo como fantasias de uma mulher nervosa. Ele não diz isso, mas posso ler com suas respostas suaves e olhos dispersos. Ouvi, Sr. Holmes, que o senhor pode ver profundamente as múltiplas maldades do coração humano e pode me aconselhar como andar em meio aos perigos que me envolvem.

— Tem toda a minha atenção, senhorita!

— Meu nome é Helen Stoner e moro com meu padrasto, que é o último sobrevivente de uma das famílias saxônicas mais antigas da Inglaterra, os Roylotts de Stoke Moran, na fronteira oeste de Surrey.

Holmes acenou com a cabeça.

— O nome me é familiar — disse ele.

— A família estava entre as mais ricas da Inglaterra, e as propriedades se estendiam além das fronteiras para Berkshire, no norte, e Hampshire, para o oeste. No século passado, no entanto, quatro herdeiros sucessivos tinham uma disposição dissoluta e esbanjadora, e a ruína da família acabou sendo concluída por um jogador nos dias da Regência. Nada foi deixado, exceto alguns acres de terra e a casa de duzentos anos, que está sob uma hipoteca pesada. O último senhor arrastou sua existência por lá, vivendo a vida horrível de um pobre aristocrático; seu único filho, meu padrasto, vendo que deveria se adaptar às novas condições, obteve um empréstimo com um parente, o que lhe permitiu se formar em medicina e foi para Calcutá, onde, graças a sua habilidade profissional e a sua força de vontade, estabeleceu uma grande clientela. Em um ataque de raiva, causado por alguns assaltos que haviam sido cometidos na sua casa, ele espancou até a morte seu mordomo nativo e escapou por pouco de uma sentença capital. — Sofreu um longo período de prisão e depois retornou à Inglaterra como um homem triste e ranzinza.

— Quando o Dr. Roylott estava na Índia, casou-se com minha mãe, Sra. Stoner, a jovem viúva do major-general Stoner, da artilharia de Bengala. Minha irmã Julia e eu éramos gêmeas e tínhamos apenas dois anos na época do novo casamento de minha mãe. Ela tinha uma quantia considerável de dinheiro — não menos que mil libras por ano — e isso ela legou ao Dr. Roylott enquanto residíssemos com ele, com a condição de que certa quantia anual fosse dada a cada uma de nós quando nos cassássemos. Logo após nosso retorno à Inglaterra, minha mãe morreu — ela foi vítima, há oito anos, em um acidente ferroviário perto de Crewe.

162

— O Dr. Roylott então abandonou suas tentativas de se estabe-lecer na prática médica em Londres e nos levou a morar com ele na antiga casa ancestral de Stoke Moran. O dinheiro que minha mãe havia deixado era suficiente para todas as nossas necessidades e desejos. Parecia não haver empecilhos a nossa felicidade, mas uma mudança terrível ocorreu com nosso padrasto nessa época: em vez de fazer amigos e trocar visitas com nossos vizinhos, que inicialmente ficaram muito felizes ao ver um Roylott de Stoke Moran de volta ao antigo assento da família, ele se trancou em casa e raramente saía, salvo para brigar ferozmente com quem lhe cruzasse o caminho. A violência de temperamento, que se aproximava da loucura, era hereditária nos homens da família e, no caso do meu padrasto, acredito que foi intensificada por sua longa residência nos trópicos. Uma série de brigas vergonhosas ocorreu, duas das quais terminaram no tribunal da polícia, até que finalmente ele se tornou o terror da vila, e as pessoas passaram a evitar a sua aproximação, pois ele é um homem de força imensa e absolutamente incontrolável em sua raiva. Na semana passada, ele jogou o ferreiro local, por sobre um parapeito, em um riacho e foi pagando com todo o dinheiro que eu pude reunir que consegui evitar outra exposição pública. Ele não tem amigos, exceto os ciganos errantes. Deixa-os acampar nos poucos acres de terra coberta de amoreiras que representam a propriedade da família e aceita em troca a hospitalidade de suas tendas, vagando com eles, às vezes, por semanas a fio. Tem também uma paixão pelos animais indianos, que são enviados a ele por um correspondente e, neste momento, tem um guepardo e um babuíno, que vagueiam livremente por suas terras e são temidos pelos moradores quase tanto quanto seu dono.

O senhor pode imaginar, pelo que digo, que minha pobre irmã Julia e eu não tivemos grande prazer em nossas vidas. Nenhum servo ficou conosco e, durante muito tempo, fizemos todo o trabalho da casa. Ela tinha apenas trinta anos no momento de sua morte e seus cabelos já haviam começado a embranquecer, assim como os meus.

— Sua irmã está morta, então?

— Ela morreu há apenas dois anos e é sobre a morte dela que desejo falar ao senhor: vivendo a vida que descrevi, quase nunca víamos alguém da nossa idade e posição. Tínhamos uma tia, a irmã solteira de minha mãe, senhorita Honoria Westphail, que mora perto de Harrow, e às vezes podíamos fazer visitas curtas à casa dessa senhora. Julia foi para lá no Natal, há dois anos, e conheceu um major de fuzileiros navais de quem ficou noiva. Meu padrasto soube do noivado, quando minha irmã voltou, e não fez nenhuma objeção ao casamento; mas, quinze dias antes do dia marcado para o casamento, ocorreu o terrível evento que me privou da minha única companheira.

Sherlock Holmes estava recostado na cadeira, com os olhos fechados e a cabeça afundada em uma almofada; nesse momento ele ergueu as pálpebras e olhou para a visitante.

— Por favor, seja precisa quanto aos detalhes — disse ele.

— É fácil para mim, pois todos os acontecimentos daquele momento terrível estão gravados em minha memória: a casa é, como eu já disse, muito antiga e agora apenas uma ala é habitada. Os quartos dessa ala estão no térreo, as salas de estar no bloco central do edifício. Desses quartos, o primeiro é do Dr. Roylott, o segundo o da minha irmã e o terceiro o meu. Não há comunicação entre eles, mas todos eles se abrem no mesmo corredor. Eu me fiz entender?

— Perfeitamente.

— As janelas dos três quartos se abrem para um gramado. Naquela noite fatal, o Dr. Roylott foi para o quarto mais cedo, embora soubéssemos que ele não havia se retirado para dormir, pois minha irmã estava incomodada com o cheiro dos fortes charutos indianos que ele costumava fumar. Por isso ela saiu do seu quarto e entrou no meu, onde ficou sentada por algum tempo, conversando sobre o casamento que se aproximava. Às onze horas ela se levantou para me deixar, mas parou na porta e olhou para trás:

— Diga-me Helen, você já ouviu alguém assobiar na calada da noite?

— Nunca!

— Suponho que você não assobie enquanto dorme!

— Certamente que não. Mas por quê?

— Porque durante as últimas noites, por volta das três da manhã, ouço um assobio baixo e nítido. Eu tenho sono leve e isso me desperta. Não sei dizer de onde vem — talvez do quarto ao lado, talvez do gramado. Pensei em perguntar-lhe se também já ouviu.

— Eu nunca ouvi, mas devem ser aqueles ciganos miseráveis na plantação.

— Muito provável. Se fosse no gramado, provavelmente você também ouviria!

— Ah, mas eu durmo mais profundamente que você!

— Bem, isso não tem importância — ela disse, sorriu para mim e fechou a porta do meu quarto. Alguns instantes depois ouvi sua chave girar na fechadura.

— Era seu costume trancar-se à noite?

— Sempre.

— E por quê?

— Como lhe contei: o doutor mantinha um guepardo e um babuíno. Não tínhamos segurança, a menos que nossas portas estivessem trancadas.

— Sim. Continue com sua narração.

— Eu não consegui dormir naquela noite. Uma vaga sensação de infortúnio iminente me impressionou. Lembre-se que minha irmã e eu éramos gêmeas, e o senhor sabe como são sutis os elos que unem duas almas que são tão intimamente aliadas. Foi uma noite selvagem. O vento estava uivando lá fora, e a chuva batia forte contra as janelas. De repente, em meio a toda a agitação do vendaval, ouviu-se o grito selvagem de uma mulher aterrorizada. Eu sabia que era a voz da minha irmã. Pulei da minha cama, envolvi-me em um xale e corri para o corredor. Quando abri a porta, ouvi um assobio baixo, como minha irmã descreveu, e alguns momentos depois um som estridente, como se uma massa de metal tivesse caído. Enquanto eu corria pelo corredor, a porta do quarto da minha irmã foi destrancada e girou lentamente sobre as dobradiças. Eu olhei horrorizado, sem entender o que via. À luz do abajur do corredor, vi minha irmã aparecer no vão da porta, seu rosto estava empalidecido de terror, as mãos procurando por ajuda, seu corpo todo balançando para lá e para cá como o de um bêbado. Eu corri para ela e passei meus braços em sua volta, mas naquele momento seus joelhos cederam e ela caiu no chão. Ela se contorcia como alguém com dores terríveis e seus membros sacudiam. A princípio, pensei que ela não tivesse me reconhecido, mas, quando me inclinei, ela de repente gritou com uma voz que nunca esquecerei: Oh, meu Deus! Helen! Foi a banda! A banda manchada! Havia algo mais que ela teria dito, apontando com o dedo no ar na direção do quarto do médico, mas uma nova convulsão a tomou e sufocou suas palavras. Eu corri, chamando alto pelo meu padrasto, e o encontrei saindo do quarto de roupão. Quando ele chegou ao lado de minha irmã, ela estava inconsciente e, embora ele derramasse conhaque na sua garganta e pedisse ajuda médica da vila, todos os esforços foram em vão; ela morreu lentamente sem ter recuperado a consciência. Esse foi o fim terrível da minha amada irmã.

— Um momento — disse Holmes —, você tem certeza do assobio e do som metálico? Você poderia jurar que os ouviu?

— Também isso o investigador me perguntou durante o inquérito. Tenho uma forte impressão que ouvi sim, no entanto, entre o barulho do vendaval e os rangidos de uma casa velha, posso ter sido enganada.

— Sua irmã estava vestida?

— Ela estava de camisola. Na mão direita tinha um fósforo queimado e na esquerda uma caixa de fósforos.

— Mostrando que ela acendeu uma luz e olhou em volta quando o alarme ocorreu. Isso é muito importante. Quais foram as conclusões do investigador?

— Ele investigou o caso com muito cuidado, pois a conduta do Dr. Roylott era notória no condado, mas não conseguiu encontrar nenhuma causa satisfatória para a morte. Meu relato mostrou que a porta estava trancada pelo lado interno e as janelas estavam bloqueadas por persianas antiquadas, com largas barras de ferro, que eram fechadas todas as noites. As paredes foram examinadas e mostraram-se bastante sólidas e o piso também foi minuciosamente examinado, com o mesmo resultado. A chaminé é larga, mas tem quatro grampos grandes. É certo, portanto, que minha irmã estava completamente sozinha quando conheceu seu fim. Além disso, não havia marcas de violência nela.

— E envenenada?

— Os médicos pesquisaram, mas sem sucesso.

— Qual foi a causa da morte, você acha, dessa infeliz senhorita?

— É minha convicção que ela morreu de medo e choque nervoso, embora eu não possa imaginar o que a amedrontou tanto.

— Havia ciganos na plantação nessa época?

— Sim, há sempre alguns por lá.

— O que você entendeu sobre essa alusão a uma banda — uma banda manchada?

— Às vezes penso que foram apenas palavras ditas sob delírio, às vezes penso que pode ter sido uma referência a um bando de pessoas, talvez a esses ciganos na plantação. Os lenços manchados que muitos deles usam sobre a cabeça podem ter sugerido a estranha fala que ela usou.

Holmes sacudiu a cabeça. Estava longe de estar satisfeito!

— Estas são águas muito profundas — disse ele. Continue com sua narrativa.

— Dois anos se passaram desde então, e minha vida ficou mais solitária que nunca. Há um mês, no entanto, um amigo querido, que conheço há muitos anos, me fez a honra de pedir minha mão em casamento. Seu nome é Armitage — Percy Armitage — o segundo filho do Sr. Armitage, de Crane Water, perto de Reading. Meu padrasto não ofereceu oposição ao pedido e vamos nos casar no decorrer da primavera. Há dois dias, alguns reparos foram iniciados na ala oeste do prédio, e a parede do meu quarto foi perfurada, de modo que tive que me mudar para o quarto em que minha irmã morreu e dormir na mesma cama em que dormia. Imagine o senhor o meu terror, quando na noite passada, enquanto ainda estava acordada, pensando no seu terrível destino, de repente ouvi no silêncio da noite o assobio baixo que fora o prenúncio da sua morte. Me levantei e acendi a lâmpada, mas nada estava à vista no quarto. Fiquei abalada demais para ir para a cama novamente, então me vesti e, assim que amanheceu peguei uma charrete no Crown Inn, que fica bem próximo da casa e fui até Leatherhead, de onde vim esta manhã com o único objetivo de vê-lo e pedir seu conselho.

— A senhorita fez muito bem. Mas já me contou tudo?

— Sim, contei tudo.

— Miss Roylott, não me contou tudo... está protegendo seu padrasto.

— O que o senhor quer dizer com isso?

Para responder, Holmes afastou o babado de renda preta que franjava o punho da mão que estava sobre o joelho da visitante.

Cinco pequenos pontos lívidos, marcas de quatro dedos e um polegar, estavam impressos no pulso branco.

— A senhorita foi cruelmente agredida.

Ela corou e cobriu o pulso machucado.

— Ele é um homem duro — disse ela —, e talvez mal conheça suas próprias forças.

Houve um longo silêncio, durante o qual Holmes apoiou o queixo nas mãos e olhou para o fogo crepitante.

— Este é um caso muito complexo. Há muitos detalhes que eu gostaria de saber antes de decidir sobre o nosso curso de ação.

— Não temos um momento a perder. Se fôssemos a Stoke Moran, hoje, seria possível vermos esses quartos sem o conhecimento do seu padrasto?

— Por acaso, ele falou em vir à cidade hoje para resolver alguns negócios muito importantes. É provável que ele fique fora o dia todo e que não haja nada para incomodar-nos. Temos uma governanta, mas ela é velha e tola, e eu poderia facilmente tirá-la do nosso caminho.

— Excelente. Você não é avesso a esta viagem, Watson?

— De jeito nenhum.

— Então nós dois iremos. E a senhorita o que você vai fazer?

— Tenho uma ou duas coisas que gostaria de fazer agora que estou na cidade. Mas voltarei no trem das doze horas, para chegar a tempo de recebê-los.

— E você pode nos esperar no início da tarde. Eu tenho alguns assuntos para tratar. Não quer tomar café da manhã conosco?

— Não, eu devo ir. Meu coração está mais leve desde que lhe contei meu problema. Estou ansiosa para vê-lo novamente esta tarde.

Ela jogou o grosso véu preto sobre o rosto e saiu da sala.

— O que você acha disso tudo, Watson? — perguntou Sherlock Holmes, recostando-se na cadeira.

— Parece-me um caso sombrio e sinistro.

— Muito sombrio e sinistro!

— Se a senhorita está certa ao dizer que o piso e as paredes são sólidos, que a porta estava trancada e que janela e chaminé são protegidas, sua irmã estava, sem dúvida, sozinha quando iniciou-se o seu fim misterioso.

168

— Como você, Holmes, interpretou os assobios noturnos e as palavras muito peculiares ditas pela mulher quando estava morrendo?

— Ainda não consigo saber. Quando combino as ideias de assobios à noite, a presença de um grupo de ciganos que estão íntimos desse velho médico, o fato de termos todos os motivos para acreditar que o médico tem interesse em impedir o casamento de sua enteada, a alusão a uma banda manchada, no momento da morte e, finalmente, o fato de a senhorita Helen Stoner ouvir um ruído metálico, que pode ter sido causado por uma daquelas barras de metal que prendem as persianas, enxergo um bom começo para tentar esclarecer o mistério.

— Mas o que os ciganos fizeram?

— Não consigo imaginar.

— Vejo muitas objeções nesses fatos.

— E eu também. É exatamente por esse motivo que vamos ao Stoke Moran hoje. Quero ver se as objeções são fatais ou se podem ser explicadas. Mas que diabo?!

A pergunta foi tirada do meu companheiro pelo fato de nossa porta ser subitamente aberta, e por ela entrar um homem enorme. Sua roupa mostrava uma mistura peculiar do homem da cidade com o homem do campo. Ele usava uma cartola preta, um casaco comprido e um par de polainas altas. Trazia um chicote de montaria na mão. Era tão alto que seu chapéu roçava a barra transversal da porta e sua largura ocupava-a de um lado ao outro. Seu rosto grande, com mil rugas, queimado pelo sol e marcado por todas as paixões do mal, virava-se de um para o outro. Seus olhos profundos e injetados de raiva e seu fino e curvo nariz sem carne dava-lhe a semelhança de uma feroz e velha ave de rapina.

— Qual de vocês é Holmes? — perguntou esta aparição.

— Esse é o meu nome, senhor; mas tem vantagem sobre mim — disse meu companheiro duramente.

— Eu sou o Dr. Grimesby Roylott, de Stoke Moran

— Por favor, sente-se — disse Holmes secamente.

— Não quero me sentar. Minha enteada esteve aqui. Eu a segui. O que ela lhe disse?

— Está um pouco frio para a época do ano — disse Holmes.

— O que ela lhe disse? — gritou furiosamente o velho.

— Mas ouvi dizer que o açafrão promete boa colheita — continuou meu companheiro imperturbável.

— Ha! Você me ignora, não é? — disse nosso novo visitante, dando um passo à frente e sacudindo seu chicote. Eu o conheço, seu canalha! Já ouvi falar de você antes. Você é Holmes, o intrometido.

Meu amigo sorriu.

— Holmes, o intrometido!

O sorriso dele aumentou.

— Holmes, o agente atrevido da Scotland Yard!

Holmes riu com vontade.

— Sua conversa é muito divertida. Quando sair feche a porta, pois está entrando uma corrente de ar frio.

— Só sairei quando tiver a minha resposta. Não se atreva a se intrometer nos meus assuntos. Eu sei que a senhorita Stoner esteve aqui. Eu a segui! Sou um homem perigoso, de cair em desgraça! Veja isso...

Ele avançou rapidamente, agarrou o atiçador de brasas e o torceu com suas enormes mãos.

— Mantenha-se fora do meu caminho — ele rosnou, arremessou o ferro torcido na lareira e saiu da sala.

— Ele parece uma pessoa muito amável — disse Holmes, rindo. Eu não sou tão robusto, mas se ele tivesse permanecido eu poderia ter mostrado a ele que minhas mãos não são muito mais fracas que as dele.

Enquanto falava, pegou o atiçador de ferro e, com um esforço repentino, endireitou-o novamente.

— Ele teve a insolência de me confundir com a força de detetives oficiais! Esse incidente dá gosto a nossa investigação. Espero que nossa nova amiga não sofra por causa da imprudência de permitir que esse bruto a seguisse. Watson, pediremos o café da manhã e depois irei até o Doctor's Commons, onde espero obter alguns dados que possam nos ajudar neste caso.

Era quase uma hora quando Sherlock Holmes voltou de sua excursão. Ele segurava na mão uma folha de papel azul, rabiscada com notas e figuras.

— Vi o testamento da esposa falecida. Para determinar seu significado exato, fui obrigado a calcular os preços atuais dos investimentos com os quais eles estão preocupados. A renda total, que no momento da morte da esposa era pouco menos de mil

170

e cem libras, é agora, por causa da queda nos preços agrícolas, pouco mais que setecentas e cinquenta libras. Cada filha poderia reivindicar uma renda de duzentas e cinquenta libras, em caso de casamento. É evidente, portanto, que se as duas meninas se casassem, aquele homem ficaria com uma mera ninharia, enquanto o casamento de uma delas lhe causaria uma perda significativa. O trabalho da minha manhã não foi desperdiçado, uma vez que provou que ele tem fortes motivos para impedir um casamento. E agora, Watson, isso é sério demais para adiarmos, especialmente porque o velho sabe que temos interesse nos assuntos dele; então, se você estiver pronto, chamaremos um carro e nos dirigiremos para Waterloo. Eu agradeceria se você colocasse seu revólver no bolso. Um Eley é um excelente argumento com cavalheiros que podem torcer um atiçador de ferro. Acho que isso e uma escova de dente é tudo o que precisamos.

Em Waterloo, tivemos a sorte de pegar um trem para Leatherhead, onde alugamos uma charrete na pousada da estação e dirigimos por quatro ou cinco quilômetros pelas lindas ruas de Surrey. Era um dia perfeito, com um sol brilhante e algumas nuvens felpudas no céu. As árvores e as cercas vivas estavam apenas lançando seus primeiros brotos verdes, e o ar estava cheio do cheiro agradável da terra úmida. Para mim, pelo menos, havia um contraste estranho entre a doce promessa da primavera e essa busca sinistra na qual estávamos envolvidos. Meu companheiro estava sentado na frente da charrete, os braços cruzados, o chapéu puxado sobre os olhos e o queixo afundado no peito, enterrado no pensamento mais profundo. De repente, porém, ele se mexeu, me deu um tapinha no ombro e apontou por cima dos prados.

— Olhe ali! — disse ele.

Um parque cheio de árvores se estendia em uma ladeira suave, espessando-se em um bosque no ponto mais alto. Entre os galhos, sobressaíam os frontões cinzentos e o alto teto de um casarão muito antigo.

—Stoke Moran? — perguntou ele.

— Sim, senhor, essa é a casa do Dr. Grimesby Roylott — respondeu o cocheiro.

— Há algumas construções adiante — disse Holmes. — É para aonde estamos indo.

— Ali está a vila — disse o cocheiro, apontando para um conjunto de telhados a alguma distância à esquerda, mas se o senhor quiser chegar à casa, levará menos tempo se passarmos pela trilha sobre os campos. Lá onde a senhora está seguindo.

— É ela, imagino, é a senhorita Stoner — observou Holmes, protegendo os olhos. Sim, acho melhor fazer o que você sugere.

Descemos, pagamos nossa viagem e a charrete voltou a caminho de Leatherhead.

— Eu pensei — disse Holmes, enquanto subíamos a escada, que esse sujeito deveria pensar que viemos aqui como arquitetos ou para algum negócio definido. Isso pode impedir os comentários dele. — Boa tarde, senhorita Stoner. Cumprimos nossa palavra.

Nossa visitante da manhã se apressou para encontrar-nos. Tinha no rosto uma expressão de alegria.

— Eu estava esperando ansiosamente pelos senhores — ela falou, apertando nossas mãos calorosamente. — Tudo caminha esplendidamente. Roylott foi à cidade e é improvável que volte antes da noite.

—Tivemos o prazer de conhecer o doutor — disse Holmes, e em poucas palavras ele contou o que havia ocorrido. Miss Stoner perdeu a cor até dos lábios enquanto ouvia.

— Deus do céu! — ela gritou. Ele me seguiu então!

— Sim, certamente.

— Ele é tão esperto que nunca sei quando estou a salvo. O que dirá quando voltar?

Ele deve se proteger, pois pode achar que há alguém mais astuto que ele em seu caminho. A senhorita deve se trancar esta noite. Se ele for violento, a levaremos para a casa de sua tia em Harrow. Faremos o melhor uso possível do nosso tempo, por favor, nos leve imediatamente para os quartos que devemos examinar.

O casarão era de pedra cinza, manchada de líquen, com uma porção central alta e duas alas curvas, como as garras de um caranguejo, jogadas de cada lado. Em uma dessas alas, as janelas estavam quebradas e bloqueadas com tábuas de madeira, enquanto o teto estava parcialmente cedido, uma imagem de ruína. O estado de conservação da parte central estava em pouco melhor e a ala da direita era relativamente moderna. As persianas das janelas e a fumaça azul saindo das chaminés, mostravam que era ali que a família residia. Andaimes foram erguidos contra a parede do fundo, e algumas pedras foram tiradas, mas não havia sinais de trabalhadores no momento da nossa visita. Holmes caminhou lentamente para cima e para baixo no gramado mal aparado e examinou com profunda atenção as laterais das janelas.

— Esta janela pertence ao quarto em que você dormia, a do centro ao quarto da sua irmã e a próxima ao prédio principal é a do quarto do Dr. Roylott. Estou certo?

— Exatamente assim, mas agora estou dormindo no quarto do meio.

— Enquanto aguarda as alterações, pelo que entendi... a propósito, não parece haver nenhuma necessidade muito urgente de reparos nessa parede final!

— Não havia nenhuma. Acredito que foi uma desculpa para me tirar do meu quarto.

— Ah! Isso é sugestivo. Do outro lado desta ala estreita, está o corredor para onde esses três quartos se abrem. Existem janelas nos quartos, não há?

— Sim, mas muito pequenas. Muito estreitas para qualquer um passar.

— Como vocês duas trancavam suas portas à noite, seus quartos eram inacessíveis daquele lado. Poderia ter a gentileza de entrar no seu quarto e trancar as persianas?

Miss Stoner fez isso e Holmes, após um exame cuidadoso pela janela aberta, tentou exaustivamente forçar a abertura da persiana, mas não teve sucesso. Não havia nenhuma fenda pela qual nem uma lâmina pudesse passar para levantar a barra. Depois, com as lentes, ele testou as dobradiças, mas elas eram de ferro sólido, embutidas firmemente na maciça alvenaria.

— Hum! — fez ele, coçando o queixo com certa perplexidade. — Minha teoria certamente apresenta algumas dificuldades. Ninguém poderia passar por essas persianas se elas fossem trancadas. Bem, veremos se o interior lança alguma luz sobre o assunto. Uma pequena porta lateral dava para o corredor, caiado de branco, para onde os três quartos se abriam. Holmes se recusou a examinar o terceiro quarto, então passamos de uma vez para o segundo, no qual Miss Stoner estava dormindo atualmente e sua irmã encontrara o seu destino. Era um quarto pequeno e acolhedor, com um teto baixo e uma lareira, à moda das antigas casas de campo. Havia uma cômoda marrom em um canto, uma cama estreita, com uma coberta branca, no outro e uma penteadeira no lado esquerdo da janela. Esses elementos mais duas pequenas cadeiras de vime, compunham todos os móveis do quarto. Havia um tapete Wilton, quadrado, no centro. As tábuas do teto e os painéis das paredes eram de carvalho marrom, comidos por vermes, tão velhos e descoloridos que podiam ter saído do edifício original da casa. Após levar uma das cadeiras para um canto, Holmes ficou sentado em silêncio enquanto seus olhos observavam de um lado ao outro, de cima a baixo, analisando cada detalhe do cômodo.

— Onde esse sino se comunica? — perguntou finalmente apontando para uma corda grossa que pendia ao lado da cama, com a borla sobre o travesseiro.

— Soa no quarto da criada.

— Parece mais novo que as outras coisas?

— Sim, só foi colocado há alguns anos.

— Sua irmã pediu, suponho?

— Não, nunca ouvi falar dela usando-o. Costumávamos pegar, nós mesmas, o que queríamos.

De fato, parecia desnecessário colocar uma corda tão bonita ali.

— Podem me dar licença por alguns minutos enquanto eu examino este piso?

Ele se jogou de quatro no chão com a lente na mão e rastejou rapidamente para trás e para frente, examinando minuciosamente as rachaduras entre as tábuas. Depois fez o mesmo trabalho na madeira com a qual o quarto estava revestido. Finalmente ele foi até a cama e passou algum tempo olhando para ela e correndo os olhos para cima e para baixo na parede. Finalmente, ele pegou a corda do sino na mão e deu-lhe um puxão forte.

— Ora, vejam! Não é verdadeiro — disse Holmes.

— Não toca?

— Não, nem está preso a um fio. Isto é muito interessante. Podem ver que está preso a um gancho logo acima de onde está a pequena abertura para a ventilação.

— Que absurdo! Eu nunca percebi isto antes.

— Muito estranho! — Holmes murmurou, puxando a corda. Há um ponto ou dois pontos muito intrigante neste quarto: que tolo deve ser um construtor para abrir uma ventilação dando para o outro quarto, quando, com o mesmo trabalho, poderia abri-la para o lado externo!

— Isso também é bastante novo — disse a jovem.

— Foi feito junto com a instalação da corda do sino? — perguntou Holmes.

— Sim, foram realizadas várias pequenas mudanças naquela época.

— Elas parecem ter um caráter muito interessante: corda sem sino e ventiladores que não ventilam. Com sua permissão, Miss Stoner, agora faremos nossas pesquisas no quarto mais interno.

O quarto do Dr. Grimesby Roylott era maior que o da sua enteada, mas era mobiliado com simplicidade: uma cama de acampamento, uma pequena prateleira de madeira cheia de livros, principalmente de caráter técnico, uma poltrona ao lado da cama, uma cadeira de madeira lisa contra a parede, uma mesa redonda e um grande cofre de ferro foram as principais coisas que chamaram a atenção. Holmes deu uma volta lenta e examinou cada canto e cada peça com o maior interesse.

— O que tem aqui? — perguntou, tocando no cofre.

— Os documentos dos negócios do meu padrasto.

— A senhorita já o viu aberto?

— Apenas uma vez, alguns anos atrás. Lembro que estava cheio de papéis.

— Não há um gato nele, por exemplo?

— Não! Que ideia estranha!

— Veja isso!

Ele pegou um pequeno pires de leite que estava em cima do cofre.

— Não; nós não temos um gato, mas há um guepardo e um babuíno.

— Ah, sim, claro! Um guepardo é apenas um gato grande e, no entanto, um pires de leite não vai satisfazer suas necessidades.

— Há um ponto que eu gostaria de determinar.

Ele se agachou na frente da cadeira de madeira e examinou o assento dela com a maior atenção.

— Obrigado! — Isso está bem resolvido — disse ele, levantando-se e colocando as lentes no bolso. Aqui está algo interessante!

O objeto que chamou sua atenção era um chicote de cachorro pendurado em um canto da cama. A ponta da correia estava amarrada formando um laço no chicote.

— O que você acha disso, Watson?

— É um chicote bastante comum, mas não sei por que está amarrado na forma de um laço.

— Isso não é tão comum, é? Vivemos em um mundo perverso, e ele ainda fica pior quando um homem inteligente usa seu cérebro para o crime. Acho que já vi o suficiente senhorita Stoner, e com sua permissão andaremos pelo gramado.

Eu nunca tinha visto o rosto do meu amigo tão sombrio ou sua testa tão franzida quanto quando saímos da cena dessa investigação. Tínhamos caminhado várias vezes para cima e para baixo no gramado. Nem a senhorita Stoner nem eu, interrompemos os pensamentos de Holmes. Deixamos que ele despertasse de seus devaneios.

— É essencial, senhorita Stoner, que siga rigorosamente os meus conselhos em todos os aspectos.

— Certamente o farei.

— O assunto é sério demais para qualquer hesitação. Sua vida pode depender de suas atitudes.

— Garanto-lhe que estou em suas mãos.

— Em primeiro lugar, eu e meu amigo precisamos passar a noite no seu quarto.

Miss Stoner e eu olhamos para ele com espanto.

— Sim, deve ser assim. Deixe-me explicar. É ali que fica a pousada da vila? — perguntou apontando para umas construções.

— Sim, é a Crown.

— Muito bom. Suas janelas seriam visíveis a partir dali?

— Certamente.

— A senhorita deve se recolher ao seu quarto, sob a pretensão de dor de cabeça, quando seu padrasto voltar. Quando o ouvir se deitar durante a noite, deverá abrir as persianas da janela, desfazer o ferrolho, colocar a lâmpada ali, como um sinal para nós e, em seguida, retirar-se silenciosamente com tudo o que provavelmente precise e ocupar o seu antigo quarto. Não tenho dúvidas que, apesar dos reparos, poderá dormir por apenas uma noite nele.

— Oh, sim, facilmente.

176

— O resto a senhorita deixará em nossas mãos.

— Mas o que vocês farão?

— Passaremos a noite no seu quarto e investigaremos a causa desse barulho que a perturbou.

— Creio, Sr. Holmes, que o senhor já se decidiu — disse Miss Stoner, colocando a mão no braço do meu companheiro.

—Talvez eu tenha.

— Então, pelo amor de Deus, me diga qual foi a causa da morte de minha irmã.

— Prefiro ter provas mais claras antes de falar.

— Pode pelo menos me dizer se meu próprio pensamento está correto e se ela morreu de algum súbito susto?

— Não, acho que não. Acho que provavelmente houve alguma causa mais concreta. E agora, Srta. Stoner, devemos deixá-la: se o Dr. Roylott voltar e nos encontrar, a nossa jornada será em vão. Adeus e seja corajosa, pois se fizer o que eu lhe disse, tenha certeza de que em breve afastaremos os perigos que a ameaçam.

Sherlock Holmes e eu não tivemos dificuldade em ocupar um quarto e uma sala de estar no Crown Inn. Estávamos no andar superior e, pela nossa janela, podíamos ver o portão de entrada e a ala habitada da casa de Stoke Moran. Ao anoitecer, vimos o Dr. Grimesby Roylott passar, sua enorme forma sobressaía ao lado da pequena figura do rapaz que dirigia o carro. O garoto teve alguma dificuldade para abrir os pesados portões de ferro, ouvimos o rugido rouco da voz do doutor e vimos a fúria com que ele balançava os punhos cerrados para ele. A charrete continuou, e alguns minutos depois vimos uma luz repentina surgir entre as árvores quando a lâmpada foi acesa em uma das salas de estar.

— Sabe Watson — disse Holmes quando nos sentamos juntos na escuridão crescente —, tenho realmente algum receio em levá-lo esta noite. Há um elemento distinto de perigo.

— Posso ajudá-lo?

— Sua presença pode ser inestimável.

— Então eu certamente irei.

— Muito gentil da sua parte.

— Você fala de perigo. Evidentemente viu nesses quartos algo invisível para mim.

— Não, mas acho que deduzi um pouco mais. Eu imagino que você viu tudo o que eu vi.

— Não vi nada notável a não ser a corda do sino sem sino, e que propósito isso poderia ter, confesso, é mais que posso imaginar.

— Você viu o ventilador também?

— Sim, mas não acho que seja uma coisa tão incomum ter uma pequena abertura entre dois quartos. Era tão pequena que um rato dificilmente poderia passar.

— Eu sabia que deveríamos encontrar um ventilador antes de chegarmos a Stoke Moran.

— Meu caro Holmes!?

Ah, sim, eu sabia. Você se lembra, na narração da Miss Stoner, quando ela disse que sua irmã podia sentir o cheiro do charuto do Dr. Roylott? — Isso me sugeriu imediatamente que deveria haver uma comunicação entre os dois quartos. Só poderia ser pequena, ou teria sido observada durante o inquérito da investigação: deduzi que era uma abertura para ventilação.

— Mas que mal pode haver nisso?

— Há pelo menos uma curiosa coincidência de datas. Um pequeno vão é aberto, um cordão é pendurado e uma mulher que dorme, na cama desse quarto, morre. Isso não te impressiona?

— Ainda não consigo ver nenhuma conexão.

— Você observou algo muito especial sobre essa cama?

— Não.

— Estava presa ao chão. Você já viu uma cama presa assim antes?

— Não posso dizer que sim.

— A dama não conseguia mexer a cama. — Ela estaria sempre na mesma posição em relação ao ventilador e a corda do sino — se assim podemos chamá-la, já que claramente nunca teve um sino.

— Holmes, eu começo a ver vagamente o que você está sugerindo. — Chegamos bem a tempo de evitar outro crime sutil e horrível.

— Imensamente sutil e horrível. Quando um médico se vira para o crime, ele é o pior dos criminosos. Ele tem coragem e ele tem conhecimento. Palmer e Pritchard estiveram entre os memoráveis de sua profissão. Esse homem chega ainda mais fundo, mas eu acho, Watson, que seremos capazes de irmos ainda mais fundo. Teremos bastante horror antes que a noite acabe; vamos fumar um cachimbo silenciosamente e dirigir nossa mente, por algumas horas, para algo mais leve e alegre.

Por volta das nove horas, a luz entre as árvores se extinguiu e tudo estava escuro na direção da casa senhorial. Duas horas se passaram devagar e, de repente, às onze horas, uma única luz brilhou diante de nós.

— Esse é o nosso sinal — disse Holmes, levantando-se. — Vem da janela do meio.

Quando saíamos, Holmes trocou algumas palavras com o proprietário, explicando que íamos fazer uma visita tardia a um conhecido e que era possível que passássemos a noite lá. Um momento depois, estávamos na estrada escura, um vento frio soprava em nossos rostos e uma luz amarela brilhando a nossa frente através da escuridão nos guiava em nossa missão sombria.

Havia pouca dificuldade para entrar no terreno, pois brechas não reparadas surgiam na antiga muralha do parque. Caminhando entre as árvores, chegamos ao gramado, o cruzamos e estávamos prestes a entrar pela janela quando, de um grupo de arbustos de louros, saiu o que parecia ser uma criança horrenda e distorcida, que se jogava na grama contorcendo-se e depois correu rapidamente através do gramado e sumiu na escuridão.

— Meu Deus! — eu sussurrei. Você viu isso?

No momento, Holmes ficou tão assustado quanto eu. Sua mão se fechou no meu pulso e me apertou como um torno durante sua agitação. Então ele riu baixo e colocou os lábios no meu ouvido.

— É uma casa agradável — ele murmurou. Esse é o babuíno.

Eu tinha esquecido os animais estranhos que o doutor estimava. Também havia um guepardo; talvez pudéssemos encontrá-lo sobre nossos ombros a qualquer momento. Confesso que me senti mais tranquilo quando, depois de seguir o exemplo de Holmes e tirar os sapatos, me vi dentro do quarto. Meu companheiro fechou silenciosamente as persianas, colocou a lâmpada sobre a mesa e lançou os olhos ao redor da sala. Tudo era como vimos durante o dia. Então, rastejando até mim e fazendo uma trombeta de sua mão, ele sussurrou em meu ouvido novamente e tudo o que eu pude distinguir foram as palavras: O menor som será fatal para nossos planos.

Eu balancei a cabeça para mostrar que tinha ouvido.

— Devemos sentar sem luz. Ele veria através do ventilador.

Eu assenti novamente.

— Não durma; sua própria vida pode depender disso. Tenha sua pistola pronta caso precisemos dela. Vou me sentar na beira da cama e você na cadeira.

Peguei meu revólver e o coloquei no canto da mesa.

Holmes havia trazido uma bengala fina e longa, que colocou na cama ao seu lado. Colocou a caixa de fósforos e o toco de uma vela ao alcance de suas mãos. Então ele desligou a lâmpada e ficamos na escuridão.

Como poderia esquecer aquela vigília terrível? Eu não conseguia ouvir um som, nem mesmo o da respiração, e mesmo assim sabia que meu companheiro estava de olhos abertos, a poucos metros de mim, no mesmo estado de tensão nervosa que eu. As persianas cortaram o mínimo raio de luz e esperávamos na escuridão absoluta.

Do lado de fora, vinha ocasionalmente o piado de um pássaro noturno e, uma vez a nossa janela, um longo gemido de gato, que nos dizia que o guepardo estava de fato em liberdade. Longe, ouvíamos os tons profundos do relógio da paróquia, que soavam a cada quinze minutos. Como pareciam longos esses intervalos! Doze horas soaram, e uma, duas e três horas, e ainda estávamos sentados em silêncio, esperando o que pudesse acontecer.

De repente, houve o brilho momentâneo de uma luz na direção do ventilador, que desapareceu imediatamente, mas foi seguida por um forte cheiro de óleo queimado e metal aquecido. Alguém no quarto ao lado acendeu uma lanterna com obturador. Ouvi um som bem leve de movimento, e então tudo ficou em silêncio mais uma vez, embora o cheiro tenha ficado mais forte. Por meia hora fiquei sentado com ouvidos tensos. De repente, outro som tornou-se audível — um som muito suave como o de um pequeno jato de vapor escapando continuamente de uma chaleira. No instante em que o ouvimos, Holmes saltou da cama, acendeu um fósforo e golpeou furiosamente com a bengala o cordão do sino.

— Você vê, Watson? — ele gritou. Você vê?

Mas eu não vi nada. No momento em que Holmes acendeu a luz, ouvi um assobio baixo e claro, mas o brilho repentino cegou-me e tornou-se impossível eu dizer o que era que meu amigo chicoteava com tanta ferocidade. Eu podia, no entanto, ver que seu rosto estava mortalmente pálido e cheio de horror e repulsa. Ele parou de atacar e estava olhando para o ventilador quando rompeu do silêncio da noite o grito mais horrível que eu já ouvi. Era cada vez mais alto, um grito rouco de dor, medo e raiva, todos misturados em um único grito horripilante. Dizem que lá no vilarejo, e até no presbitério distante, esse grito levantou os dormentes de suas camas. Ele congelou nossos corações, e eu fiquei olhando Holmes, e ele para mim, até que o silêncio se instalou.

— O que isso pode significar? — eu suspirei.

— Isso significa que tudo acabou e talvez, afinal, seja o melhor. — Pegue sua pistola e entraremos no quarto do Dr. Roylott.

Com uma expressão grave, acendeu a lâmpada e liderou o caminho pelo corredor. Duas vezes ele bateu na porta da câmara sem nenhuma resposta de dentro. Então ele girou a maçaneta e entrou, eu, nos seus calcanhares com a pistola engatilhada na mão.

Foi uma visão única a que encontrou nossos olhos. Na mesa, havia uma lanterna com o obturador meio aberto, lançando um brilhante raio de luz sobre o cofre de ferro, cuja porta estava entreaberta. Ao lado dessa mesa, na cadeira de madeira, estava sentado o Dr. Grimesby Roylott, vestindo um roupão comprido cinza, tinha os tornozelos nus e os pés enfiados em chinelos turcos vermelhos. Sobre suas pernas, havia um chicote de correia comprida e cabo curto. O mesmo que tínhamos visto durante o dia. Seu queixo estava inclinado para cima e seus olhos arregalados estavam fixos no canto do teto. Em volta da testa, ele tinha uma faixa amarela, com manchas marrons, que parecia estar amarrada firmemente em volta da cabeça. Quando entramos, ele não fez nenhum som ou movimento.

— A banda! A banda manchada! — sussurrou Holmes.

Dei um passo à frente. Em um instante, sua estranha faixa começou a se mover, e, se ergueu, entre os cabelos, a cabeça achatada, em forma de um losango, e o pescoço dilatado de uma serpente repugnante.

— É uma serpente do pântano! — gritou Holmes. A cobra mais mortal da Índia. Ele morreu dez segundos depois de ser sido picado. A violência voltou-se sobre o violento, e o conspirador caiu na cova que cavou para o outro. Vamos empurrar esta criatura de volta para o seu esconderijo, e então poderemos levar a Srta. Stoner para algum local seguro e informar a polícia do condado sobre o que aconteceu.

Enquanto falava, tirou o chicote do colo do homem morto e, jogando o laço em volta do pescoço da cobra, tirou-a da cabeça de sua vítima e, carregou-a a distância do braço, jogando-a no cofre de ferro, que fechou em seguida.

Tais são os fatos da morte do Dr. Grimesby Roylott, de Stoke Moran. Não é necessário prolongar a narrativa, que já foi muito longa, contando como demos as tristes notícias à garota aterrorizada, como a transportamos no trem da manhã aos cuidados de sua boa tia em Harrow e de como o lento processo de investigação oficial chegou à conclusão que o médico encontrou seu destino enquanto brincava levianamente com um peçonhento animal de estimação. O pouco que eu ainda tinha para entender sobre o caso foi-me contado por Sherlock Holmes quando voltávamos no dia seguinte.

— Eu tinha — começou ele — chegado a uma conclusão totalmente errônea que mostra, meu caro Watson, quão perigoso é raciocinar a partir de dados insuficientes. A presença dos ciganos e o uso da palavra "banda" pela pobre garota que morreu, sem dúvida, para explicar a aparência do que ela vislumbrara apressadamente à luz do seu fosforo, eram suficientes para colocar-me sobre uma pista totalmente errada. Só posso reivindicar o mérito de ter reconsiderado minha posição quando ficou claro para mim que qualquer perigo que ameaçasse um ocupante do quarto não poderia vir da janela ou da porta. Minha atenção foi rapidamente atraída, como já observei para você, para o ventilador e para o cordão de sino que pendia sobre a cama. A descoberta que o cordão era um disfarce e que a cama estava presa ao chão fez surgir a suspeita de que a corda estava lá para servir de ponte para algo que passava pelo buraco e chegava à cama. A ideia de uma cobra ocorreu-me instantaneamente e, quando a juntei ao conhecimento de que o médico tinha um apreço por animais da Índia, senti que provavelmente estava no caminho certo. A ideia de usar um veneno que não poderia ser descoberto por nenhum teste químico era exatamente a que ocorreria a um homem inteligente e cruel que havia recebido um treinamento oriental. A rapidez com que esse veneno agiria também seria, do seu ponto de vista, uma vantagem. Somente um investigador de olhos afiados, seria capaz de distinguir as duas pequenas perfurações escuras que mostrariam onde as presas venenosas haviam feito seu trabalho. Então pensei no assobio. É claro que o médico deveria chamar sua cobra antes que a luz da manhã a revelasse à vítima. Ele a treinara, provavelmente usando o leite que vimos. Ele a colocava através do ventilador na hora que julgasse melhor, com a certeza de que ela se arrastaria pela corda e cairia na cama. Podendo ou não morder a ocupante. A jovem poderia escapar por várias noites, mas mais cedo ou mais tarde ela seria vitimada.

Eu tinha chegado a essas conclusões antes de entrar no quarto dele. Uma inspeção em sua cadeira me mostrou que ele tinha o hábito de ficar de pé sobre ela, o que obviamente seria necessário para que ele chegasse ao ventilador. A visão do cofre, o pires de leite e o laço do chicote foram suficientes para finalmente dissipar qualquer dúvida que pudesse ter permanecido. O barulho metálico ouvido pela Srta. Stoner foi obviamente causado pelo padrasto que fechou a porta do cofre apressadamente sobre o terrível ocupante. Tendo convicção das minhas conclusões, você sabe os passos que tomei para colocar a questão à prova. Ouvi a cobra assobiar, como não tenho dúvida que você também o fez, e instantaneamente acendi a luz e a ataquei com a intenção de direcioná-la de volta através do ventilador. Obtive também o resultado de fazer com que ela se virasse contra seu mestre que estava do outro lado. Alguns dos golpes de minha bengala a atingiram e despertaram seu temperamento feroz, de modo que atacou a primeira pessoa que encontrou. Dessa forma, sem dúvida, sou responsável indiretamente pela morte do Dr. Grimesby Roylott, e posso dizer que é provável que isso não pese muito sobre minha consciência.

IX

A AVENTURA DO POLEGAR
DO ENGENHEIRO

De todos os problemas apresentados ao meu amigo, Sr. Sherlock Holmes, durante os anos de nossa intimidade, apenas dois chegaram até ele por meu intermédio: o do polegar do Sr. Hatherley, e o da loucura do coronel Warburton. Desses, o último pode ter proporcionado um campo mais refinado para um observador astuto e original, mas o outro era tão estranho em seu início e tão dramático em seus detalhes que pode ser o mais digno de ser registrado, mesmo que tenha dado, em minha opinião, ao meu amigo menos chance para os métodos dedutivos de raciocínio através dos quais ele alcançou resultados tão notáveis. Acredito que a história tenha sido contada mais de uma vez nos jornais, mas, como todas essas narrativas, seu efeito é muito menos impressionante quando exposto em bloco, numa única meia coluna impressa que quando os fatos evoluem lentamente diante de seus próprios olhos, e o mistério desaparece gradualmente à medida que cada nova descoberta fornece um passo que leva à verdade completa. Na época, as circunstâncias me impressionaram profundamente, e o espaço de dois anos dificilmente serviu para enfraquecer o efeito.

Foi no verão de 1889, não muito depois do meu casamento, que ocorreram os eventos que estou prestes a narrar: eu havia retornado à prática civil e finalmente havia abandonado Holmes em seus aposentos na Baker Street, embora eu o visitasse continuamente e às vezes o convencesse a renunciar a seus hábitos boêmios até o ponto de nos visitar. Minha prática aumentava constantemente e, como eu morava a uma distância não muito grande da Estação Paddington, recebi alguns pacientes dentre os funcionários. Um deles, a quem eu havia curado uma doença dolorosa e persistente, nunca se cansou de anunciar minhas virtudes e de se esforçar para me enviar todos os sofredores sobre os quais ele pudesse ter alguma influência.

Certa manhã, pouco antes das sete horas, fui acordado pela criada batendo na porta para anunciar que dois homens haviam chegado de Paddington e estavam esperando no consultório. Vesti-me às pressas, pois sabia por experiência que os casos das malhas ferroviárias raramente eram triviais, e desci as escadas. Enquanto eu descia, meu antigo aliado, o guarda, saiu da sala e fechou a porta firmemente atrás de si.

— Trouxe-o aqui — ele sussurrou, balançando o polegar por cima do ombro. Ele está bem.

— Então o que é? — perguntei intrigado, pois seus modos sugeriam que era alguma criatura estranha que ele havia enjaulado no meu consultório.

— É um novo paciente — sussurrou. Pensei em trazê-lo para o senhor; ele não pôde escapar. Lá está ele, são e salvo. Eu devo ir agora, doutor; tenho minhas obrigações assim como o senhor.

E lá foi ele, esse fiel aliciador de pacientes, sem sequer me dar tempo para agradecê-lo.

Entrei no consultório e encontrei um cavalheiro sentado à mesa. Ele estava discretamente vestido com um terno de *tweed* e com um gorro de pano macio que havia colocado sobre meus livros. Em volta de uma das mãos, ele tinha um lenço enrolado, todo manchado de sangue. Ele era jovem, não tinha mais de vinte e cinco anos, devo dizer, seu rosto era forte e másculo, mas ele estava extremamente pálido e me deu a impressão de um homem que sofria de uma forte agitação e que usava toda a sua força mental para controlá-la.

— Lamento procurá-lo tão cedo, doutor — disse ele —, mas sofri um acidente muito grave durante a noite. Cheguei de trem hoje de manhã e, perguntando a Paddington onde eu poderia encontrar um médico, ele muito gentilmente me acompanhou até aqui. Dei meu cartão à criada, mas vejo que ela o deixou sobre aquela mesa.

Eu o peguei e examinei: "Sr. Victor Hatherley, engenheiro hidráulico, 16A, Victoria Street (3º andar)." Esse era o nome, ocupação e moradia do meu visitante da manhã.

— Lamento ter deixado você esperando — eu disse, sentando-me na minha cadeira. Você vem de uma jornada noturna, eu entendo, que é em si uma ocupação monótona.

— Oh, minha noite não pode ser chamada de monótona — disse ele, e riu. Ele riu muito e riu alto, recostando-se na cadeira e balançando-se todo. Todos os meus instintos médicos se levantaram contra essa risada.

— Pare com isso! Controle-se! — eu exclamei.

Servi-lhe um pouco da água que estava em uma jarra.

Era inútil, no entanto. Ele estava em uma daquelas explosões histéricas que surgem com uma natureza forte quando alguma grande crise é superada. Logo ele voltou a si, muito cansado e com uma aparência muito pálida.

— Que vergonha! — ele ofegou.

— De modo nenhum! Beba isso.

Joguei um pouco de conhaque na água e a cor começou a voltar as suas bochechas sem sangue.

— Estou melhor! — disse ele. E agora, doutor, talvez possa cuidar do meu polegar, ou do lugar onde ele costumava estar.

Ele desenrolou o lenço e estendeu a mão. Até eu, com meus nervos controlados, estremeci ao olhar o ferimento. Havia quatro dedos salientes e uma superfície esponjosa e de um vermelho horrível onde o polegar deveria estar: fora cortado ou arrancado nas raízes.

— Deus do céu! Esta é uma lesão terrível. Deve ter sangrado consideravelmente.

—Sim, sangrou. Desmaiei quando aconteceu e acho que devo ter ficado sem sentido por um longo tempo. Quando despertei, vi que ainda estava sangrando, então amarrei uma ponta do lenço com muita força ao redor do pulso e preparei um torniquete.

— Excelente! Você deveria ter sido cirurgião.

— É uma questão de hidráulica, o senhor vê, e esse é o meu trabalho.

— Isso foi feito — disse eu examinando a ferida — por um instrumento muito pesado e afiado.

— Uma coisa como um cutelo — respondeu ele.

— Um acidente, eu presumo!

— De jeito nenhum.

— O quê? Um ataque assassino?

— Exatamente!

— Você me horroriza...

186

Limpei a ferida, desinfetei-a, e finalmente a cobri com algodão e bandagens embebidas no fenol. Ele recostou-se na cadeira sem estremecer, embora mordesse o lábio de vez em quando.

— Como se sente? — perguntei quando terminei.

— Bem! Entre o conhaque e seu curativo, sinto um novo homem. Eu estava muito fraco, mas não foi pouco o que passei!

— Talvez seja melhor você não falar sobre o assunto. É evidente que ele abala seus nervos.

— Oh, não, agora não. Terei que contar minha história à polícia; mas, entre nós, se não fosse a evidência convincente desta minha ferida, eu ficaria surpreso se eles acreditassem na minha afirmação, pois é muito extraordinária e não tenho provas para apoiá-la; e, mesmo que acreditem em mim, as pistas que posso lhes dar são tão vagas que é muito difícil que a justiça seja feita.

— Ha! Se há algo estranho na natureza de um problema que você deseja que seja resolvido, recomendo fortemente que vá ao meu amigo, Sr. Sherlock Holmes, antes de ir à polícia oficial.

— Já ouvi falar desse sujeito e ficaria muito feliz se ele investigasse o assunto, embora, é claro, eu deva usar a polícia oficial também. O senhor me daria um cartão de apresentação para que eu possa levar a ele?

— Farei melhor. Eu vou levá-lo até ele.

— Serei imensamente agradecido ao senhor.

— Vamos chamar um carro e sairemos juntos. — Chegaremos a tempo de tomar o café da manhã com ele. Você se sente em condições de sair?

— Sim. Não me sentirei à vontade até contar minha história.

— Então minha criada chamará um carro e eu estarei com você em um instante.

Subi correndo as escadas, expliquei o assunto brevemente para minha esposa e, em cinco minutos, estava dentro de um coche, dirigindo-me com meu novo conhecido para a Baker Street.

Sherlock Holmes estava, como eu esperava, relaxando em sua sala de estar, de roupão, lendo a coluna de anúncios do *The Times* e fumando seu cachimbo de antes do café da manhã, que era composto por todos as cinzas e borras que restaram de seus cigarros do dia anterior; tudo cuidadosamente secado e disposto em montinhos em um canto da lareira. Ele nos recebeu de maneira discreta e amável, pediu fatias de bacon e ovos frescos e juntou-se a nós em uma refeição saudável. Quando terminamos, ele acomodou nosso novo conhecido no sofá, colocou um travesseiro sob sua cabeça e colocou um copo de conhaque e água ao seu alcance.

— É fácil ver que sua experiência não foi comum, Sr. Hatherley. Por favor, deite-se e sinta-se absolutamente em casa. Diga-nos o que puder, mas pare quando estiver cansado e mantenha sua força com um gole de estimulante.

— Obrigado — disse meu paciente, mas senti-me outro homem desde que o médico me cuidou e acho que seu café da manhã completou a cura. Vou ocupar o mínimo de seu tempo precioso começando a contar imediatamente os últimos acontecimentos peculiares.

Holmes estava sentado em sua grande poltrona com a expressão cansada e de pálpebras caídas que velavam sua natureza aguçada e ansiosa. Eu me sentara em frente a ele, e ouvimos em silêncio a estranha história que nosso visitante nos contou:

— Sou órfão e solteiro, moro sozinho em um alojamento em Londres. Por profissão, sou engenheiro hidráulico e tive uma experiência considerável do meu trabalho durante os sete anos em que fui aprendiz da Venner & Matheson, a conhecida empresa de Greenwich. Dois anos atrás, tendo cumprido meu tempo de aprendiz e também recebido uma boa quantia em dinheiro com a morte de meu pobre pai, decidi iniciar um negócio por conta própria e abri um escritório na Victoria Street.

— Suponho que saibam que o começo dos negócios independentes é uma experiência sombria. Para mim, tem sido excepcionalmente monótono. Durante dois anos, tive três consultas e um pequeno trabalho, e isso é absolutamente tudo o que minha profissão me trouxe. Minha receita bruta totaliza vinte e sete libras e dez xelins. Todos os dias, das nove da manhã às quatro da tarde, eu esperava na minha pequena sala, até que finalmente meu coração começara a se abater, e cheguei a acreditar que nunca teria nenhum trabalho.

— Ontem, no entanto, quando eu estava pensando em deixar o escritório, meu funcionário entrou para dizer que havia um cavalheiro que queria me ver para falar de negócios. Ele também trouxe um cartão com o nome de "Coronel Lysander Stark" gravado nele. Logo a seguir veio o próprio coronel: um homem acima do tamanho médio e de uma magreza excessiva. Acho que nunca vi um homem tão magro. Todo o seu rosto resumia-se em nariz e queixo, e a pele estava tensa sobre os ossos salientes. No entanto, essa emaciação parecia natural, e não devida a alguma doença, pois seus olhos eram vivos, seus passos rápidos e sua postura ereta. Ele estava vestido de maneira simples, mas bem-feita, e sua idade, devo julgar, seria mais perto dos quarenta que dos trinta.

— Sr. Hatherley? — disse ele, com um sotaque alemão. O Senhor me foi recomendado, Sr. Hatherley, como um homem que não é apenas proficiente em sua profissão, mas também é discreto e capaz de preservar um segredo.

Eu me inclinei sentindo-me tão lisonjeado quanto qualquer jovem em tal situação.

— Posso perguntar quem me deu um personagem tão bom?

— Bem, talvez seja melhor eu não lhe contar isso neste momento. — Tenho da mesma fonte que o senhor é órfão, solteiro e mora sozinho em Londres.

— Está correto — respondi —, mas o senhor vai me desculpar se eu disser que não consigo ver como tudo isso se aplica as minhas qualificações profissionais. Entendo que foi sobre um assunto profissional que o senhor veio falar comigo!?

— Sem dúvida que sim, mas descobrirá que tudo o que digo vai direto ao ponto. Tenho uma missão profissional para o senhor, mas o sigilo absoluto é bastante essencial — sigilo absoluto, o senhor entende, e é claro que podemos esperar isso mais de um homem que está sozinho que de um que vive no seio de uma família.

— Se eu prometer guardar um segredo — disse eu — o senhor pode ter a absoluta certeza que o farei.

Ele olhava muito duro para mim enquanto eu falava, e me pareceu que nunca tinha visto tanta suspeita e questionamento em um olhar.

— Promete então? — perguntou disse finalmente.

— Sim eu prometo.

— Silêncio absoluto e completo antes, durante e depois? Nenhuma referência ao assunto, seja em palavras ou por escrito?

— Eu já te dei minha palavra.

— Muito bom — resmungou.

De repente, ele se levantou e, disparando como um raio atravessou a sala, abriu a porta e conferiu se a passagem lá fora estava vazia.

— Está tudo bem — disse ele, voltando. Sei que os funcionários às vezes ficam curiosos quanto aos assuntos de seus patrões. Agora podemos conversar em segurança.

Ele aproximou a cadeira da minha e começou a me encarar novamente com o mesmo olhar interrogativo e pensativo. Um sentimento de repulsa e algo semelhante ao medo começaram a surgir dentro de mim com as estranhas atitudes daquele homem sem carne. Mesmo meu medo de perder um cliente não pôde me impedir de mostrar minha impaciência.

— Eu peço que o senhor exponha seus negócios. Meu tempo é valioso. O céu que me perdoe pela última frase, mas as palavras vieram aos meus lábios.

— Cinquenta guinéus para o trabalho de uma noite está bom para o senhor?

— Está ótimo!

— Digo uma noite de trabalho, mas uma hora estaria mais próxima da marca. Eu simplesmente quero a sua opinião sobre uma máquina de estampagem hidráulica que estragou. Se o senhor nos mostrar o que há de errado, em breve poderemos corrigi-la. — O que acha de um serviço como esse?

— O trabalho parece ser leve e o pagamento, magnífico.

— Precisamente. Queremos que você vá à noite no último trem.

— Para onde?

— Para Eyford, em Berkshire. É um pequeno local perto das fronteiras de Oxfordshire e a onze quilômetros de Reading. — Há um trem que sai de Paddington que o deixará lá por volta das 23h15min.

— Muito bom.

— Irei em uma carruagem para encontrá-lo.

— Teremos que andar de carro então?

— Sim, nossa pequena propriedade é um pouco retirada. Fica a onze quilômetros da estação de Eyford.

— Então não chegaremos lá antes da meia-noite. Suponho que não haverá chance de pegar um trem para voltar. Serei obrigado a passar a noite lá.

— Sim, poderemos facilmente arranjar-lhe uma cama.

— Isso é muito estranho. Não poderia ir em uma hora mais conveniente?

— Nós julgamos melhor que você chegue tarde. É para recompensá-lo por qualquer inconveniente que estamos lhe pagando — um homem jovem e desconhecido — uma taxa que compraria a opinião dos grandes chefes da sua profissão. Ainda assim, é claro, se o senhor quiser sair do negócio, há muito tempo para fazê-lo.

Pensei nos cinquenta guinéus e em quão úteis eles seriam para mim.

— De jeito nenhum — disse eu —, ficarei muito feliz em me adaptar aos seus desejos. Gostaria, no entanto, de entender um pouco mais claramente o que você deseja que eu faça.

— Sim. É muito natural que a promessa de sigilo que exigimos do senhor tenha despertado sua curiosidade. Não desejo comprometê-lo com nada sem que tudo tenha sido lhe apresentado. Suponho que estamos absolutamente a salvo de bisbilhoteiros!

— Inteiramente.

— O assunto é o seguinte: está ciente de que a terra de pisoeiro é um produto valioso e que só é encontrado em um ou dois lugares na Inglaterra?

— Já ouvi falar sobre isso.

— Há pouco tempo, comprei uma pequena propriedade — um lugar muito pequeno — a menos de dezesseis quilômetros de Reading. Tive a sorte de descobrir que havia um depósito de terra de pisoeiro em um dos meus campos. Ao examiná-lo, no entanto, descobri que esse depósito era relativamente pequeno e que formava um elo entre dois muito maiores à direita e à esquerda — ambos, no entanto, nos terrenos dos meus vizinhos. Essas pessoas ignoravam que suas terras continham algo que era tão valioso quanto uma mina de ouro. Naturalmente, era do meu interesse comprar suas terras antes que descobrissem seu verdadeiro valor, mas, infelizmente, eu não tinha capital para fazer isso. Eu contei para alguns dos meus amigos o segredo e eles sugeriram que trabalhássemos discretamente e secretamente em meu pequeno depósito e, dessa maneira, ganharíamos o dinheiro que nos permitiria comprar os campos vizinhos. É Isso que estamos fazendo há algum tempo e, para nos ajudar em nossas operações, montamos uma prensa hidráulica. Esta imprensa, como já expliquei, estragou e desejamos seu conselho sobre o assunto. No entanto, guardamos o nosso segredo com muito cuidado e se soubessem que tínhamos engenheiros hidráulicos chegando a nossa casa, isso logo provocaria indagações e, se os fatos fossem revelados, seria um adeus a qualquer chance de comprarmos esses campos e executar nossos planos. Foi por isso que fiz me prometer que não diria a um ser humano que vai a Eyford esta noite. Espero ter deixado tudo claro!

— Eu entendi perfeitamente. O único ponto que eu não consegui entender é o uso que poderia fazer de uma prensa hidráulica na escavação de terra de pisoeiro, que, como eu entendo, é escavada como o cascalho de uma mina.

— Ah! — disse ele descuidadamente. Nós temos o nosso próprio processo. Comprimimos a terra em tijolos, para removê-los sem revelar o que são. Mas isso é um mero detalhe. Contei-lhe tudo, Sr. Hatherley, e lhe mostrei como confio no senhor.

Ele se levantou enquanto falava.

— Espero-o em Eyford às 23h15min.

— Eu certamente estarei lá.

— E nem uma palavra para uma alma.

Após um último olhar longo e questionador, pressionou minha mão em um aperto frio e úmido e saiu correndo da sala.

Quando pensei sobre aquilo tudo com a cabeça fria, fiquei muito surpreso — como vocês dois podem pensar — com a missão repentina que me foi confiada. Por um lado, é claro, fiquei contente, pois o pagamento era pelo menos dez vezes maior do que pediria, se fosse eu a determinar um preço, por meus próprios serviços, e era possível que esse trabalho levasse a outros. Por outro lado, o rosto e a maneira do meu contratante causaram uma impressão desagradável em mim, e eu não conseguia pensar que a explicação dele para a terra de pisoeiro fosse suficiente para justificar a necessidade da minha ida à meia-noite e sua extrema ansiedade quanto ao sigilo imposto. Eu deveria contar a alguém sobre minha tarefa. No entanto, joguei todos os medos ao vento, jantei vigorosamente, dirigi-me até Paddington e parti, tendo obedecido à letra a promessa de segurar minha língua.

Em Reading, tive que mudar não apenas de vagão, mas também de estação. Peguei o último trem para Eyford e cheguei à pequena estação pouco iluminada depois das vinte e três horas.

— Eu era o único passageiro que lá fora, e não havia ninguém na plataforma, exceto um carregador sonolento com uma lanterna. Ao passar pelo portão, encontrei meu conhecido da manhã esperando no escuro do outro lado. Sem dizer uma palavra, ele agarrou meu braço e me levou a uma carruagem, cuja porta estava aberta. Ele fechou as janelas de ambos os lados, bateu na madeira e fomos embora o mais rápido que o cavalo podia ir.

— Um cavalo? — interveio Holmes.

— Sim, apenas um.

— O senhor observou a cor?

—Sim, eu vi pelas luzes laterais quando estava entrando na carruagem. Era um cavalo castanho.

— Parecia cansado?

— Não. Descansado e brilhante.

— Obrigado. Lamento ter interrompido o senhor. Por favor, pode continuar sua interessante narrativa.

Lá fomos nós e viajamos por pelo menos uma hora. — O coronel Lysander Stark dissera que eram apenas onze quilômetros, mas devo pensar, pelo ritmo que parecíamos ir e pelo tempo que levamos, que deve ter chegado mais perto dos vinte. Ele ficou sentado ao meu lado em silêncio o tempo todo, e eu percebi, mais de uma vez, quando olhei em sua direção, que ele estava olhando para mim com grande intensidade. As estradas rurais são ruins naquela parte do mundo, pois cambaleamos e sacudimos terrivelmente. — Tentei olhar pelas janelas para ver onde estávamos, mas elas eram feitas de vidro fosco, e eu não conseguia distinguir nada além do ocasional borrão brilhante de uma luz que passava. De vez em quando eu arriscava algumas observações para quebrar a monotonia da viagem, mas o coronel respondia apenas em monossílabos, e a conversa logo acabava. Finalmente o barulho da estrada foi trocado pela suavidade nítida de uma movimentação de cascalho, e a carruagem parou. O coronel Lysander Stark saltou e, enquanto eu o seguia, me puxou rapidamente para uma varanda que se abriu a nossa frente. Demos apenas uns passos ao sairmos da carruagem e já entramos na varanda, de modo que não consegui captar o olhar mais fugaz da frente da casa. No instante em que eu cruzei o vão, uma porta bateu pesadamente atrás de nós, e ouvi fracamente o barulho das rodas enquanto a carruagem se afastava.

Estava escuro como breu dentro da casa, e o coronel procurou fósforos e murmurou algumas palavras. De repente, uma porta se abriu no outro extremo do corredor e uma longa barra de luz dourada disparou em nossa direção. O corredor ficou mais amplo e uma mulher apareceu com uma lâmpada na mão, que ela segurava acima da cabeça, ela projetava o rosto para frente e examinavanos. Pude ver que ela era bonita e, pelo brilho com que a luz cintilava sobre o seu vestido escuro, eu sabia que era um material rico. Ela falou algumas palavras em uma língua estrangeira e pelo tom de voz, percebi que fazia uma pergunta, e quando meu companheiro respondeu de uma maneira monossilábica, ela teve um sobressalto e a lâmpada quase caiu de sua mão. O coronel Stark foi até ela, sussurrou algo em seu ouvido e, em seguida, empurrou-a de volta para a sala de onde tinha vindo e voltou ao meu encontro segurando a lamparina.

— Tenha a gentileza de esperar nesta sala por alguns minutos — disse ele, abrindo outra porta. Era uma sala silenciosa, pequena e mobilada com simplicidade, com uma mesa redonda no centro, na qual estavam espalhados vários livros alemães. O coronel Stark pousou a lâmpada sobre um harmônio ao lado da porta. — Não o deixarei esperar muito — disse ele — e desapareceu na escuridão.

Olhei para os livros sobre a mesa e, apesar da minha ignorância em alemão, pude ver que dois deles eram tratados de ciência, os outros eram volumes de poesia. Então caminhei até a janela, esperando poder vislumbrar o campo, mas uma persiana de carvalho, fortemente trancada, estava dobrada sobre ela. Era uma casa maravilhosamente silenciosa. Havia um relógio velho batendo alto em algum lugar do corredor, mas, de outro modo, tudo estava mortal. Um sentimento de inquietação começou a me invadir. Quem eram esses alemães e o que eles estavam fazendo vivendo naquele lugar estranho e distante? E onde era o lugar? Eu estava a mais de quinze quilômetros de Eyford — isso era tudo que eu sabia — se ao norte, sul, leste ou oeste eu não fazia ideia. Aliás, se Reading, e possivelmente outras cidades grandes, estavam dentro desse raio, então o lugar poderia não ser tão isolado, afinal. No entanto, era absolutamente certo, pelo silêncio absoluto, que estávamos no campo. Andei de um lado para o outro da sala, cantarolando uma melodia para manter o ânimo e sentindo que estava merecendo completamente minha taxa de cinquenta guinéus. De repente, sem nenhum som preliminar no meio da imobilidade absoluta, a porta da sala se abriu lentamente. A mulher estava de pé na abertura e a escuridão do corredor atrás dela. A luz amarela da minha lâmpada bateu em seu rosto ansioso e bonito. Eu pude ver de relance que ela estava com medo, e essa visão enviou um calafrio ao meu próprio coração. Ela levantou um dedo trêmulo para me alertar para ficar em silêncio, e atirou algumas palavras sussurradas de inglês inexato para mim. Seus olhos, como os de um cavalo assustado, olhavam para trás vigiando a escuridão.

— Eu iria — disse ela, tentando, como me pareceu, falar calmamente. — Eu iria...eu não ficaria aqui. Não há nada bom para você fazer.

— Mas, senhora, ainda não fiz o que me pediram. Não posso sair sem ver a máquina.

— Não vale a pena esperar. Pode passar pela porta; ninguém atrapalha.

E então, vendo que sorri e balancei a cabeça, ela repentinamente deu um passo à frente, com as mãos juntas.

— Pelo amor de Deus! — ela sussurrou: Afaste-se daqui antes que seja tarde demais!

Mas sou um pouco obstinado por natureza e mais pronto para me envolver em um caso quando houver algum obstáculo no caminho. Pensei em minha taxa de cinquenta guinéus, em minha jornada cansativa e na noite desagradável que parecia estar diante de mim. Seria tudo por nada? Por que eu deveria fugir sem ter realizado meu serviço e sem o pagamento devido? Pensei: essa mulher pode ser uma monomaníaca. — Com uma postura firme, embora seus modos tivessem me abalado mais do que eu gostaria de admitir, balancei a cabeça e declarei minha intenção de permanecer onde estava. Ela estava prestes a refazer seu pedido quando uma porta bateu no andar de cima e o som de vários passos foi ouvido nas escadas. Ela ouviu por um instante, levantou as mãos com um gesto desesperado e desapareceu silenciosamente.

Os recém-chegados eram o coronel Lysander Stark e um homem baixo e gordo, com tufos de cabelos que cresciam nas dobras do queixo duplo, que me foi apresentado como Sr. Ferguson.

— Este é meu secretário e gerente — disse o coronel. — A propósito, eu tenho a impressão que deixei essa porta fechada quando sai. Temo que o senhor tenha sentido frio.

— Pelo contrário. Eu mesmo abri a porta porque senti que a sala estava um pouco abafada.

Ele lançou um de seus olhares desconfiados sobre mim. Talvez seja melhor continuarmos os negócios. — Sr. Ferguson e eu vamos levá-lo para ver a máquina.

— É melhor eu colocar meu chapéu, suponho.

— Oh, não, está em casa.

— O senhor cava a terra dentro da casa?

— Não, não. Aqui apenas a comprimimos. Mas não importa. Tudo o que queremos é que examine a máquina e nos informe o que há de errado com ela.

Subimos juntos, primeiro o coronel com a lâmpada, depois o gerente gordo e eu atrás dele. Era o labirinto de uma casa antiga, com corredores, passagens, escadas estreitas e tortuosas e pequenas portas baixas, cujos limiares foram escavados pelas gerações que os atravessaram. Não havia tapetes nem sinal de mobília acima do térreo, enquanto o gesso descascava nas paredes e a umidade era marcada por manchas verdes e doentias. — Tentei mostrar-me despreocupado, mas não havia esquecido os avisos da dama, apesar de desconsiderá-los, e fiquei atento aos meus dois companheiros. Ferguson parecia ser um homem sisudo e silencioso, mas pude ver pelo pouco que ele disse que era pelo menos um compatriota.

O coronel Lysander Stark parou finalmente diante de uma porta baixa, que ele destrancou. Dentro havia uma pequena sala quadrada, na qual nós três mal cabíamos. Ferguson ficou do lado de fora, e o coronel me conduziu.

— Estamos agora — disse ele — realmente dentro da prensa hidráulica, e seria uma coisa muito desagradável para nós se alguém a ligasse. O teto desta pequena câmara é a extremidade do pistão que desce com a força de muitas toneladas sobre este piso de metal. Existem pequenas colunas laterais de água, do lado de fora, que recebem a força e a multiplicam e transmitem da maneira que lhe é familiar. A máquina funcionava com bastante facilidade, mas agora há alguma rigidez no seu funcionamento e perdeu um pouco de sua força. O senhor tenha a bondade de examiná-la e nos mostrar como podemos consertar as falhas.

Peguei a lâmpada dele e examinei a máquina minuciosamente. Era realmente gigantesca, capaz de exercer enorme pressão. Quando passei para fora e apertei as alavancas que a controlavam, soube imediatamente, pelo som agudo, que havia um leve vazamento, o que permitia regurgitar a água através de um dos cilindros laterais. Um exame mostrou que uma das bandas de borracha, que contornava a cabeça de uma vareta, havia encolhido, de modo a não encher completamente a cavidade em que trabalhava. Essa era claramente a causa da perda da força, e a apontei para meus companheiros, que seguiram minhas observações com muito cuidado e fizeram várias perguntas práticas sobre como deveriam proceder para consertar a máquina. Quando eu deixei claro para eles, voltei à câmara principal da máquina e dei uma examinada nela para satisfazer minha própria curiosidade. — Era óbvio que a história da terra de pisoeiro era a mais pura invenção, pois seria absurdo supor que um motor tão poderoso pudesse ser projetado para um objetivo tão inadequado. As paredes eram de madeira, mas o chão era constituído por uma grande calha de ferro e, quando fui examiná-la, pude ver uma crosta de depósito metálico por toda parte. Eu tinha me inclinado e estava raspando para ver exatamente o que era quando ouvi uma exclamação murmurada em alemão e vi o rosto cadavérico do coronel olhando para mim.

— O que está fazendo aí? — ele perguntou.

Fiquei com raiva de ter sido enganado por uma história tão elaborada como a que ele me contou.

— Eu estava admirando a terra de pisoeiro. Acho que poderia aconselhá-lo melhor, sobre sua máquina, se soubesse qual é o propósito exato para o qual ela é usada.

No instante em que pronunciei as palavras, me arrependi da seriedade do meu discurso. Seu rosto ficou duro e uma luz maligna surgiu em seus olhos cinzentos.

— Muito bem — disse ele. O senhor deve saber tudo sobre a máquina.

Ele deu um passo para trás, bateu a portinha e girou a chave na fechadura. Eu corri em direção a ela e puxei a maçaneta, mas era bastante segura e não cedeu o mínimo diante de meus chutes e empurrões.

Olá! — eu gritei. Olá! Coronel! — Deixe-me sair!

E de repente, no silêncio, ouvi um som que enviou meu coração a minha boca. Era o barulho das alavancas e do cilindro vazando. Ele havia ligado o motor da máquina. A lâmpada ainda estava no chão onde eu a havia colocado para examinar a calha. Pela sua luz, vi que o teto preto descia sobre mim, devagar, de um jeito brusco, mas, como ninguém sabia melhor que eu, com uma força que em um minuto me transformaria em uma massa disforme. Joguei-me, gritando, contra a porta e arranhei com minhas unhas a fechadura. Implorei ao coronel que me deixasse sair, mas o barulho implacável das alavancas afogou meus gritos. O teto estava a apenas uns cinquenta centímetros acima da minha cabeça e, com a mão erguida, pude sentir sua superfície dura e áspera. Então, surgiu na minha mente que a dor da minha morte dependeria muito da posição em que a encontraria. Se eu colasse meu rosto no chão, o peso cairia sobre a minha coluna, e estremeci ao pensar naquele estalo terrível. Talvez de costas fosse melhor, mas teria a coragem de olhar para aquela sombra negra mortal que pairava sobre mim? Eu já não conseguia me manter ereto quando meus olhos perceberam algo que trouxe um jorro de esperança de volta ao meu coração: como disse que, embora o piso e o teto fossem de ferro, as paredes eram de madeira. Quando dei uma última olhada apressada, vi uma fina linha de luz amarela entre duas das tábuas, que se alargou quando empurrei um pequeno painel para trás. Mal pude acreditar que ali havia de fato uma porta que me afastava da morte. No instante seguinte, me joguei, e cai meio desmaiado do outro lado. O painel se fechou novamente atrás de mim, mas o estrondo da lâmpada e depois, o barulho das duas lajes de metal se chocando, me disseram o quão estreita havia sido minha fuga.

Fiquei mais consciente quando senti um puxão frenético no meu pulso. Encontrava-me deitado no chão de pedra de um corredor estreito, enquanto uma mulher se inclinava sobre mim e me puxava com a mão esquerda, enquanto segurava uma vela com a outra mão. Era a mesma boa amiga cujo aviso eu havia rejeitado tão estupidamente.

— Venha! venha! — ela falou sem fôlego. Eles estarão aqui em um momento. Eles verão que não está lá. Oh, não perca o tempo tão precioso, venha!

Desta vez, não desprezei o conselho dela. Me levantei, corri com ela pelo corredor e desci uma escada sinuosa. Essa conduzia a outra passagem ampla e, assim que chegamos, ouvimos o som de pés correndo e os gritos de duas vozes, uma no mesmo andar em que estávamos respondia a outra no andar de cima. Minha guia parou e olhou em volta como alguém que não sabe qual atitude tomar. Então ela abriu uma porta que dava para um quarto que pela janela entrava a luz brilhante e intensa da lua.

— É a sua única chance — disse ela. — Está alto, mas pode ser que consiga se salvar.

Enquanto ela falava, uma luz surgiu no final do corredor, e vi a figura magra do coronel Lysander Stark avançando com uma lanterna em uma mão e uma arma como o cutelo de açougueiro na outra. Corri pelo quarto, abri a janela e olhei para fora. Quão quieto e belo parecia o jardim ao luar, e não podia estar a mais de dez metros abaixo de mim. Subi no peitoril, mas hesitei em pular até ouvir o que se passava entre a minha salvadora e o bárbaro que me perseguia. Se ela fosse maltratada, eu correria o risco de voltar para ajudá-la. Esse pensamento mal passou pela minha mente e ele já estava na porta empurrando a mulher, mas ela o abraçou e tentou segurá-lo.

— Fritz! — Fritz! — gritou e falou-lhe em inglês: "Lembre-se de sua promessa depois da última vez. Você disse que não aconteceria novamente. Ele ficará calado! Ah, ele guardará segredo!"

— Você enlouqueceu, Elise! — ele gritou, lutando para se afastar dela. Você será a responsável por nossa ruína. Ele viu demais. Deixe-me passar, eu digo!

Ele a jogou para o lado e, correndo para a janela, me cortou com sua arma pesada. Eu estava pendurado no lado de fora com as mãos no peitoril quando ele me golpeou. Tive consciência de uma dor intensa, me soltei e caí no jardim abaixo.

Fiquei abalado, mas não machucado pela queda; levantei-me e corri entre os arbustos o mais rápido que pude, pois entendi que ainda estava longe de estar fora de perigo. Enquanto eu corria, uma tontura e náuseas tomaram conta de mim. Olhei para minha mão que latejava dolorosamente, e então vi que meu polegar havia sido cortado e que muito sangue estava escorrendo do meu ferimento. Eu tentei amarrar meu lenço em volta dele, mas houve um zumbido repentino em meus ouvidos, e caí desmaiado entre as roseiras.

Quanto tempo fiquei inconsciente, não sei dizer. Deve ter passado muito tempo, pois a lua havia sumido e uma manhã brilhante estava nascendo quando recobrei a consciência. Minhas roupas estavam ensopadas de orvalho e a manga do casaco estava ensopada de sangue que saia do meu polegar ferido. A intensa dor me lembrou em um instante todos os detalhes da aventura da minha noite, e me levantei com a sensação de que dificilmente já estaria a salvo de meus perseguidores. Mas, para meu espanto, quando olhei ao meu redor, nem casa nem jardim eram vistos. Eu estava deitado em um ângulo da cerca perto da estrada, e um pouco mais abaixo, havia um prédio comprido que, quando me aproximei, constatei ser a mesma estação em que eu havia chegado na noite anterior. Não fosse a ferida na minha mão, tudo que acontecera naquelas horas horríveis poderia ter sido apenas um sonho mau.

Meio atordoado, entrei na estação e perguntei sobre o trem da manhã. Haveria um para Reading em menos de uma hora. O mesmo carregador que vi quando cheguei estava de serviço. Perguntei a ele se já tinha ouvido falar do coronel Lysander Stark. O nome era estranho para ele. Tinha observado uma carruagem na noite anterior, esperando por mim? Não, ele não tinha. Havia alguma delegacia perto? Havia uma a cerca de cinco quilômetros de distância.

Era muito longe para eu ir, fraco e doente como estava. Decidi esperar até voltar à cidade para contar minha história à polícia. Passava um pouco das seis quando cheguei, então fui primeiro cuidar do meu ferimento e depois o médico teve a gentileza de me trazer aqui. Ponho o caso em suas mãos e farei exatamente o que o senhor aconselhar.

Nós dois ficamos em silêncio por algum tempo depois de ouvir essa narrativa extraordinária. Então Sherlock Holmes tirou da prateleira um dos livros em que guardava seus recortes sobre crimes.

— Aqui está um anúncio que lhe interessará. Ele apareceu em todos os jornais há cerca de um ano. — Ouça o seguinte: Perdido, no 9º inst., Sr. Jeremiah Hayling, 26 anos, engenheiro hidráulico. Deixou o alojamento às dez da noite e não se sabe mais nada sobre desde então. Estava vestido, etc., etc. Ha! Acho que essa foi a última vez que o coronel precisou que sua máquina fosse revisada.

— Deus do céu! — exclamou meu paciente. Isso explica o que a mulher disse.

— Sem dúvida. Está bem claro que o coronel é um homem frio e afoito, que estava absolutamente determinado que nada atrapalhasse seu negócio, como aqueles piratas que não deixam sobreviventes em um navio capturado. Cada minuto é precioso, por isso, se o senhor se sentir bem, iremos imediatamente para a Scotland Yard e depois para Eyford.

Cerca de três horas depois, estávamos todos juntos no trem que ligava de Reading à pequena vila de Berkshire. Éramos: Sherlock Holmes, o engenheiro hidráulico, o inspetor Bradstreet, da Scotland Yard, um homem à paisana e eu. Bradstreet havia espalhado um mapa do condado sobre o assento e estava ocupado com suas bússolas e desenhou um círculo com Eyford como centro.

— Aí está — disse ele. Este círculo foi desenhado num raio de quinze quilômetros da vila. O lugar que queremos deve estar perto dessa linha. O senhor disse quinze quilômetros, não foi?

— Foi uma hora de viagem com um cavalo rápido.

— E o senhor acha que eles o trouxeram de volta quando estava inconsciente?

— Devem ter feito isso. Tenho uma lembrança confusa de ter sido levantado e transportado para algum lugar.

— O que eu não consigo entender — eu disse — é por que eles lhe pouparam quando o encontraram desmaiando no jardim. — Talvez o vilão tenha sido amolecido pelas súplicas da mulher.

— Eu dificilmente acho isso provável. Nunca vi um rosto mais enigmático na minha vida.

— Em breve esclareceremos tudo isso — disse Bradstreet. Eu desenhei um círculo e gostaria de saber em que ponto as pessoas que estamos procurando podem ser encontradas.

— Acho que poderia colocar meu dedo no lugar exato — disse Holmes calmamente.

— Francamente! — exclamou o inspetor. Você já formou sua opinião! Veremos quem concorda com você. Eu digo que é ao sul, porque é a região está mais deserto lá.

— E eu digo que é ao leste — disse meu paciente.

— Sou pelo oeste — observou o policial à paisana. Existem várias pequenas aldeias tranquilas ali.

— E eu pelo o norte — disse eu. Porque não há colinas por lá, e nosso amigo diz que não percebeu que o carro subia.

— Vejam! — exclamou o inspetor, rindo. É uma diversidade de opiniões. Nós rodamos pela a bússola toda. Com quem você, Holmes, concorda?

— Estão todos errados.

— Mas não podemos estar todos errados...

— Oh, sim, vocês podem. Este é o meu ponto.

Ele colocou o dedo no centro do círculo.

— É aqui que os encontraremos.

— Mas e a viagem de quinze quilômetros? Ofegou Hatherley.

— Uns Seis ou sete para ida e o mesmo de volta. Nada mais simples. — O senhor disse que o cavalo estava descansado e brilhante quando entrou no carro. Como estaria se tivesse percorrido quinze quilômetros por estradas pesadas?

— De fato, é uma estratégia — observou Bradstreet, pensativo. — Não há dúvida sobre a natureza dessa quadrilha.

— Nenhuma — disse Holmes. Eles cunham moedas falsas em larga escala e usam a máquina para fazer o amálgama que substituiu a prata.

— Sabemos há algum tempo que uma gangue poderosa está atuando — disse o inspetor. Eles estão produzindo meias coroas aos milhares. Nós os rastreamos até Reading, mas não conseguimos ir mais longe, pois eles cobriram as pistas mostrando que eram velhas raposas. Mas agora, graças a essa chance, acho que os pegaremos.

Mas o inspetor estava enganado, pois esses criminosos não estavam destinados a cair nas mãos da justiça. Ao entrarmos na estação de Eyford, vimos uma gigantesca coluna de fumaça que se projetava por trás de um pequeno grupo de árvores na vizinhança e pendia como uma imensa pluma de avestruz sobre a paisagem.

— Uma casa em chamas?— perguntou Bradstreet quando o trem partiu novamente.

— Sim, senhor! — disse o chefe da estação.

— Quando começou?

— Ouvi dizer que foi durante a noite, mas piorou e todo o lugar está em chamas.

— De quem é a casa?

— Do Dr. Becher.

— Diga-me — interrompeu o engenheiro —, o Dr. Becher é alemão, muito magro, com nariz comprido e afiado?

O chefe da estação riu com vontade.

— Não, senhor, o Dr. Becher é um inglês, e não há um homem na paróquia que tenha um colete mais alinhado. Mas havia um cavalheiro com ele, um hóspede, pelo que entendi, que é estrangeiro, e parece que uma boa carne de boi de Berkshire não faria mal a ele.

O chefe da estação ainda não havia terminado seu discurso e todos apressados fomos na direção do fogo. A estrada alcançava uma colina baixa, e havia um grande edifício caiado de branco a nossa frente, jorrando fogo de todas as fendas e janelas, enquanto no jardim em frente, três carros de bombeiros tentavam em vão manter as chamas apagadas.

— É ali mesmo! — gritou Hatherley, em intensa excitação. — Há o caminho de cascalho e os arbustos de rosas onde caí. Foi daquela segunda janela que eu pulei.

— Pelo menos — disse Holmes — você se vingou deles. Não há dúvida que foi sua lâmpada de óleo que, quando foi esmagada na prensa, incendiou as paredes de madeira. Eles estavam muito ocupados na sua perseguição e não observaram o início do incêndio. Mantenha seus olhos bem abertos nesta multidão para ver se seus amigos da noite passada estão por aqui, embora eu tema que eles estejam a uma boa centena de quilômetros.

E o temor de Holmes veio à tona, pois, desde aquele dia, nenhuma palavra jamais foi ouvida sobre a mulher bonita, o sinistro alemão ou o sombrio inglês. Naquela manhã, um camponês encontrou uma carroça contendo algumas pessoas e várias caixas muito volumosas dirigindo-se rapidamente na direção de Reading, mas todos os vestígios dos fugitivos desapareceram, e nem a perspicácia de Holmes conseguiu descobrir a menor pista sobre o paradeiro deles.

Os bombeiros ficaram muito surpresos com os estranhos apetrechos que haviam encontrado dentro da casa, e muito mais quando acharam um polegar humano recém-cortado no peitoril da janela do segundo andar. No pôr do sol, seus esforços foram finalmente bem-sucedidos e eles subjugaram as chamas, mas não antes que o telhado caísse, e todo o local fosse reduzido a uma ruína tão absoluta que, exceto alguns cilindros retorcidos e tubulações de ferro, nada mais restava da maquina que custara tanto ao infeliz engenheiro. Grandes quantidades de níquel e estanho foram descobertas armazenadas em um local externo, mas não foram encontradas moedas, o que pode explicar a presença das volumosas caixas na carroça vista pelo camponês.

A maneira como o engenheiro hidráulico foi transportado do jardim para o local onde recuperou seus sentidos poderia ter permanecido em mistério para sempre, não fosse o mofo, que nos contou uma história muito clara: ele fora carregado por duas pessoas, uma das quais tinha pés extraordinariamente pequenos e a outra tinha excepcionalmente grandes. É provável que o inglês silencioso, sendo menos ousado ou menos assassino que seu companheiro, tivesse ajudado a mulher a afastar o homem inconsciente do caminho do perigo.

— Bem — disse o engenheiro com tristeza, quando nos sentamos para voltar mais uma vez a Londres: não foi um bom negócio para mim! — Perdi meu polegar e perdi cinquenta guinéus, e o que ganhei?

— Experiência — disse Holmes, rindo. Indiretamente, pode lhe ser de muito valor sabia? Basta colocá-la em prática para que seja uma excelente companhia pelo resto de sua existência.

X

A AVENTURA DO NOBRE SOLTEIRÃO

O casamento de lorde St. Simon e seu curioso término deixaram de ser motivo de interesse nos altos círculos que o infeliz noivo frequenta. Escândalos frescos eclipsaram e seus detalhes mais picantes afastaram as fofocas desse drama ocorrido há quatro anos. Porém, como tenho motivos para acreditar que os fatos completos nunca foram revelados ao público, e como meu amigo Sherlock Holmes teve uma participação considerável em esclarecer a questão, sinto que nenhuma memória sobre Holmes estaria completa sem algum pequeno esboço desse episódio notável.

Algumas semanas antes do meu casamento, nos dias em que eu ainda dividia quartos com Holmes na Baker Street, ele voltou para casa depois de um passeio à tarde e encontrou uma carta esperando por ele. Fiquei dentro de casa o dia todo, pois o tempo havia mudado repentinamente para a chuva, com ventos fortes de outono, e a bala de jezail que eu trouxera de volta em um dos meus membros como uma relíquia de minha campanha afegã latejava com persistência tediosa. Com meu corpo em uma poltrona e minhas pernas sobre outra, eu me cercara de uma nuvem de jornais até que, finalmente, saturado com as notícias do dia, joguei todos de lado e fiquei apático, observando o enorme brasão e monograma do envelope sobre a mesa e imaginando preguiçosamente quem seria o nobre correspondente do meu amigo.

— Aqui está uma carta muito elegante — comentei quando ele entrou. Suas cartas da manhã, se bem me lembro, eram de um vendedor de peixe e de um funcionário da alfândega.

— Sim, minha correspondência tem certamente o charme na variedade — respondeu ele sorrindo, e o mais humilde é geralmente o mais interessante. Parece uma daquelas convocações sociais indesejáveis que exigem que um homem fique entediado ou minta.

Ele quebrou o selo e olhou o conteúdo.

— Oh, veja, pode ser algo interessante, afinal!

— Não é uma carta social, então?

— Não, distintamente profissional.

— É de um cliente nobre então?

— Um dos mais altos da Inglaterra.

— Meu querido companheiro, parabenizo você.

— Garanto-lhe, Watson, sem convencimento, que o status do meu cliente é uma questão de menor importância para mim que o interesse do caso. É possível, porém, que sua posição também esteja presente nesta nova investigação. Você tem lido os jornais ultimamente, não é?

— Parece — eu disse com acanho, apontando para um monte enorme no canto da sala. Eu não tinha mais nada para fazer...

— É uma sorte, pois talvez você possa me informar as últimas notícias. Não li nada, exceto as notícias criminais e a coluna dos anúncios. — Essa última é sempre instrutiva. Mas se você acompanhou de perto os acontecimentos recentes, deve ter lido sobre lorde St. Simon e seu casamento?

— Oh, sim, com o maior interesse.

— Está bem. A carta que tenho na mão é de lorde St. Simon. Vou ler para você e, em troca, você deve revirar esses papéis e fazer com que eu saiba o que quer que seja sobre o assunto. Isto é o que ela diz:

Meu Caro Sr. Sherlock Holmes,

Lord Backwater me disse que posso confiar totalmente em seu julgamento e discrição. Decidi, portanto, procurá-lo e consultá-lo em referência ao evento muito doloroso que ocorreu em relação ao meu casamento. O Sr. Lestrade, da Scotland Yard, já está agindo no assunto, mas ele me assegura que não vê objeção a sua cooperação e que acha que pode ser de alguma ajuda. O procurarei às quatro horas da tarde e, se houver outro compromisso nesse momento, espero que o adie, pois o assunto é de suma importância.

Com os meus cumprimentos,

ROBERT ST. SIMON.

— É datada de Grosvenor Mansions, escrita com uma caneta de pena, e o nobre senhor teve o infortúnio de conseguir uma mancha de tinta na parte externa do dedo mindinho direito.

Observou Holmes enquanto dobrava a carta.

— Ele disse quatro horas. São três agora. Ele estará aqui em uma hora.

— Tenho apenas tempo suficiente, com sua ajuda, para esclarecer o assunto. — Examine esses jornais e organize as notícias segundo as datas, enquanto dou uma olhada em quem é o nosso cliente.

Ele pegou um volume de capa vermelha em uma pilha de livros de referência ao lado da lareira.

— Aqui está ele — disse sentando-se e colocando o livro sobre o joelho. Lord Robert Walsingham de Vere St. Simon, segundo filho do duque de Balmoral. Hum! Armas: Azul, três estrepes no escudo sobre uma faixa de zibelina. Nascido em 1846. Ele tem 41 anos, maduro para o casamento. Foi subsecretário das colônias em uma administração anterior. O duque, seu pai, foi secretário de Relações Exteriores. Eles herdam o sangue de Plantageneta por descendência direta e Tudor pelo lado feminino da família. Ha! Não há nada muito instrutivo nisso tudo. Preciso que me informe algo mais sólido Watson!

— Não tenho dificuldade em encontrar o que você quer — eu disse —, pois os fatos são bastante recentes e o assunto me pareceu notável. Não os comentei com você, pois sabia que tinha uma investigação em mãos e que não gosta da intrusão de outros assuntos.

— Você quer dizer o pequeno problema do furgão de móveis da Grosvenor Square? Isso já está bem esclarecido agora — embora, de fato, fosse óbvio desde o início. Por favor, me dê as notícias selecionadas nos jornais.

— Aqui está a primeira nota que encontrei. Ela está na coluna pessoal do *Morning Post* , e data, como você vê, de algumas semanas atrás: um casamento foi arranjado — dizem aqui — e se os boatos se confirmarem, ocorrerá brevemente entre Lord Robert St. Simon, segundo filho do duque de Balmoral, e Miss Hatty Doran, filha única de Aloysius Doran. Esq., De San Francisco, Cal., EUA.

— Isso é tudo — eu disse.

— Conciso e direto — observou Holmes, esticando as pernas longas e finas em direção ao fogo.

Havia um parágrafo ampliando isso em um dos jornais da sociedade da mesma semana. Ah, aqui está mais uma nota: Em breve haverá um pedido de proteção no mercado de casamentos, pois o atual princípio do livre-comércio parece ser um forte contributo para prejudicar o nosso produto interno. Uma a uma, a administração das casas nobres da Grã-Bretanha está passando para as mãos de nossos primos do outro lado do Atlântico. Uma adição importante foi feita durante a última semana à lista dos prêmios que foram levados por esses encantadores invasores. Lorde St. Simon, que se apresenta há mais de vinte anos contra as flechas do pequeno deus, agora anunciou definitivamente seu casamento com Miss Hatty Doran, a filha fascinante de um milionário da Califórnia. Senhorita Doran, cuja figura graciosa e rosto marcante atraíram muita atenção nas festividades da Westbury House, é filha única e atualmente é relatado que seu dote será consideravelmente superior a seis algarismos, com expectativas para o futuro. Como é um segredo aberto que o duque de Balmoral foi obrigado a vender suas telas nos últimos anos, e como lorde St. Simon não tem patrimônio próprio, exceto a pequena propriedade de Birchmoor, é óbvio que a herdeira californiana não é a única a ganhar com a aliança que lhe permitirá fazer a transição fácil e comum de uma senhora republicana para um título britânico.

— Algo mais? — perguntou Holmes, bocejando.

— Sim; bastante. Há outra nota no *Morning Post* dizendo que o casamento seria muito discreto, celebrado na igreja de St. George's, Hanover Square, que apenas meia dúzia de amigos íntimos seria convidada e que a festa aconteceria na casa mobiliada em Lancaster Gate que foi alugada pelo Sr. Aloysius Doran. Dois dias depois —, ou seja, na quarta-feira passada — há um breve anúncio de que o casamento havia acontecido e que a lua de mel ocorreria na casa de Lord Backwater, perto de Petersfield. Essas são todas as notas que apareceram antes do desaparecimento da noiva.

— Antes do quê? — perguntou Holmes, assustado.

— Do desaparecimento da dama.

— Quando ela desapareceu?

— No café da manhã do casamento.

— De fato — o caso é mais interessante do que prometia; bastante dramático até!

208

— Sim; me pareceu um pouco fora do comum.

— Elas geralmente desaparecem antes da cerimônia e, ocasionalmente, durante a lua de mel; mas não consigo me lembrar de algo tão rápido quanto isso. Por favor, deixe-me ter os detalhes.

— Eu aviso que eles são muito incompletos.

— Talvez possamos torná-los melhores.

— São apresentados em um único artigo de um jornal da manhã de ontem, que vou ler para você. É intitulado: "Ocorrência atípica em um casamento elegante":

A família de lorde Robert St. Simon sofreu grande consternação causada pelos episódios estranhos e dolorosos que ocorreram em relação ao seu casamento. A cerimônia, como anunciada nos jornais de ontem, ocorreu na manhã anterior; mas só agora foi possível confirmar os rumores que flutuam tão persistentemente. Apesar das tentativas dos amigos para esconder o assunto, muita atenção do público foi atraída sobre ele e não se pode mais desconsiderar que é um ponto comum nas notícias.

A cerimônia, realizada em St. George, Hanover Square, foi muito tranquila, com poucas presenças: o pai da noiva, Mr. Aloysius Doran, a duquesa de Balmoral, o lorde Backwater, o lorde Eustace e a lady Clara St. Simon (o irmão mais novo e irmã do noivo) e a lady Alicia Whittington. Depois da cerimônia o grupo seguiu para a casa do Mr. Aloysius Doran, em Lancaster Gate, onde o café da manhã havia sido preparado. Alguns pequenos problemas foram causados por uma mulher, cujo nome não foi anunciado, que forçou entrar na casa atrás dos convidados, alegando que tinha uma ligação com o lorde St. Simon. Foi somente após uma cena constrangedora e prolongada que ela foi expulsa pelo mordomo e pelo lacaio. A noiva, que entrara na casa antes dessa cena desagradável já estava sentada para tomar o café da manhã com seus convidados quando se queixou de uma repentina indisposição e se retirou para o quarto. Sua ausência prolongada causou comentários, seu pai a seguiu, mas soube pela criada que ela só subiu ao quarto por um instante, pegou um casaco e um chapéu e desceu pelo corredor. Um dos lacaios declarou que tinha visto uma dama sair de casa assim vestida, mas recusou-se a creditar que fosse a noiva, acreditando que ela estivesse na companhia dos convidados. Ao verificar que a sua filha havia desaparecido,

Mr. Aloysius Doran, juntamente com o noivo, imediatamente se comunicou com a polícia, e estão sendo feitas investigações muito enérgicas, que provavelmente levarão a um rápido esclarecimento do fato. Até a noite passada, no entanto, nada se sabia sobre o paradeiro da dama desaparecida. Há rumores de crime, e diz-se que a polícia prendeu a mulher que causou a confusão inicial, na crença de que, por ciúmes ou algum outro motivo, ela pode estar ligada ao estranho fato do desaparecimento da noiva.

— E isso é tudo?

— Apenas mais uma nota em outro jornal da manhã, mas esta é sugestiva!

— Que diz?

— "A Srta. Flora Millar, a mulher que causou o tumulto no casamento, foi presa. Comenta-se que ela era uma dançarina no Allegro e que conhece o noivo há alguns anos."

— Não há mais detalhes e todo o caso está em suas mãos agora — até onde foi divulgado pela imprensa.

— É um caso extremamente interessante. Eu não o perderia por nada! Houve um toque na campainha, Watson, e como o relógio avança alguns minutos depois das quatro, não tenho dúvida que será nosso nobre cliente. Não sonhe em sair, Watson, pois prefiro ter uma testemunha, mesmo que apenas para conferir a minha própria memória.

— Lorde Robert St. Simon, anunciou nosso mensageiro abrindo a porta.

Um cavalheiro entrou. Tinha um rosto agradável e ar culto, nariz alto e pele pálida, com uma expressão de petulância na boca, e com o olhar firme de um homem cujo costume é dar ordens e ser obedecido. Seus modos eram rápidos e, no entanto, sua aparência geral dava uma impressão indevida de idade, pois ele tinha uma leve inclinação do corpo e curvava os joelhos enquanto caminhava. Seus cabelos, observei enquanto ele tirava o chapéu de abas muito enroladas, estavam grisalhos nas pontas e finos na parte superior. Quanto a sua vestimenta, ele era cuidadoso a ponto de ser afetado, usava gola alta, paletó preto, colete branco, luvas amarelas, sapatos de couro e polainas de cores claras. Ele avançou lentamente pela sala, examinando de um lado ao outro. Na mão balançava um cordão que pendia de seus óculos dourados.

— Bom dia, lorde St. Simon — disse Holmes, levantando-se e curvando-se. — Por favor, pegue a cadeira de vime. Este é meu amigo e colega, Dr. Watson. Aproxime-se um pouco do fogo e discutiremos o assunto.

— Um assunto muito doloroso para mim, como pode imaginar com facilidade, Sr. Holmes. Estou desconsolado. Imagino que o senhor já tenha administrado vários casos delicados como esse, embora eu presuma que eles não vieram da mesma classe social.

— Não, eu estou descendo.

— Não entendi!

— Meu último cliente, num caso parecido, foi um rei.

— Sério? Eu não fazia ideia... e qual rei?

— O rei da Escandinávia.

— O que! Ele perdeu a esposa?

— Você pode entender — disse Holmes gentilmente — que estendo aos assuntos de meus outros clientes o mesmo sigilo que prometo ao senhor no seu.

— Claro! Muito certo! Muito certo! Peço perdão. Quanto ao meu caso, estou pronto para lhe fornecer qualquer informação que possa ajudá-lo a formar uma opinião.

— Obrigado. Eu já me informei sobre tudo o que está nos jornais, nada mais. Presumo que posso declará-los corretos — este artigo, por exemplo, sobre o desaparecimento da noiva.

Lorde St. Simon olhou para Holmes.

— Sim, está correto, até certo ponto!

— É preciso muita informação antes que eu possa dar uma opinião. Acho que posso chegar as minhas conclusões mais diretamente, questionando você.

— Por favor, faça isso.

— Quando o senhor conheceu a senhorita Hatty Doran?

— Em São Francisco, há um ano.

— O senhor estava viajando pelos Estados Unidos?

— Sim.

— O senhor ficou noivo nessa ocasião?

— Não.

— Mas tornaram-se amigos?

— Eu gostava da companhia dela, e ela percebeu isso.

— O pai dela é muito rico?

— Ele é considerado o homem mais rico da encosta do Pacífico.

— E como ele ganhou tanto dinheiro?

— Na mineração. Ele não tinha nada há alguns anos. Então ele encontrou ouro, investiu e prosperou continuadamente.

— Qual é a sua própria impressão quanto à moça — o caráter de sua esposa?

O nobre balançou o cordão dos óculos e olhou para o fogo.

— Veja, Sr. Holmes — disse ele —, minha esposa tinha vinte anos antes de seu pai se tornar um homem rico. Durante esse tempo, ela correu livre em um campo de mineração e vagou por bosques ou montanhas, de modo que sua educação veio da natureza e não do professor. Ela é o que chamamos na Inglaterra de moleca, com uma natureza forte, selvagem e livre, livre de qualquer tipo de tradição. Ela é impetuosa — vulcânica, eu posso dizer. Ela é rápida em se decidir e não teme executar suas resoluções. Por outro lado, eu não teria dado a ela o nome que tenho a honra de carregar — ele deu uma tossida imponente — se eu não a considerasse uma mulher nobre.

— Tem uma foto dela?

— Eu a trouxe comigo.

Ele abriu um medalhão e nos mostrou o rosto de uma mulher adorável. Não era uma fotografia, mas uma miniatura de marfim, e o artista havia revelado todo o efeito do cabelo preto brilhante, dos grandes olhos escuros e da boca requintada. Holmes olhou demoradamente para ela. Então fechou o medalhão e o devolveu a lorde St. Simon.

— A jovem veio a Londres e vocês se reencontraram!

— Sim, o pai a trouxe para esta última temporada em Londres. Eu a encontrei várias vezes, ficamos noivos e agora me casei com ela.

— Ela trouxe um dote considerável?

— Um dote justo. Não é mais que o habitual em minha família.

— E ele, é claro, ficará com o senhor, já que o casamento é um fato consumado?

— Eu realmente não fiz perguntas sobre o assunto.

— Naturalmente. O senhor esteve com a Miss Doran no dia anterior ao casamento?

— Sim.

— Ela estava entusiasmada?

— Como nunca, senhor! Ela falava sobre o que faríamos juntos em nossa nova vida.

— De fato! Isso é muito interessante. E na manhã do casamento?

— Ela estava muito sorridente — pelo menos até depois da cerimônia.

— O senhor observou alguma mudança nela então?

— Bem, para dizer a verdade, vi os primeiros sinais de um temperamento um pouco forte. O incidente, no entanto, foi muito trivial para ser considerado e não pode ter relação com o caso.

— Por favor, conte-nos mesmo assim.

— Oh, é tão infantil... Ela deixou cair o buquê quando fomos em direção à sacristia. Ele caiu sobre um banco. Houve um momento de atraso, mas o cavalheiro que estava no banco o entregou a ela novamente, e o buquê não pareceu ter sofrido com a queda. Quando falei com ela sobre o assunto, ela me respondeu abruptamente; e na carruagem, a caminho de casa, ela parecia inexplicavelmente agitada por causa desse insignificante acidente.

— O senhor disse que havia um cavalheiro no banco. Algumas pessoas, não convidadas, estavam presentes, então?

— Sim. É impossível excluí-las quando a igreja está aberta.

— Esse cavalheiro não era um dos amigos de sua esposa?

— Não, não. — Eu o chamo de cavalheiro por cortesia, mas ele era uma pessoa bastante comum. Mal notei a sua aparência. Mas realmente acho que estamos fugindo um pouco do ponto que interessa.

— Lady St. Simon, então, voltou do casamento com um estado de espírito menos alegre do que foi. O que ela fez ao entrar na casa do pai?

— Eu a vi conversando com sua criada.

— E quem é a criada dela?

— Alice é o seu nome. Ela é americana e veio da Califórnia com ela.

— Uma criada confidencial?

— Acho que um pouco demais até. Parecia-me que sua ama lhe permitia tomar grandes liberdades. Nos Estados Unidos encaram essas coisas de uma maneira diferente.

213

— Por quanto tempo ela falou com a criada Alice?

— Por alguns minutos. Eu tinha outras coisas em que pensar!

— Não ouviu o que elas diziam?

— Lady St. Simon disse algo sobre "pular um acordo". Ela estava acostumada a usar gírias desse tipo. Não tenho ideia do que ela quis dizer.

— A gíria americana é muito expressiva às vezes. E o que sua esposa fez quando terminou de falar com a criada?

— Ela entrou na sala do café da manhã.

— De braço dado com o senhor?

— Não, sozinha. Ela era muito independente em pequenos assuntos como esse. Depois de mais ou menos dez minutos, ela se levantou apressadamente, murmurou algumas palavras de desculpas e saiu da sala. — E nunca mais voltou.

— Essa criada, Alice, pelo que entendi, declara que a ama foi para o quarto, cobriu o vestido de noiva com um longo casaco, colocou um chapéu e saiu.

— Sim. E depois ela foi vista entrando no Hyde Park em companhia de Flora Millar, uma mulher que agora está sob custódia e que já havia perturbado a casa do Mr. Doran naquela manhã.

— Ah, sim! Gostaria de alguns detalhes sobre essa jovem e suas relações com ela.

Lorde St. Simon encolheu os ombros e ergueu as sobrancelhas.

— Fomos amigos por alguns anos — posso dizer de uma maneira íntima. Ela costumava se apresentar no Allegro. Não a tratei sem generosidade, e ela não tem motivos de queixa contra mim, mas sabe o que são mulheres, Sr. Holmes. Flora é uma encantadora, mas extremamente impulsiva e dedicada a mim. Ela me escreveu cartas terríveis quando soube que eu estava prestes a me casar e, para dizer a verdade, a razão pela qual o casamento foi celebrado tão discretamente foi por temer que houvesse um escândalo na igreja. Ela veio à porta de Mr. Doran logo após o retorno da igreja e tentou entrar. Disse palavras muito abusivas em relação a minha esposa ameaçando-a, mas eu havia previsto a possibilidade de algo desse tipo, e tinha prevenido a dois companheiros de polícia, que faziam a guarda usando roupas particulares, que logo a expulsaram.

— Sua esposa ouviu tudo isso?

— Não, graças a Deus!

— Ela foi vista andando com esta mesma mulher depois?

— Sim. É isso que Lestrade, da Scotland Yard, considera tão sério. Pensa-se que Flora tenha enganado minha esposa e preparado uma armadilha para ela.

— É uma suposição possível.

— O senhor também acha?

— Não disse ser provável. Mas o senhor considera isso provável?

— Flora não machucaria uma mosca!

— O ciúme é um estranho transformador de pessoas. Qual é a sua própria teoria sobre o que aconteceu?

— Eu vim procurar uma teoria, não vim para propor uma! Eu lhe dei todos os fatos. Como me pergunta, no entanto, posso dizer-lhe que me ocorreu ser possível que a emoção, a consciência de que dera um passo social enorme, possa ter causado um pequeno distúrbio nervoso em minha esposa.

— Em resumo, que ela ficou repentinamente perturbada?

— Realmente, quando considero que ela deu as costas — não só a mim, mas a tantas coisas que muitos aspiram sem sucesso — fica difícil explicar de outra maneira.

— Certamente essa também é uma hipótese concebível — disse Holmes, sorrindo. E agora, lorde St. Simon, acho que tenho quase todos os meus dados. Posso perguntar-lhe ainda se estava sentado à mesa do café da manhã em lugar que lhe permitia ver pela janela?

— Poderia ver o outro lado da rua e o parque.

— Não preciso detê-lo por mais tempo. Entrarei em contato.

— Espero que tenha a sorte de resolver esse problema — disse nosso cliente, levantando-se.

— Já está resolvido.

— Hein? O que disse?

— Eu digo que já o resolvi.

— Onde, então, está minha esposa?

— Esse é um detalhe que lhe informarei rapidamente.

Lorde St. Simon balançou a cabeça.

— Eu temo que cabeças mais sábias que a sua ou a minha sejam necessárias — observou ele, curvando-se de uma maneira imponente e antiquada antes de sair.

— É muito bom que lorde St. Simon honre minha cabeça, colocando-a em pé de igualdade com a dele — disse Sherlock Holmes, rindo. Acho que tomarei uma dose de uísque com soda e fumarei um charuto depois de todo esse interrogatório. Tirei minhas conclusões sobre o caso antes de nosso cliente entrar na sala.

— Meu querido Holmes! Tenho anotações de vários casos semelhantes, embora nenhum, como observei antes, aconteceram tão rapidamente. Todo o meu interrogatório serviu para transformar minha conjectura em certeza. As evidências circunstanciais são eventualmente muito convincentes, como quando se encontra uma truta no leite, para citar o exemplo de Thoreau.

— Mas eu ouvi tudo o que você ouviu.

— Sem o conhecimento de casos pré-existentes, o que me serve muito bem. Houve um caso paralelo em Aberdeen, alguns anos atrás, e outro muito parecido em Munique no primeiro ano após a Guerra Franco-Prussiana. É um desses casos... mas, olhe, aqui está o Lestrade! Boa tarde, Lestrade! Você encontrará um copo extra no aparador e há charutos na caixa.

O detetive oficial estava vestido com uma jaqueta e um cachecol, o que lhe dava uma aparência decididamente náutica, ele carregava uma bolsa de lona preta na mão. Com uma breve saudação, sentou-se e acendeu o charuto que lhe fora oferecido.

— O que há então? — perguntou Holmes com um brilho nos olhos. Você parece insatisfeito.

— E me sinto insatisfeito mesmo! É este caso infernal do casamento de St.Simon. Uma história sem pé nem cabeça!

— Realmente? Você me surpreende!

— Quem já ouviu falar de um caso tão complicado? Cada pista parece fugir pelos meus dedos. Estive trabalhando nele o dia todo.

— Você está muito molhado — disse Holmes, colocando a mão no braço da jaqueta dele.

— Sim, estava dragando o Serpentine.

— Em nome do céu, para quê?

— Em busca do corpo de Lady St. Simon.

Sherlock Holmes recostou-se na cadeira e riu com vontade.

— Você dragou também a bacia da fonte da Trafalgar Square?

216

— Por quê? O que você quer dizer?

— Digo que você tem a mesma chance de encontrar essa dama em um lugar quanto no outro.

Lestrade lançou um olhar zangado para o meu companheiro.

— Suponho que você saiba tudo sobre isso — rosnou.

— Acabei de ouvir os fatos, mas já estão concluídos.

— Oh, de fato! Então você acha que o Serpentine não está incluído na investigação?

— Acho muito improvável.

— Então talvez você explique como é que encontramos isso nele? — Ele abriu a bolsa enquanto falava e jogou no chão: um vestido de noiva, num par de sapatos de cetim branco, uma coroa e um véu de noiva, todos descoloridos e encharcados de água. — E agora? — perguntou colocando uma aliança novinha no topo da pilha. Temos um problema para você, mestre Holmes.

— Que coisa! — exclamou meu amigo, soprando anéis azuis de fumaça para o alto. Você os retirou do Serpentine?

— Não. Eles foram encontrados boiando perto da margem por um guarda-parque. Foram identificados como sendo da noiva desaparecida, e me pareceu que, se as roupas estavam lá, o corpo não estaria longe.

— Pelo mesmo raciocínio brilhante, o corpo de todo homem pode ser encontrado na vizinhança de seu guarda-roupa. E diga-me, você esperava chegar aonde com isso?

— Em alguma evidência que implicasse Flora Millar no desaparecimento.

— Acho difícil!

— Verdade? — falou Lestrade com um pouco de amargura. Holmes, receio que você não seja muito assertivo com suas deduções e inferências. Você cometeu dois erros em alguns minutos. Este vestido implica Miss Flora Millar.

— E como?

— No vestido há um bolso. No bolso havia uma carteira de cartão de visitas. Na carteira havia um bilhete que aqui está.

Ele bateu na mesa a sua frente.

— Ouça o seguinte:

Você me verá quando tudo estiver pronto. Venha logo.

FHM

Minha teoria, desde o princípio, foi que Lady St. Simon foi enganada por Flora Millar e que ela, com seus cúmplices, foi a responsável por seu desaparecimento. Aqui, assinado com as iniciais dela, está o bilhete que, sem dúvida, passou silenciosamente para suas mãos e a atraiu.

— Muito bem, Lestrade — disse Holmes, rindo. Você realmente é muito sagaz. Deixe-me vê-lo.

Holmes pegou o bilhete com indiferença, mas sua atenção instantaneamente se tornou fascinante, e ele deu um pequeno grito de satisfação.

— Isso é realmente importante — disse ele.

— Você acha isso?

— Extremamente importante. Parabenizo-lhe.

— Lestrade se levantou e inclinou a cabeça para olhar o porquê do entusiasmo. Você está olhando pelo lado errado...

— Pelo contrário, este é o lado certo.

— O lado certo? Você é louco! Aqui está a nota escrita a lápis, neste lado.

— E aqui está o que parece ser o fragmento de uma conta de hotel, o que me interessa profundamente.

— Não há nada nele. Eu já vi isso antes — disse Lestrade. Oct.4th; quartos 8s.; Café da manhã 2/6d.; Coquetel 1s.; Almoço 2/6 d.; Xerez de vidro, 8d . Não vejo nada nisso!

— Compreendo. Mas é muito importante, mesmo assim. Quanto ao bilhete, também é importante, ou pelo menos as iniciais são, por isso quero parabenizá-lo novamente.

— Já perdi tempo suficiente — disse Lestrade, levantando-se. Acredito no trabalho duro e não em ficar sentado perto do fogo, contando com boas teorias. Bom dia, Sr. Holmes, e veremos quem resolve primeiro o caso.

Ele recolheu as roupas, enfiou-as na bolsa e foi para a porta.

Apenas uma pista para você, Lestrade — falou Holmes antes que seu rival desaparecesse. Vou lhe dizer a verdadeira solução do problema: Lady St. Simon é um mito. Não existe e nunca existiu essa pessoa.

Lestrade lançou um triste olhar para o meu companheiro. Depois ele se virou para mim, bateu na testa três vezes, balançou a cabeça solenemente e saiu apressadamente.

Mal tinha fechado a porta atrás de si quando Holmes se levantou para vestir o sobretudo.

— Há algo verdadeiro no que este sujeito disse sobre o trabalho ao ar livre — observou ele. Então, Watson, devo deixar você com seus jornais por algum tempo.

Passava das cinco horas quando Sherlock Holmes me deixou, mas eu não tive tempo para ficar sozinho, pois em menos de uma hora chegou o funcionário de uma confeitaria com uma caixa plana muito grande. Ele a desfez com a ajuda de um jovem que ele havia trazido consigo e para meu grande espanto, uma pequena ceia fria e apetitosa começou a ser montada em nossa humilde mesa. Havia uma galinha-d'angola fria, um faisão, uma torta de patê de *foie gras,* algumas garrafas antigas e com teias de aranha. Tendo exposto todos esses luxos, meus dois visitantes desapareceram, como os gênios das Noites da Arábia, sem nenhuma explicação, exceto que as coisas estavam pagas e haviam sido encomendadas para o nosso endereço.

Pouco antes das nove horas, Sherlock Holmes entrou rapidamente na sala. Suas feições eram gravemente definidas, mas havia uma luz em seus olhos que me fez pensar que ele não havia se decepcionado com suas conclusões.

— Arrumaram a ceia — disse ele, esfregando as mãos.

— Você parece esperar companhia. Puseram a mesa para cinco pessoas.

— Sim, teremos visitas — disse ele. Estou surpreso que lorde St. Simon ainda não tenha chegado. Ha! Acho que ouvi os passos dele na escada.

De fato, foi o visitante da tarde que entrou, balançando os óculos com mais vigor que nunca, e com uma expressão muito perturbada em suas feições aristocráticas.

— Meu mensageiro chegou até você, então? — perguntou Holmes.

— Sim, e confesso que o conteúdo me assustou muitíssimo. O senhor tem argumentos para o que diz?

— Os melhores possíveis.

Lorde St. Simon afundou-se em uma cadeira e passou a mão sobre a testa.

— O que dirá o duque — ele murmurou — quando souber que alguém da sua família foi submetido a tanta humilhação?

— Foi um incidente. Não posso concordar que houve humilhação.

— O senhor olha essas coisas de outro ponto de vista.

— Não vejo que alguém seja o culpado. Mal consigo ver como a dama poderia ter agido de outra maneira, embora seu método abrupto de fazê-lo fosse, sem dúvida, lamentável. Não tendo mãe, ela não tinha ninguém para aconselhá-la nessa crise.

— Foi um vexame, senhor, uma humilhação pública — disse lorde St. Simon, batendo os dedos sobre a mesa.

— O senhor deve conceder o perdão para essa mulher colocada em uma posição sem precedentes.

— Não farei concessões. Estou com muita raiva por ter sido vergonhosamente usado.

— Acho que ouvi um toque da campainha — disse Holmes. Sim, há passos nos degraus. Se não posso convencê-lo a ter uma visão branda do assunto, lorde St. Simon, trouxe aqui um advogado que pode ter mais sucesso.

Ele abriu a porta e conduziu uma dama e um cavalheiro. Lorde St. Simon — disse ele, permita-me apresentá-lo ao Sr. e Sra. Francis Hay Moulton. A senhora, o senhor já conhece.

Ao ver esses recém-chegados, nosso cliente levantou-se e ficou muito ereto, com os olhos abaixados e a mão enfiada no peito do casaco, uma imagem de dignidade ofendida. A senhora deu um rápido passo à frente e estendeu a mão para ele, mas ele ainda se recusava a levantar os olhos. Talvez fosse bom para sustentar sua resolução, talvez, pois àquele rosto suplicante seria difícil resistir.

— Você está com raiva, Robert — disse ela. — Acho que tem toda razão.

— Por favor, não se desculpe — disse lorde St. Simon, amargamente.

— Sim, eu sei que te tratei muito mal e que deveria ter falado com você antes de partir; mas fiquei muito abalada, e desde o momento em que vi Frank novamente, não sabia o que estava fazendo ou dizendo. — Só me pergunto como não caí ou desmaiei bem diante do altar.

Talvez, senhora Moulton, gostaria que meu amigo e eu saíssemos da sala enquanto explica tudo!

— Se posso dar uma opinião — observou o estranho cavalheiro —, já temos segredos demais sobre esse assunto. — Da minha parte, gostaria que toda a Europa e a América ouvissem a verdade sobre essa história.

Ele era um homem baixo, magro, queimado pelo sol, barbeado, com um rosto vivo e um jeito alerta.

— Vou contar a nossa história imediatamente — disse a senhora. — Frank e eu nos conhecemos em 1884, no acampamento de McQuire, perto das Montanhas Rochosas, onde meu pai estava trabalhando. Estávamos noivos, mas um dia o meu pai bateu em um veio rico e fez uma pilha de dinheiro enquanto o pobre Frank tinha uma concessão que se esgotou e não deu em nada. Quanto mais rico meu pai ficava, mais pobre era Frank; por fim, papai não quis mais que nosso noivado durasse e me levou para Frisco. Frank não desistiu de mim; então ele me seguiu até lá e me encontrava sem o meu pai saber. Isso o deixaria louco e então resolvemos tudo por nós mesmos. Frank disse que ele também faria sua fortuna e nunca mais voltaria para me reivindicar até que ele tivesse tanto quanto o meu pai. Então, prometi esperar por ele e me comprometi a não me casar enquanto ele vivesse. — Por que não nos casamos imediatamente? — disse ele. Estaremos unidos e só me apresentarei como seu marido quando voltar. — Nós conversamos sobre isso, e ele havia combinado tudo com um clérigo. Casamo-nos e Frank saiu para procurar sua fortuna, e eu voltei para o meu pai.

A primeira notícia que ouvi sobre Frank foi que ele estava em Montana, depois que fazia uma prospecção no Arizona, e depois ouvi falar dele no Novo México. Depois disso, veio uma longa história no jornal sobre um acampamento de mineiros que havia sido atacado por índios Apache, e havia o nome do meu Frank entre os mortos. Desmaiei quando li e fiquei muito doente durante meses depois. O meu pai achou que eu tinha alguma doença e me levou à metade dos médicos em Frisco. Nenhuma notícia veio por um ano e mais, de modo que eu nunca duvidei que Frank estivesse realmente morto. Então lorde St. Simon veio a Frisco, fomos a Londres, e um casamento foi arranjado. Meu pai ficou muito satisfeito, mas eu sentia o tempo todo que nenhum homem jamais ocuparia o lugar no meu coração que foi dado ao meu pobre Frank.

Se eu tivesse casado com lorde St. Simon, é claro que teria cumprido meu dever para com ele. Não podemos comandar nosso amor, mas podemos ter o domínio sobre nossas ações. Fui ao altar com ele com a intenção de tornar-me uma esposa tão boa quanto me fosse possível, mas vocês podem imaginar o que senti quando, assim que cheguei ao altar, olhei para trás e vi Frank em pé, olhando para mim do primeiro banco. Eu pensei, a princípio, que era o fantasma dele, mas quando olhei novamente ele ainda estava lá, com uma de pergunta nos olhos, querendo saber se eu estava feliz ou triste em vê-lo. Eu me pergunto como não caí. Tudo estava girando, e as palavras do clérigo eram como o zumbido de uma abelha no meu ouvido. Não sabia o que fazer. Perguntava-me: devo parar a cerimônia e fazer uma cena na igreja? Eu olhei para ele novamente, e ele parecia saber o que eu estava pensando, pois levou o dedo aos lábios para me dizer para ficar quieta. Então eu o vi rabiscar em um pedaço de papel e sabia que ele estava me escrevendo um bilhete. Quando passei pelo banco, na saída, deixei meu buquê cair sobre ele, e ele colocou o bilhete na minha mão quando me devolveu as flores. Era apenas uma linha pedindo para eu me juntar a ele quando desse um sinal me chamando. Nunca duvidei, por um momento, que meu primeiro compromisso era para com ele e decidi fazer exatamente o que ele propunha.

Quando cheguei a casa para o café da manhã, contei a minha criada, que o conheceu na Califórnia e sempre fora sua amiga. Eu pedi que ela não dissesse nada a ninguém, mas que arrumasse algumas coisas na maleta e deixasse meu casaco à mão. Eu sei que deveria ter falado com lorde St. Simon, mas teria sido terrivelmente difícil diante de sua mãe e de todas aquelas pessoas. Eu apenas decidi fugir e explicar depois. Não fazia nem dez minutos que estávamos à mesa quando vi Frank, pela janela, do outro lado da rua. Ele acenou para mim e depois entrou no parque. Saí da mesa, vesti meu casaco e o segui. Uma mulher veio falar alguma coisa sobre lorde St. Simon para mim — pareceu-me, pelo pouco que ouvi, que ele também tinha um pequeno segredo antes do casamento —, mas consegui me afastar dela e logo alcancei Frank. Entramos em um carro de aluguel e dali fomos a um aposento que ele havia reservado na Gordon Square, e ali foi meu verdadeiro casamento depois de todos esses anos de espera. Frank fora prisioneiro dos apaches, escapara, chegara a Frisco onde soube que eu o julgava morto. Veio para a Inglaterra, encontrando-me finalmente no dia do meu segundo casamento.

— Vi a notícia em um jornal — explicou o americano. Falava o nome dos noivos e a igreja, mas não dizia onde a dama morava.

— Tivemos uma conversa sobre o que deveríamos fazer, e Frank era totalmente a favor dos esclarecimentos, mas eu tinha tanta vergonha que senti que gostaria de desaparecer e nunca mais ver nenhuma daquelas pessoas novamente — apenas enviaria uma mensagem para meu pai dizendo a ele que eu estava viva. Foi horrível pensar em todos aqueles senhores e senhoras sentados em volta da mesa do café esperando que eu voltasse. Frank pegou meu vestido de casamento e os outros adereços, fez um embrulho deles e os jogou em algum lugar onde ninguém pudesse encontrá-los. Provavelmente iríamos para Paris amanhã, mas este bom cavalheiro, Sr. Holmes, foi nos procurar esta noite. Como ele nos encontrou não podemos imaginar, mas ele nos mostrou muito claramente que eu estava errada e que Frank estava certo, e que cometeríamos grande falha se continuássemos escondidos. Então ele nos ofereceu a chance de conversarmos com lorde St. Simon sozinho, e assim estamos aqui. Agora, Robert, você já ouviu tudo, e lamento muito ter lhe causado dor e espero que você não pense muito mal de mim.

Lorde St. Simon de maneira alguma relaxou sua atitude rígida, mas ouvira com as sobrancelhas franzidas e os lábios comprimidos esta longa narrativa.

— Com licença — ele disse —, não é meu costume discutir meus assuntos pessoais mais íntimos dessa maneira: publicamente.

— Você não vai me perdoar? Não vai apertar minha a mão antes de ir?

— Oh, certamente, se isso lhe der algum prazer...

Estendeu a mão e apertou friamente a dela.

— Eu esperava — disse Holmes — que se juntasse a nós em um jantar amigável.

— O senhor me pede um pouco demais — respondeu o lorde. Eu posso ser forçado a aceitar esses acontecimentos recentes, mas comemorá-los não é de se esperar! Com a sua permissão, desejo a todos uma ótima noite.

Despediu-se de todos nós com uma única inclinação de corpo e saiu da sala com passos altivos.

— Espero que vocês me honrem com suas companhias — disse Sherlock Holmes. — É sempre uma alegria conhecer um americano, Sr. Moulton, pois sou um daqueles que acreditam que a loucura de um monarca e o erro de um ministro não impedirão que, um dia, nossos filhos sejam cidadãos de um mesmo país, de extensão mundial, sob uma bandeira que será a junção do pavilhão do Reino Unido com a bandeira Americana.

— O caso foi interessante — observou Holmes quando nossos visitantes nos deixaram, porque serve para mostrar claramente como pode ser simples um caso que, à primeira vista, parece ser quase inexplicável. Nada poderia ser mais natural que a sequência dos fatos narrada por essa senhora e nada mais estranho que as conclusões tiradas, por exemplo, pelo Sr. Lestrade, da Scotland Yard.

— Você não teve dúvidas, então?

— Desde o início, dois fatos eram muito óbvios para mim: aquele em que a senhora estava bastante disposta a se submeter à cerimônia de casamento, e o outro em que ela se arrependeu poucos minutos depois de voltar para casa. Obviamente, algo ocorreu durante a manhã para fazê-la mudar de ideia. O que poderia ser? Ela não teve a oportunidade de falar com ninguém quando estava fora, pois estava na companhia do noivo. Ela viu alguém então? Se tivesse visto, deveria ser alguém da América, porque ela havia passado pouco tempo aqui neste país. Dificilmente alguém daqui adquirira uma influência tão profunda sobre ela a ponto de uma simples visão mudar seus planos completamente. Você vê que já chegamos, por um processo de exclusão, que ela poderia ter visto um americano. Então quem seria esse americano e por que ele teria tanta influência sobre ela? Poderia ser um amante; poderia ser um marido. Eu sabia que sua juventude foi passada em locais rudes e sob condições difíceis. Eu já tinha chegado nesse ponto antes de ouvir a narrativa do lorde St. Simon. Quando ele nos falou de um homem em um banco na Igreja, da agitação da noiva, de uma maneira tão transparente para se obter um bilhete como a entrega de um buquê, da conversa da dama com sua criada confidencial e de sua alusão, muito significativa, a expressão "pular um acordo" — que, na linguagem dos mineiros, significa tomar posse daquilo que outra pessoa já tem por direito — toda a situação ficou absolutamente clara. Ela fugiu com um homem, e o homem era seu amante ou era seu marido — as chances eram a favor desse último.

— E como você os encontrou?

— Poderia ter sido difícil, mas o amigo Lestrade tinha informações em mãos, cujo valor ele próprio não conhecia. — As iniciais eram, é claro, da maior importância, mas mais valioso ainda era saber que há menos de uma semana ele pagara a conta em um dos hotéis mais selecionados de Londres.

— Como você deduziu que o hotel era requintado?

— Pelos preços elevados. Oito xelins por uma cama e oito centavos por um copo de xerez apontavam para um dos hotéis mais caros. Não há muitos em Londres que cobram essa taxa. No segundo hotel que visitei na Northumberland Avenue, soube por uma inspeção do livro, que Francis H. Moulton, um cavalheiro americano, havia saído no dia anterior e, ao examinar as anotações, me deparei com os mesmos itens que eu tinha visto na segunda via da conta. — Suas cartas deveriam ser encaminhadas para 226 Gordon Square; para onde me dirigi e, por ter a sorte de encontrar o casal apaixonado, arrisquei-me a dar-lhes conselhos paternais e apontar-lhes que seria melhor, em todos os aspectos, que eles deixassem sua posição um pouco mais clara, tanto para o público quanto para lorde St. Simon em particular. — Convidei-os para encontrá-lo aqui e tratei de trazê-lo também.

— Mas sem resultado muito bom — comentei. — A conduta do lorde certamente não foi muito gentil.

— Ah, Watson! — disse Holmes, sorrindo —, talvez você também não fosse muito gentil se, depois de fazer a corte e se casar, se sentisse privado, no mesmo instante, da esposa e da fortuna. Penso que devemos julgar lorde St. Simon com muita solidariedade e agradecer as nossas estrelas por nunca termos nos encontrado na mesma circunstância. Ponha sua cadeira mais perto e me entregue meu violino, pois o único problema que ainda temos que resolver é como passar essas noites sombrias de outono.

XI

A AVENTURA DO DIADEMA DE BERILO

Holmes — eu disse, uma manhã em nossa janela de arco, olhando para a rua: está vindo um louco. É bastante triste que seus parentes permitam que ele saia sozinho.

Meu amigo levantou-se preguiçosamente da poltrona e ficou com as mãos nos bolsos do roupão, olhando por cima do meu ombro. Era uma manhã clara e fresca de fevereiro, e a neve espessa do dia anterior ainda estava no chão, brilhando intensamente ao sol invernal. No centro da Baker Street, a neve fora espalhada pelo tráfego e transformou-se em uma faixa marrom esfacelada, mas amontoada em ambos os lados, nas bordas da trilha, ainda estava branca como quando caiu. A calçada cinza havia sido limpa, mas ainda estava perigosamente escorregadia, de modo que havia menos transeuntes que o habitual. De fato, da direção da Estação Metropolitana ninguém estava vindo, exceto o único cavalheiro cuja conduta excêntrica havia atraído minha atenção.

Ele era um homem de cerca de cinquenta anos, alto, corpulento e imponente, com um rosto enorme, fortemente marcado. Era uma figura que se impunha. Ele estava vestido com um estilo sombrio, mas rico, com casaco preto, chapéu brilhante, polainas marrons e calças cinza-pérola bem cortadas. Suas ações contrastavam absurdamente com a dignidade de suas roupas e feições, pois ele corria com dificuldade, com pequenos pulos ocasionais, como um homem cansado que está pouco acostumado a aplicar qualquer esforço sobre suas pernas. Enquanto corria, ele erguia as mãos para cima e para baixo, balançando a cabeça e trazendo no rosto as contorções mais estranhas.

— Que diabos pode haver com ele? — perguntei. — Ele está olhando para o número das casas.

— Eu acredito que esteja vindo para cá — disse Holmes, esfregando as mãos.

— Aqui?

— Sim; Penso que ele vem me consultar profissionalmente.

— Reconheço os sintomas. Ha! Eu não disse?

Enquanto ele falava, o homem, ofegante, correu a nossa porta e tocou a campainha até que em toda a casa ressoasse o ruído.

Alguns momentos depois, ele estava em nossa sala, ainda ofegante, ainda gesticulando, com tanta tristeza e desespero em seus olhos que nossos sorrisos se transformaram, em um instante, em piedade. Por um tempo, ele não conseguiu expressar suas palavras, mas balançava o corpo e puxava os cabelos como alguém que foi levado aos limites de sua razão. Então, de repente, pondo-se de pé, ele bateu a cabeça contra a parede com tanta força que nós dois corremos para ele e o trouxemos para o centro da sala. Sherlock Holmes empurrou-o para a poltrona e, sentando-se ao seu lado, deu um tapinha em sua mão e conversou com ele nos tons suaves e tranquilos que ele sabia muito bem usar.

— Veio a mim para contar sua história, não foi? — disse ele. O senhor está fatigado por causa da sua correria. Espere até que se recupere para poder narrá-la e ficarei muito feliz em investigar qualquer pequeno problema que possa me apresentar.

O homem ficou sentado por um minuto ou mais com o peito arfante, lutando contra a emoção. Então ele passou o lenço por cima da testa, apertou os lábios e virou o rosto para nós.

— Sem dúvida, os senhores me acham louco! — disse ele.

— Vejo que tem um grande problema — respondeu Holmes.

— Deus sabe que tenho! — um problema que é suficiente para derrubar minha razão, tão repentino e terrível que é. A desgraça pública eu poderia ter enfrentado, embora eu seja um homem cujo caráter ainda não foi manchado. A aflição privada também é o destino de todo homem; mas os dois se unindo, e de uma forma tão assustadora, foram decisivos para abalar a minha alma. Além disso, não estou sozinho nessa trama. Os mais nobres do país podem sofrer, a menos que seja possível encontrar alguma solução para esse assunto horrível.

— Por favor, recomponha-se — disse Holmes — e deixe-me ter uma ideia clara de quem o senhor é e o que lhe aconteceu.

— Meu nome — respondeu nosso visitante — provavelmente é familiar para seus ouvidos. Sou Alexander Holder, da firma bancária Holder & Stevenson, da Threadneedle Street.

O nome era de fato bem conhecido por pertencer ao parceiro sênior da segunda maior empresa bancária, privada, da cidade de Londres. O que poderia ter acontecido, então, para levar um dos principais cidadãos de Londres a este estado lamentável? Esperamos, com toda a curiosidade, até que, com muito esforço, ele se preparou para contar a sua história.

— Sinto que o tempo é valioso — disse ele. Foi por isso que me apressei em vir até aqui quando o inspetor da polícia sugeriu que eu pedisse a sua cooperação. Cheguei à Baker Street pelo metrô e me apressei a pé, pois os carros atravessam lentamente a neve. Por isso fiquei tão sem fôlego, pois sou um homem que faz muito pouco exercício. Sinto-me melhor agora e apresentarei os fatos o mais breve e claro possível.

Os senhores sabem que, um negócio bancário de sucesso, depende tanto de conseguirmos encontrar investimentos remunerados para nossos fundos quanto de aumentarmos nossas relações e o número de nossos depositantes. Um dos nossos meios mais lucrativos de investir dinheiro é na forma de empréstimos, onde a segurança seja garantida. Fizemos bastante nesse sentido nos últimos anos, e há muitas famílias nobres para as quais emprestamos grandes somas em dinheiro tendo como garantia as suas telas, bibliotecas ou baixelas.

Ontem pela manhã, estava sentado no meu escritório no banco quando um cartão me foi entregue por um dos funcionários. Surpreendi-me quando vi o nome, pois era ninguém menos que — talvez até para os senhores seja melhor eu não dizer o nome — um homem conhecido em todo o mundo. Um dos mais ilustres, mais nobres e exaltados nomes da Inglaterra. Fiquei impressionado com a honra e tentei, quando ele entrou, dizer isso, mas ele mergulhou imediatamente nos negócios com o ar de um homem que deseja se livrar de uma tarefa desagradável.

— Sr. Holder — disse ele —, fui informado de que o senhor empresta dinheiro.

— O banco faz isso quando a segurança é boa — respondi.

— É absolutamente necessário que eu disponha de cinquenta mil libras de uma vez. Eu poderia, é claro, pedir emprestada uma quantia dez vezes maior aos meus amigos, mas prefiro resolver essa questão como um negócio e fazer isso sozinho. Na minha posição, o senhor pode entender prontamente que não é prudente colocar-me sob obrigações.

— Por quanto tempo o senhor quer essa quantia?

— Na próxima segunda-feira, receberei uma grande quantia e certamente restituirei o empréstimo com qualquer juro que julgue correto cobrar. Mas é essencial para mim que o dinheiro me seja entregue imediatamente.

— Eu ficaria feliz em atendê-lo usando meu próprio dinheiro se tivesse condições para isso — eu disse. Ao fazê-lo em nome da empresa, em justiça ao meu parceiro, devo solicitar que, mesmo no seu caso, todas as precauções comerciais sejam tomadas.

— Eu prefiro que seja assim mesmo — disse ele, erguendo uma caixa quadrada e preta de couro que ele havia colocado ao lado de sua cadeira. O senhor certamente já ouviu falar do Diadema de Berilo.

— Um dos bens públicos mais preciosos do império — eu disse.

— Precisamente — disse abrindo o estojo e ali, embutido em veludo macio e cor de carne, estava a magnífica peça de joalharia que ele havia nomeado. Existem trinta e nove berilos enormes — disse ele — e o preço dos engastes no ouro é incalculável. A avaliação mais baixa colocaria o valor do diadema no dobro da quantia que pedi. Estou preparado para deixá-lo como minha garantia.

— Peguei o precioso estojo em minhas mãos e olhei com certa perplexidade para o meu ilustre cliente.

— O senhor duvida do seu valor? — ele perguntou.

— De modo nenhum. Eu só duvido...

— Duvida da conveniência de eu deixá-lo. Pode ficar tranquilo com relação a isso. Eu não sonharia em fazê-lo, se não estivesse absolutamente certo que serei capaz de recuperá-lo em quatro dias. É uma questão formal. A garantia é suficiente?

— Perfeitamente.

— Entenda, senhor Holder, que estou lhe dando uma forte prova da confiança baseado em tudo o que ouvi sobre o senhor. Eu confio que será discreto e evitará comentários sobre o assunto, mas, acima de tudo, confio que preservará este diadema com todas as precauções possíveis, porque não preciso dizer que um grande escândalo público seria causado se ocorresse algum dano a ele. Qualquer lesão seria quase tão séria quanto sua perda total, pois não existem berilos no mundo que correspondam a esses e seria impossível substituí-los. Deixo-o com o senhor com toda a confiança, e o buscarei pessoalmente na segunda-feira de manhã.

Vendo que meu cliente estava ansioso para sair, não falei mais nada. Chamei meu caixa, pedi que lhe entregasse cinquenta notas de mil libras e quando fiquei sozinho com o precioso estojo sobre a mesa a minha frente, não pude deixar de pensar com algumas apreensões na imensa responsabilidade que incidira sobre mim. Não havia dúvida de que, por se tratar de uma possessão nacional, haveria um escândalo horrível se ocorresse algum infortúnio. Eu já me arrependera de ter consentido me encarregar da sua guarda. No entanto, era tarde demais para alterar o assunto, então tranquei-o no meu cofre particular e voltei ao meu trabalho.

Quando a noite chegou, senti que seria uma imprudência deixar algo tão precioso no escritório. Cofres de banqueiros já haviam sido forçados antes, e por que o meu não poderia ser? Se sim, quão terrível seria a posição em que me encontraria! Decidi que, nos próximos dias, sempre levaria o diadema comigo, para que nunca estivesse fora do meu alcance. Com essa intenção, chamei um carro e dirigi-me até minha casa em Streatham, carregando a joia comigo. Não respirei com tranquilidade até subir ao segundo andar e trancá-lo no armário do meu quarto de vestir.

E agora uma palavra sobre os que moram em minha casa, Sr. Holmes, pois desejo que vocês entendam completamente a situação: meu cavalariço e meu mensageiro dormem fora da casa e podem ser excluídos do caso. Tenho três criadas que estão comigo há vários anos e cuja confiabilidade absoluta está bem acima da suspeita. Uma outra, Lucy Parr, a segunda camareira, só está a meu serviço há alguns meses. Ela veio com uma excelente recomendação e sempre me atendeu muito bem. Ela é uma garota muito bonita e atrai admiradores que ocasionalmente rondam minha casa. Essa é a única desvantagem que vejo nela, mas acredito que seja uma garota séria em todos os aspectos. Isso é tudo que posso dizer sobre os criados.

Minha própria família é tão pequena que não vou demorar muito para descrevê-la: sou viúvo e tenho um filho único, Arthur. Ele tem sido uma decepção para mim, Sr. Holmes — uma triste decepção. Não tenho dúvidas de que eu sou o culpado. As pessoas

230

me dizem que eu o mimei. Muito provavelmente eu o tenha feito. Quando minha querida esposa morreu, senti que ele era tudo que eu tinha para amar. Eu não aguentava ver o sorriso desaparecer, nem por um momento, do seu rosto. Eu nunca neguei a ele um desejo. Talvez tivesse sido melhor para nós dois se eu fosse mais severo, mas achei que fazia o melhor.

Naturalmente, minha intenção era que ele me sucedesse, mas ele não teve jeito para os meus negócios. Ele é selvagem, rebelde e, para falar a verdade, eu não posso confiar a ele o manuseio de grandes somas de dinheiro. Quando jovem, tornou-se membro de um clube aristocrático e, ali, de maneiras sedutoras, logo ficou íntimo de vários rapazes de bolsas ricas e hábitos caros. Ele aprendeu a jogar apostando nas cartas e a desperdiçar dinheiro no turfe. Por várias vezes veio até a mim implorando que lhe desse um adiantamento de sua mesada, para que ele pudesse pagar suas dívidas de honra. Ele tentou mais de uma vez romper com as perigosas companhias que mantinha, mas a influência de seu amigo, Sir George Burnwell, era suficiente para atraí-lo de volta.

E, de fato, é fácil imaginar que um homem como Sir George Burnwell tenha influência sobre ele, pois frequenta a minha casa, e eu mesmo mal resisto ao fascínio de seus modos. Ele é mais velho que Arthur, um homem do mundo até as pontas dos dedos, alguém que esteve em todo lugar, viu tudo, um falador brilhante e um homem de grande beleza física. No entanto, quando penso nele a sangue-frio, longe do glamour de sua presença, estou convencido, por seu discurso cínico e pelo olhar que captei em seus olhos, de que ele é alguém que não merece nenhuma confiança. Assim eu acho, e também pensa a minha pequena Mary, que tem a intuição rápida de uma mulher sobre o caráter de um homem.

Agora só há ela para ser descrita. Ela é a minha sobrinha; quando meu irmão morreu, há cinco anos, e a deixou sozinha no mundo, eu a adotei e a vejo desde então como minha filha. Ela é um raio de sol em minha casa — doce, amorosa, bonita, uma gerente e dona de casa maravilhosa, tão terna, quieta e gentil quanto uma grande mulher poderia ser. Ela é meu braço direito. Eu não sei o que faria sem ela. Em apenas um assunto ela foi contra meus desejos: por duas vezes meu garoto pediu que ela se casasse com ele, pois ele a ama devotamente, mas ela o recusou. Penso que se alguém pudesse atraí-lo para o caminho certo, teria sido ela e que o casamento poderia ter mudado sua vida completamente; mas agora, infelizmente é tarde demais — para sempre tarde demais!

Vocês agora já conhecem as pessoas que vivem sob o meu teto, e continuarei com minha história miserável.

Quando tomávamos café na sala naquela noite após o jantar, contei a Arthur e Mary minha preocupação e o precioso tesouro que tínhamos sob nosso teto, suprimindo apenas o nome do meu cliente. Lucy Parr, que trouxera o café, saíra da sala, mas não posso jurar que a porta estava fechada. Mary e Arthur estavam muito interessados e desejavam ver o famoso diadema, mas achei melhor não mostrá-lo.

— Onde o senhor o colocou? — perguntou Arthur.

— No meu armário.

— Espero que a casa não seja assaltada durante a noite — disse ele.

— Está bem trancada — respondi.

— Oh, qualquer chave antiga se encaixa naquele armário. Quando eu era jovem, eu mesmo o abri com a chave do guarda-louça. Ele costumava ter um jeito brincalhão de falar, de modo que dei pouca importância ao que ele disse. Ele me seguiu até o meu quarto naquela noite com uma fisionomia muito grave e disse com os olhos baixos: pode me dar duzentas libras?

— Não, eu não posso. — respondi bruscamente. Tenho sido muito generoso com você nas questões financeiras.

— Tem sido muito gentil sim, mas eu preciso desse dinheiro, caso contrário nunca mais poderei mostrar meu rosto no clube.

— O que seria uma coisa muito boa também! — falei.

— Sim, mas não gostaria que eu o deixasse como um homem desonrado. — Não posso suportar essa desgraça. Preciso arrecadar o dinheiro de alguma forma, e se o senhor não me puder dá-lo, devo obtê-lo por outros meios.

Fiquei com muita raiva, pois essa foi a terceira demanda durante o mês. Você não terá um centavo de mim — gritei. — Ele se curvou e saiu do quarto sem dizer mais nada.

Quando ele se foi, destranquei meu armário, assegurei-me de que o tesouro estava seguro e o tranquei novamente. Então comecei a dar a volta na casa para ver se tudo estava fechado e seguro

232

— um dever que geralmente deixo para Mary, mas que achei bom realizá-lo naquela noite. Ao descer as escadas, vi a própria Mary na janela lateral do corredor, que ela fechou e trancou quando me aproximei.

— Diga-me pai — disse ela, parecendo um pouco perturbada — o senhor deixou Lucy sair esta noite?

— Certamente que não.

— Ela entrou agora mesmo pela porta dos fundos. Não tenho dúvida de que ela só esteve no portão lateral para ver alguém, mas não acho seguro e é preciso dizer-lhe que não o faça novamente.

— Você deve falar com ela amanhã, ou falarei se você preferir. Tem certeza de que tudo está fechado?

— Com certeza, pai.

Eu a beijei e fui para o meu quarto novamente, onde logo estava dormindo.

Estou tentando lhe contar tudo, Sr. Holmes, que possa ter alguma influência sobre o caso, mas peço que o senhor me questione sobre qualquer ponto obscuro.

— Pelo contrário, sua narrativa é singularmente lúcida.

Chego a parte da minha história na qual gostaria de ser particularmente claro: não tenho sono muito pesado, e a ansiedade em minha mente tendia, sem dúvida, a me deixar ainda menos relaxado. — Por volta das duas da manhã, fui despertado por algum som em casa. Parara antes que eu estivesse bem acordado, mas deixara uma impressão atrás dele, como se uma janela se fechasse suavemente em algum lugar. Apurei a audição, mas continuei deitado. De repente, para meu horror, ouvi um som distinto de passos muito suaves na sala ao lado. Saí da cama, palpitando de medo e espiei pela abertura da porta do meu quarto de vestir.

Arthur! — eu gritei. Seu vilão! Seu ladrão! Como ousa tocar no diadema?

A luz baixa, como eu havia deixado, me mostrou meu infeliz garoto vestido em mangas camisa parado ao lado da lamparina, segurando o diadema nas mãos. Parecia estar dobrando-o com toda a sua força e ao meu grito, ele o soltou e ficou tão pálido quanto a morte. Peguei a joia e examinei-a. Um dos cantos de ouro, com três berilos, estava faltando.

Seu cafajeste! — eu gritei, fora de mim, com muita raiva. Você o destruiu! Você me desonrou para sempre! Onde estão as pedras que você roubou?

— Que eu roubei? — ele falou.

Sim, ladrão! — berrei sacudindo-o pelo ombro.

— Não falta nenhum! Não pode faltar nada — disse ele.

— Faltam três. E você sabe onde eles estão. Devo chamá-lo de mentiroso além de ladrão? Não vi você tentando arrancar outro pedaço?

— O senhor me desrespeitou — disse ele. Não suportarei isso! Não direi nenhuma palavra sobre esse assunto, já que o senhor decidiu me culpar. Vou sair de casa pela manhã e seguirei meu caminho no mundo.

Deixá-lo-ei nas mãos da polícia! — gritei meio louco de dor e raiva. Terei esse assunto sondado até o fundo.

— Não saberá de nada por mim — disse ele com mágoa, como eu nunca o ouvira falar, como eu não sabia ser de sua natureza. — Se escolher chamar a polícia, deixe a polícia descobrir o que puder.

A essa altura, toda a casa estava agitada, pois eu havia levantado a voz com raiva. Mary foi a primeira a entrar no meu quarto e, ao ver o diadema e o rosto de Arthur, ela leu toda a história e, com um grito, caiu sem sentidos no chão. Enviei a criada para chamar a polícia. Quando o inspetor e um policial entraram na casa, Arthur, que estava calado com os braços cruzados, perguntou-me se era minha intenção acusá-lo de roubo. Respondi que o ocorrido deixara de ser um assunto privado e tornara-se público, uma vez que o diadema era propriedade nacional e eu estava determinado que a lei seguisse seu curso.

— Pelo menos — disse ele, evite que a polícia me prenda imediatamente. — Seria vantajoso para o senhor , assim como pra mim, que eu pudesse sair de casa por cinco minutos apenas.

Para você fugir, ou talvez esconder o que roubou? E então, percebendo a terrível posição em que fui colocado, implorei que ele se lembrasse de que não apenas a minha honra, mas a honra de uma pessoa muito maior que eu estava em jogo; e que ele ameaçava levantar um escândalo que convulsionaria a nação. Ele poderia evitar tudo, se quisesse, me dizendo o que havia feito com as três pedras que faltavam.

234

Enfrente o problema — eu disse. Você foi pego em flagrante e nenhuma confissão poderia tornar sua culpa menor. Se você apenas reparar o que estiver ao seu alcance, nos dizendo onde estão os berilos, tudo será perdoado e esquecido.

— Guarde seu perdão para quem pede — respondeu ele, afastando-se de mim com um sorriso de escárnio. Vi que ele estava endurecido demais para que quaisquer palavras minhas o influenciassem. Havia apenas um caminho a seguir: chamei o inspetor e o entreguei sob custódia. Foi feita uma busca, não apenas na sua pessoa, mas no seu quarto e em todas as partes da casa onde ele poderia ter escondido as joias; mas nenhum vestígio delas foi encontrado, nem o infeliz garoto abrira a boca diante de todas as nossas persuasões e ameaças. Esta manhã, ele foi removido para uma cela, e eu, depois de passar por todas as formalidades policiais, corri até o senhor para implorar que use a sua habilidade para desvendar o assunto. A polícia confessou abertamente que não sabe o que pode ter ocorrido. O senhor pode fazer qualquer despesa que julgue necessária. Já ofereci uma recompensa de mil libras. Meu Deus, o que devo fazer! Perdi minha honra, as joias e meu filho em uma noite. Oh, o que devo fazer!

Colocou a mão em ambos os lados da cabeça e balançou-se de um lado para o outro, desesperado como uma criança cuja dor ultrapassou as palavras.

Sherlock Holmes ficou em silêncio por alguns minutos, com as sobrancelhas unidas e os olhos fixos no fogo.

— O senhor recebe muitas visitas — Holmes perguntou.

— Quase ninguém: meu sócio com sua família e algum amigo ocasional de Arthur. Sir George Burnwell esteve várias vezes ultimamente em minha casa. Acho que ninguém mais.

— O senhor frequenta a sociedade?

— Arthur frequenta. Mary e eu ficamos em casa. Nós dois não gostamos de sair.

— Isso é incomum em uma jovem garota!

— Ela é de natureza tranquila. — Além disso, ela já não é tão jovem. Ela tem vinte e quatro anos.

— Este assunto, pelo que o senhor disse, parece ter sido um choque para ela também.

— Terrível! Ela está ainda mais afetada que eu.

235

— O senhor não tem nenhuma dúvida sobre a culpa do seu filho?

— Como posso ter se o vi, com meus próprios olhos, com o diadema nas mãos!

— Eu dificilmente considero isso uma prova conclusiva. O restante do diadema foi ferido?

— Sim, ele foi torcido.

— O senhor não acha, então, que ele poderia estar tentando corrigi-lo?

— Deus te abençoe! O senhor está fazendo o que pode por ele e por mim, mas é uma tarefa muito pesada. O que ele estava fazendo lá? Se seu objetivo era inocente, por que ele não disse logo?

— Exatamente. E se era culpado, por que ele não inventou uma mentira? Seu silêncio me parece cortar nos dois sentidos. Existem vários pontos interessantes no caso. O que a polícia achou do barulho que o despertou do sono?

— Eles consideraram que poderia ter sido causado por Arthur ao fechar a porta do seu quarto.

— Uma história improvável! Como um homem que se inclinasse a cometer um crime bateria uma porta para acordar todos de uma casa? O que eles disseram, então, sobre o desaparecimento dessas joias?

— Eles ainda estão examinando as tábuas do assoalho e os móveis da casa na esperança de encontrá-las.

— Eles pensaram em olhar para fora de casa?

— Sim, eles mostraram uma energia extraordinária. Todo o jardim já foi minuciosamente examinado.

— Meu caro Sr. Holder — disse Holmes —, não é óbvio para o senhor que esse assunto realmente é muito mais profundo do que o senhor ou a polícia estavam inicialmente inclinados a pensar? — Pareceu-lhe um caso simples; para mim, parece extremamente complexo. Considere o que está envolvido na sua teoria: o senhor supõe que seu filho saiu da cama, correu um grande risco entrando no seu quarto de vestir, abriu seu armário que estava trancado, tirou o diadema, arrancou pela força uma pequena parte dele, foi para outro lugar, escondeu três pedras preciosas das trinta e nove, com tanto cuidado que ninguém pode encontrá-las, e depois voltou com as outras trinta e seis para o quarto em que se exporia ao maior risco de ser descoberto. Eu lhe pergunto, essa teoria é sustentável?

— Mas que outra existe? — gritou o banqueiro com um gesto de desespero. Se seus atos eram inocentes, por que ele não os explicou?

— É nossa tarefa descobrir isso — respondeu Holmes. Se você quiser, Sr. Holder, partiremos juntos para Streatham e dedicaremos uma hora a olhar um pouco mais de perto os detalhes.

Meu amigo insistiu que o acompanhasse em sua expedição, o que eu estava desejoso em fazer, pois minha curiosidade e condoimento foram profundamente agitados pela história que ouvimos. Confesso que a culpa do filho do banqueiro me pareceu tão óbvia quanto ao pai infeliz, mas ainda assim eu tinha tanta fé no julgamento de Holmes que achava que devia haver motivos de esperança desde que ele estivesse insatisfeito com a explicação dada. Mal falou uma palavra durante todo o caminho até o subúrbio ao sul; sentou-se com o queixo no peito e o chapéu caído sobre os olhos, afundado no pensamento mais profundo. Nosso cliente parecia ter tomado um novo ânimo com o pequeno vislumbre de esperança que lhe fora apresentado, e ele até começou uma conversa desagradável comigo sobre seus negócios. Uma curta viagem de trem e uma pequena caminhada levaram-nos a Fairbank, a simples residência do grande financista.

Fairbank era uma casa quadrada de bom tamanho, de pedras brancas, afastada um pouco da rua. Uma entrada dupla para carruagens, com um gramado coberto de neve, estendia-se diante de dois grandes portões de ferro que fechavam a entrada. Do lado direito, havia um pequeno portão de madeira, que dava para um caminho estreito entre duas sebes limpas, que se estendiam da rua até a porta da cozinha e formavam a entrada dos comerciantes. À esquerda, corria uma pista que levava aos estábulos, e não estava dentro dos terrenos, sendo uma via pública, embora pouco utilizada. Holmes nos deixou em pé na porta e caminhou lentamente ao redor da casa, atravessou a frente, seguiu o caminho dos comerciantes e, assim, contornou o jardim de atrás, e passou à ruela da estrebaria. Demorou tanto tempo que o Sr. Holder e eu fomos para a sala de jantar e esperamos, junto ao fogo, até que ele voltasse. Estávamos sentados em silêncio quando a porta se abriu e uma jovem entrou. Ela estava bem acima da altura mediana, era magra, com cabelos e olhos escuros, que pareciam mais escuros contra a palidez absoluta de sua pele. Acho que nunca vi uma palidez tão mortal no rosto de uma mulher. Seus lábios também estavam sem sangue, mas seus olhos estavam vermelhos de tanto chorar. Quando ela entrou silenciosamente na sala, ela me passou uma sensação de tristeza maior que o banqueiro havia passado pela manhã, o que era muito impressionante, pois ela aparentemente era uma mulher de caráter forte, com imensa capacidade de equilíbrio. Desconsiderando minha presença, ela foi direto para o tio e passou a mão sobre a cabeça dele numa doce carícia feminina.

— O senhor deu ordens para que Arthur fosse libertado, não foi, pai? — ela perguntou.

— Não, não, minha menina, o assunto deve ser investigado até o fim.

— Mas tenho a certeza de que ele é inocente. O senhor sabe como são os instintos de uma mulher. Sei que ele não fez nenhum mal e que o senhor vai se arrepender por ter agido com tanta severidade.

— Por que ele ficaria calado se é inocente?

— Quem sabe? Talvez porque estivesse com muita raiva. O senhor suspeitado dele, o senhor o acusou!

— Como eu poderia evitar a suspeita se o vi com o diadema na mão?

— Talvez só tenha pegado para olhar. Oh, acredite na minha palavra, ele é inocente! Deixe o assunto esquecido e não diga mais nada. É tão terrível pensar em nosso querido Arthur na prisão!

— Não encerrarei o assunto até que as gemas sejam encontradas — nunca, Mary! Sua afeição por Arthur a cega! E quanto às terríveis consequências para mim? Longe de esquecer... trouxe um cavalheiro de Londres para investigar mais profundamente.

— Este cavalheiro? — ela perguntou, virando-se para mim.

— Não, um amigo dele. Ele quis que o deixássemos sozinho. Está examinando a ruela da estrebaria agora.

— A ruela da estrebaria?

Ela levantou as sobrancelhas escuras.

— O que ele espera encontrar lá? Ah, suponho que seja ele que vem ali!. Confio senhor — disse ela a Holmes —, que conseguirá provar o que tenho certeza ser a verdade: meu primo Arthur é inocente nesse crime.

238

— Partilho completamente da sua opinião e confio em você para que possamos provar isso — respondeu Holmes, voltando ao capacho para tirar a neve dos sapatos. Acredito que tenho a honra de me dirigir à senhorita Mary Holder. Posso fazer uma pergunta ou duas?

— Por favor, senhor, se isso puder ajudar a esclarecer esse assunto horrível.

— Você não ouviu nada ontem à noite?

— Nada, até meu tio começar a falar alto. Ouvi-o e desci.

— Você fechou as janelas e portas na noite anterior. Você fechou todas as janelas?

— Sim.

— Elas estavam todas fechadas esta manhã?

— Sim.

— Uma das criadas tem um namorado. Você comentou com seu tio ontem à noite que ela estava fora para vê-lo.

— Sim, e ela é a criada que nos serviu na sala de estar e que pode ter ouvido nossa conversa sobre a joia.

— Entendo! Você deduz que ela pode ter saído para contar ao seu namorado e que os dois podem ter planejado o assalto.

— Mas qual é o benefício de todas essas teorias vagas? — gritou o banqueiro, impaciente. Já lhe disse que vi o Arthur com o diadema nas mãos!

— Espere um pouco, senhor Holder. Nós vamos voltar a esse ponto. Sobre essa criada, senhorita Holder; você a viu voltar pela porta da cozinha, certo?

— Sim, quando fui ver se a porta estava trancada a encontrei entrando e vi também o homem na penumbra do jardim.

—Você o conhece?

— Ah, sim! Ele é o verdureiro que traz nossas hortaliças e legumes. O nome dele é Francis Prosper.

— Ele estava bem próximo — à esquerda —, ou seja, andou além da trilha para alcançar a porta.

—Sim, exatamente.

— Ele é um homem com uma perna de pau?

Algo parecido com o medo surgiu nos expressivos olhos negros da jovem.

— O senhor é um adivinho — ela disse —, como sabe disso?

Ela sorriu, mas não havia um sorriso de resposta no rosto magro e ansioso de Holmes.

— Eu gostaria agora de ir ao segundo andar — disse ele. Provavelmente desejarei examinar a parte externa da casa novamente. Vou dar uma olhada nas janelas inferiores antes de subir.

Ele andou rapidamente de uma para outra, parando apenas na grande janela que dava para a ruela do estábulo. Ele a abriu e fez um exame minucioso, com sua poderosa lupa, no peitoril.

— Agora vamos subir — disse ele finalmente.

O quarto de vestir do banqueiro era uma pequena câmara mobiliada com simplicidade, com um tapete cinza, um armário grande e um espelho comprido. Holmes foi ao armário e examinou atentamente a fechadura.

— Qual chave foi usada para abri-la?

— A que meu próprio filho indicou — a do guarda-louça.

— O senhor a tem aqui?

— Está sobre a penteadeira.

Sherlock Holmes a pegou e abriu o armário.

— É uma fechadura silenciosa. Não é de se admirar que não tenha acordado. Presumo que este estojo contenha o diadema. Preciso examiná-lo.

Ele abriu o estojo e, tirando o diadema, colocou-o sobre a mesa. Era um exemplar magnífico da arte de um joalheiro, e as trinta e seis pedras eram as mais lindas que já vi. De um lado da joia havia uma borda quebrada, de onde as três pedras preciosas haviam sido arrancadas.

— Sr. Holder — disse Holmes, aqui está a ponta de onde foram, infelizmente, tiradas as pedras. Peço que o senhor a arranque.

O banqueiro recuou horrorizado.

— Eu não, nem sonho em tentar!

— Então eu mesmo vou arrancá-la.

Holmes, de repente, exerceu toda sua força sobre ela, mas sem resultado.

— Sinto que cedeu um pouco — disse ele —, e embora eu tenha uma força excepcional nos dedos, levaria muito tempo para quebrá-la. Um homem comum não poderia fazê-lo. O que o senhor acha que aconteceria se eu a quebrasse, Sr. Holder? Haveria

240

um ruído como o de um tiro de pistola. O senhor me disse que tudo aconteceu a alguns metros da sua cama e que não ouviu nada!

— Não sei o que pensar. Está tudo escuro para mim.

— Mas talvez fique mais claro à medida que avançamos. O que você acha, senhorita Holder?

— Confesso que ainda compartilho a perplexidade do meu tio.

— Seu filho não tinha sapatos ou chinelos quando o viu?

— Ele não tinha nada além de calças e camisa.

— Obrigado! — Certamente fomos favorecidos por uma sorte extraordinária durante essa investigação, e a culpa será inteiramente nossa se não conseguirmos esclarecer o assunto. Com sua permissão, Sr. Holder, agora continuarei minhas investigações lá fora.

Ele foi sozinho, a seu pedido, porque explicou que quaisquer pegadas desnecessárias poderiam dificultar sua tarefa. Por uma hora ou mais, ele ficou trabalhando, voltando finalmente com os pés pesados de neve e as feições tão impenetráveis como sempre.

— Acho que já vi tudo o que há para ver, senhor Holder. — Eu posso atendê-lo melhor retornando a minha casa.

— Mas as pedras, Sr. Holmes! — Onde elas estão?

— Eu não posso dizer.

O banqueiro torceu as mãos.

— Nunca mais as verei! — ele exclamou. E meu filho? O senhor me deu esperanças!

— Minha opinião não foi de forma alguma alterada.

— Então, pelo amor de Deus, que caso sombrio aconteceu na minha casa ontem à noite?

— Se o senhor puder ir a minha casa na Baker Street amanhã de manhã, entre as nove e as dez horas, terei o maior prazer em fazer o possível para tornar o caso mais claro. Entendi que o senhor me deu autorização para agir em seu favor, desde que receba de volta as pedras preciosas e que não há limite sobre a quantia de dinheiro que posso usar.

— Eu daria toda a minha fortuna para tê-las de volta.

— Muito bom. Vou analisar o assunto até amanhã. Adeus; é possível que eu tenha que vir aqui antes da noite.

Era óbvio que o meu companheiro já estava decidido sobre o caso, embora as conclusões dele fossem totalmente obscuras para mim. Várias vezes, durante nossa viagem de volta ao lar, eu tentei falar com ele sobre o assunto, mas ele sempre se afastava com algum outro tópico, até que finalmente desisti. Ainda não eram três horas quando chegamos a nossa sala novamente. Ele entrou em seu quarto e saiu em alguns minutos depois. Estava vestido como um vadio comum. De colarinho levantado, casaco brilhante e decadente, gravata vermelha e botas gastas, ele era uma amostra perfeita da turma.

— Acho que isso deve funcionar — disse ele, olhando-se no espelho acima da lareira. Eu só queria que você pudesse vir comigo, Watson, mas temo que não seja possível. Posso estar na trilha certa neste assunto, ou posso estar seguindo um rastro falso, mas logo saberei. Espero poder voltar em algumas horas.

Cortou um pedaço de carne que estava no aparador, colocou-o entre duas fatias de pão e, enfiando essa refeição grosseira no bolso, saiu para sua expedição.

Acabara de terminar meu chá quando ele voltou, evidentemente de excelente humor, balançando uma velha bota de elástico na mão. Ele a jogou em um canto e serviu-se de uma xícara de chá.

— Eu só estou de passagem — ele disse. Eu estou indo em frente novamente.

— Para onde?

— Para o outro lado do West End. Pode demorar um pouco até eu voltar. Não me espere caso eu me atrase.

— Como está se saindo?

— Nada a reclamar. Estive novamente em Streatham, mas não entrei na casa. É um pequeno problema muito doce, e eu não o teria perdido por nada. No entanto, não devo ficar conversando agora. Preciso tirar essas roupas de má reputação e voltar a minha respeitável aparência.

Pude ver através de suas maneiras que ele tinha fortes razões para a sua satisfação; bem mais que suas palavras indicavam. Seus olhos brilhavam, e havia até um toque de cor em suas bochechas pálidas. Ele correu para o andar de cima e, alguns minutos depois, ouvi a batida da porta do corredor, o que dizia que ele estava de novo em sua caçada agradável.

Esperei até meia-noite, mas não havia sinal de seu retorno, então me retirei para o meu quarto. Não era incomum que ele es-

242

tivesse fora por dias e noites a fio, quando estava com uma pista quente, de modo que seu atraso não me causou surpresa. Não sei a que horas ele chegou, mas quando desci para o café da manhã, ele estava com uma xícara de café em uma mão e um jornal na outra, o mais bem-disposto possível.

— Você vai me desculpar por ter começado o café sem você, Watson, mas nosso cliente estará aqui esta manhã.

— Ora, já passam das nove — respondi. Eu não ficaria surpreso se fosse ele. Ouvi um toque de campainha.

Era, de fato, nosso amigo, o banqueiro. Fiquei chocado com a sua mudança, pois seu rosto, que era naturalmente de um molde amplo e maciço, estava agora comprimido e caído, enquanto seus cabelos me pareciam pelo menos um pouco mais brancos. Ele entrou com um cansaço e desalento que foi ainda mais doloroso que a sua desorientação na manhã anterior, e caiu pesadamente na poltrona que eu empurrei em sua direção.

— Não sei o que fiz para ser tão severamente provado — disse ele. Apenas dois dias atrás eu era um homem feliz e próspero, sem nenhum grande problema. Agora me cabe uma solitária e desonrada velhice. Uma tristeza vem após a outra: minha sobrinha, Mary, me abandonou.

— Abandonou o senhor?

— Sim. Sua cama hoje de manhã estava arrumada, seu quarto estava vazio e um bilhete, para mim, estava sobre a mesa do corredor. Eu disse a ela ontem à noite, com tristeza e não com raiva, que se ela tivesse se casado com meu filho tudo poderia estar bem com ele. Talvez tenha sido imprudente de minha parte. É a esse comentário que ela se refere no bilhete:

Meu querido tio, sinto que lhe trouxe problemas e que, se tivesse agido de maneira diferente, esse terrível infortúnio poderia não ter ocorrido. Com esse pensamento em mente, não posso mais ser feliz sob seu teto e sinto que devo deixá-lo para sempre. Não se preocupe com o meu futuro, pois este está seguro; e, acima de tudo, não me procure, pois será um trabalho infrutífero e um mau serviço para mim. Na vida ou na morte, eu sempre o amarei.

Sua, Mary

— O que ela quis dizer com esse bilhete, Sr. Holmes? Acha que isso sugeri suicídio?

— Não, não, nada disso. Talvez seja a melhor solução possível. Creio, Sr. Holder, que está chegando o fim de seus problemas.

— Ha! O senhor diz! Ouviu algo, Sr. Holmes? Descobriu alguma coisa? Onde estão as pedras?

— O senhor acha que mil libras seja uma quantia excessiva por uma pedra?

— Eu pagaria dez!

— Isso será desnecessário. Três mil libras resolvem o assunto. E há uma pequena recompensa, imagino. O senhor tem seu talão de cheques? Aqui está uma caneta. Faça um cheque de quatro mil libras.

Com uma fisionomia atordoada, o banqueiro fez o cheque. Holmes foi até sua escrivaninha, pegou um pedacinho triangular de ouro com três pedras preciosas e jogou-o sobre a mesa.

Com um grito de alegria, nosso cliente o agarrou.

O senhor conseguiu! — ele gritou ofegante. Eu estou salvo! Eu estou salvo!

A reação de alegria foi tão intensa quanto a sua dor, e ele abraçou as pedras recuperadas aconchegando-as ao peito.

— Tem outra dívida, senhor Holder — disse Sherlock Holmes com firmeza.

— Fale!

Ele pegou uma caneta.

— Diga a quantia e eu o pagarei.

— Não, a dívida não é para comigo. O senhor deve um pedido de desculpas muito sincero àquele nobre rapaz, seu filho, que se comportou nesse assunto, de uma maneira que me causaria orgulhoso de ver meu próprio filho se comportando, se algum dia eu tiver um.

— Não foi Arthur quem as levou?

— Eu lhe disse ontem, e repito hoje: não foi.

— O senhor tem certeza disso? Então vamos nos apressar para que ele saiba que a verdade é conhecida.

— Ele já sabe. Depois de esclarecer tudo, tive uma conversa com ele e, descobrindo que ele não me contaria a história, a contei a ele. Ele teve que confessar que eu estava certo e acrescentou os poucos detalhes que ainda não estavam claros para mim. Suas notícias desta manhã podem abrir os lábios dele.

— Pelo amor de Deus, diga-me, então, que mistério incrível é esse!

— Eu farei isso e mostrarei os passos pelos quais o alcancei.

— E deixe-me contar-lhe, primeiro, o que é mais difícil para mim dizer e para você ouvir: houve um entendimento entre Sir George Burnwell e sua sobrinha Mary. Eles agora fugiram juntos.

— Minha Mary? Impossível!

— Infelizmente, é mais que possível; é certo. Nem você nem seu filho sabiam o verdadeiro caráter desse homem quando você o admitiu no seu círculo familiar. Ele é um dos homens mais perigosos da Inglaterra — um jogador em ruínas, um vilão absolutamente desesperado, um homem sem coração ou consciência. Sua sobrinha não sabia nada desse homem. Quando ele fez seus galanteios para ela, como já havia feito centenas de vezes para outras mulheres, ela se lisonjeava por ter tocado seu coração. O diabo sabe melhor o que ele disse, fato é que ela se tornou sua refém e tinha o hábito de vê-lo quase todas as noites.

— Eu não posso, e não quero acreditar nisso! — exclamou o banqueiro com o rosto pálido.

— Vou lhe contar o que ocorreu em sua casa ontem à noite: sua sobrinha, quando percebeu que o senhor tinha ido para o seu quarto, desceu sorrateiramente e conversou com o amante pela janela que dava para a ruela do estábulo. Seus pés haviam pressionado a neve por tanto tempo que suas pegadas ficaram sob a neve. Ela falou a ele sobre o diadema. Seu desejo perverso por ouro acendeu-se com a notícia, e ele a inclinou a sua vontade. Não tenho dúvidas de que ela lhe amou, mas há mulheres nas quais o amor de um amante extingue todos os outros amores, e acho que com ela ocorreu isso. Ela mal ouvira as instruções dele quando o viu descendo, então fechou a janela rapidamente e contou sobre a aventura de uma criada com seu namorado de perna de pau, o que era realmente verdade.

— Seu filho, Arthur, foi para a cama depois da conversa com o senhor, mas dormiu mal por causa da sua preocupação com as dívidas no clube. No meio da noite, ouviu um passo suave passando por sua porta, então ele se levantou e, olhando para fora, ficou surpreso ao ver sua prima caminhando furtivamente pelo corredor até que ela desapareceu no seu quarto de vestir. Petrificado de espanto, o rapaz vestiu alguma roupa e esperou lá no escuro para ver o que aconteceria com aquela estranha ação de Mary. Ela saiu do quarto e à luz da lâmpada do corredor, seu filho viu que ela carregava o precioso diadema nas mãos. Mary desceu as escadas e ele, aterrorizado, correu e se escondeu trás da cortina perto de sua porta, de onde ele podia ver o que se passava na sala abaixo. Ele a viu furtivamente abrir a janela, entregar o diadema para uma pessoa e, depois de fechá-la, correr de volta para o quarto dela, passando muito perto do lugar em que ele se escondia.

Enquanto ela estivesse em cena, ele não poderia agir sem uma exposição horrível da mulher que tanto amava. Mas no instante em que ela saiu para o quarto, ele percebeu o quão terrível seria esse infortúnio para o senhor, e o quanto era importante acertar as coisas. Ele desceu correndo, como estava, com os pés descalços, abriu a janela, saltou para a neve e correu pela rua, onde podia ver uma figura escura ao luar. Sir George Burnwell tentou fugir, mas Arthur o pegou, e houve uma luta entre eles. Seu filho puxava um lado da coroa e seu oponente o outro. Na briga, Arthur bateu em Sir George e o cortou nos supercílios. Então, algo de repente estalou, e seu filho, ao perceber que tinha o diadema nas mãos, voltou correndo, fechou a janela, subiu para o seu quarto, e havia acabado de notar que o diadema fora torcido na luta, e tentava endireitá-lo, quando o senhor apareceu.

— É possível? — ofegou o banqueiro.

O senhor então despertou a raiva dele, ofendendo-o no momento em que ele achava que merecia seus mais calorosos agradecimentos. Ele não poderia explicar os verdadeiros acontecimentos sem trair alguém que certamente merecia pouca consideração de sua parte. Ele adotou a visão mais cavalheiresca e guardou o segredo dela.

— E foi por isso que ela gritou e desmaiou ao ver o diadema! — gritou o Sr. Holder. Oh, meu Deus! Que tolo cego eu tenho sido! E ele me pediu para sair por cinco minutos! O meu querido filho queria ver se o pedaço, da peça, que faltava estava no local da luta. Quão cruelmente eu o julguei!

Quando cheguei a sua casa — continuou Holmes —, examinei cuidadosamente ao redor para observar se havia algum

246

vestígio na neve que pudesse me ajudar. Eu sabia que não nevara desde a noite anterior e também que a forte geada preservaria as impressões. Passei pelo caminho dos entregadores, mas achei tudo pisoteado e indistinguível. Logo depois, junto à porta da cozinha, percebi as pegadas de uma mulher que havia conversado com um homem, cujas impressões redondas de um lado mostravam que tinha uma perna de pau. Eu pude até notar que eles estavam perturbados, pois a mulher correu para a porta, como foi mostrado pelas marcas profundas dos dedos dos pés e leves dos calcanhares, enquanto *o perna de pau* esperava um pouco e depois se foi. Eu pensei na hora que essas marcas poderiam ser da criada e seu namorado, de quem o senhor já tinha falado comigo, e a investigação comprovou. Passei pelo jardim sem ver nada além de trilhas aleatórias, que imaginei serem dos policiais; mas quando entrei na ruela da estrebaria, uma história muito longa e complexa estava escrita na neve a minha frente.

— Havia uma linha dupla de pegadas de um homem de botinas, e uma segunda linha dupla, que eu vi com prazer, pertencia a um homem descalço. Fiquei imediatamente convencido, pelo que o senhor me dissera, que as últimas eram de seu filho. O primeiro havia percorrido o caminho nos dois sentidos e o outro havia passado correndo, e como seus passos estavam marcados em alguns lugares sobre a depressão da bota, era óbvio que ele havia passado depois. Eu as segui e descobri que elas levavam à janela do corredor, onde o homem de botas havia feito a neve derreter enquanto esperava. Então eu andei até a outra extremidade, que ficava a uns cem metros pela ruela. Vi onde o homem de botas havia se voltado, onde a neve estava triturada como se tivesse havido luta e, finalmente, onde tinha marcas de sangue, confirmando minha hipótese. O homem de botas então correu pela ruela abaixo, e outra pequena mancha de sangue mostrou-me que fora ele o ferido. Quando cheguei à via principal, descobri que a calçada havia sido limpa, e que não havia mais pista.

— Ao entrar na casa, examinei, como você se lembra, o peitoril e a moldura da janela do corredor com minhas lentes, e pude ver imediatamente que alguém havia por ali passado. Eu consegui distinguir o contorno de um pé molhado entrando. Estava começando a formar uma opinião sobre o que havia ocorrido: um homem esperou do lado de fora da janela; alguém trouxe o diadema; a ação foi vista por seu filho; ele perseguira o ladrão; tinha lutado com ele; cada um deles tinha puxado o diadema e a força unida causou o estrago que nenhum dos dois, sozinho, poderia ter causado. Seu filho voltou com o prêmio, mas deixou um fragmento nas mãos de seu oponente. Até aqui tudo estava claro. A questão agora era: quem era o homem e quem pegara o diadema no armário?

É uma velha máxima minha que, quando você exclui o impossível, tudo o que resta, por mais improvável que seja, deve ser a verdade. Eu sabia que o senhor não levara o diadema até a janela, então só restava sua sobrinha e as criadas. Se fosse uma das criadas, por que seu filho se deixaria acusar em seu lugar? Não havia razão para isso. Como ele amava sua prima, havia uma excelente explicação sobre ele guardar o segredo dela — tanto mais que o segredo era vergonhoso. Quando lembrei que o senhor a viu naquela janela e que ela desmaiado ao ver o diadema novamente, minhas hipóteses se tornaram uma certeza.

Quem poderia ser seu cúmplice? Um amante evidentemente, pois quem mais poderia sobrepor-se ao amor e a gratidão que ela deve sentir pelo senhor? Eu sabia que você saía pouco e que seu círculo de amigos era muito limitado. Mas entre eles estava Sir George Burnwell. Eu já tinha ouvido falar dele antes como um homem de má reputação entre as mulheres. Deveria ter sido ele quem usava aquelas botas e guardou as pedras que faltavam. Embora soubesse que Arthur o havia descoberto, ele ainda poderia se gabar de estar seguro, pois o rapaz não podia dizer uma palavra sem comprometer sua própria família.

Bem, meu bom-senso sugeriu as medidas que tomei a seguir: fui na forma de um vadio até a casa de Sir George, consegui conversar com um criado, soube que seu patrão havia cortado o rosto na noite anterior e, finalmente, à custa de seis xelins, comprei um par de botas que o patrão havia mandado descartar. Com ele, fui até Streatham e vi que as solas se encaixavam exatamente nas pegadas.

— Vi um vagabundo malvestido na ruela ontem à noite — disse Holder.

— Precisamente. Era eu. Descobri que tinha meu homem, então voltei para casa e troquei de roupa. Era uma parte delicada que eu tinha que fazer naquele momento, pois vi que uma acusação deveria ser evitada para não causar escândalos, e sabia que um vilão tão astuto veria que nossas mãos estavam atadas. Fui a sua casa e falei com ele. No começo, é claro, ele negou tudo. Mas quando contei a ele todos os detalhes que eu sabia, ele tentou me enfrentar e pegou uma arma para me bater. Eu conhecia meu homem e já estava preparado. Coloquei minha pistola na cabeça dele antes que ele pudesse me atacar. Então ele se tornou um pouco mais razoável. Disse a ele que lhe daríamos um valor pelas pedras roubadas — mil libras por cada uma. Isso trouxe seu sinal de pesar: — Ora, vendi-as por seiscentos, as três! — Logo consegui o endereço de quem as possuía, prometendo a ele que não haveria processo. Parti e, depois de muita negociação, comprei as pedras por mil libras cada. Fui encontrar-me com o seu filho para dizer-lhe que estava tudo bem e, finalmente, cheguei a minha cama por volta das duas horas da manhã, depois do que posso chamar de um dia de trabalho muito difícil.

— O dia que salvou a Inglaterra de um grande escândalo público — disse o banqueiro, levantando-se. Senhor Holmes, não tenho palavras para agradecer-lhe, mas encontrarei alguma forma de fazê-lo. Sua habilidade realmente excedeu tudo o que ouvi sobre o senhor. Agora devo ir encontrar o meu querido filho para pedir-lhe desculpas pelo mal que lhe causei. Quanto ao que me disse sobre a pobre Mary, dilacerou o meu coração. Nem mesmo sua competência pode me informar onde ela está agora?

— Posso dizer-lhe com segurança — respondeu Holmes —, que ela está onde quer que Sir George Burnwell esteja. E é igualmente certo que, sejam quais forem os pecados de Mary, em breve os dois ingratos receberão um castigo mais que suficiente.

XII

A AVENTURA NAS FAIAS DE COBRE

Para o homem que ama a arte por si só — observou Sherlock Holmes jogando de lado a folha de propaganda do *The Daily Telegraph* —, é, frequentemente, de suas manifestações menos importantes e humildes que o maior prazer é derivado. É agradável para mim, Watson, observar que você entendeu essa verdade e que, nesses pequenos registros de nossos casos — que você teve a gentileza de elaborar e, devo dizer, ocasionalmente, de embelezar —, você deu destaque não tanto as muitas *causes célèbres* e provações excepcionais em que figurei, e sim àquelas particularidades que podem ter sido triviais em si mesmas, mas que deram lugar a possibilidades de dedução e síntese lógica que converti em minha característica particular.

— E, no entanto — disse eu, sorrindo —, não consigo me manter inocente na acusação de sensacionalismo que foi imputada aos meus registros.

— Você errou, talvez — observou ele —, pegando uma cinza brilhante com as pinças e acendendo com ela o longo cachimbo de cerejeira que costumava substituir o de barro quando eu estava num clima de questionamento e não de meditação — talvez tenha errado ao tentar colocar cor e vida em cada uma de suas afirmações, em vez de limitar-se à tarefa de registrar esse raciocínio rigoroso de causa e efeito, que é realmente o único traço notável sobre a coisa.

— Parece-me que lhe fiz justiça total nesse assunto — observei com um pouco de frieza, pois fui repelido pelo egoísmo que mais de uma vez já observara ser um forte fator no caráter singular de meu amigo.

— Não, não é egoísmo ou vaidade — disse ele, respondendo, como de costume, aos meus pensamentos e não as minhas palavras. — Se reivindico justiça total para minha arte, é porque ela

250

é impessoal — algo além de mim. O crime é comum. A lógica é especial. Portanto, é sobre a lógica e não sobre o crime que você deve trabalhar. Você rebaixou o que deveria ter sido uma série de palestras em vários contos.

Era uma manhã fria do início da primavera, e nos sentamos depois do café da manhã em ambos os lados de uma lareira alegre na antiga sala da Baker Street. Uma névoa espessa rolava entre as linhas de casas sombrias, e as janelas opostas pareciam como manchas escuras e sem forma através das grossas grinaldas amarelas. Nossa lâmpada a gás estava acesa e brilhava sobre o pano branco, a porcelana e os metais, pois a mesa ainda não havia sido tirada. Sherlock Holmes ficara em silêncio a manhã inteira, mergulhado nas colunas de anúncios de uma sucessão de jornais até que, finalmente, depois de desistir de sua pesquisa, ele que não estava com um temperamento muito agradável, passou a me criticar por minhas falhas literárias.

— Ao mesmo tempo — observou após uma pausa, durante a qual esteve sentado, fumando seu cachimbo comprido e olhando para o fogo — você dificilmente pode estar exposto a uma acusação de sensacionalista, pois alguns desses casos pelos quais você teve a gentileza de se interessar, não se tratam de crime, no sentido legal, de forma alguma. A pequena questão na qual me esforcei para ajudar o rei da Boêmia, a experiência singular de Miss Mary Sutherland, o problema relacionado ao homem com o lábio torcido e o incidente do nobre solteirão foram questões que não envolveram crimes, mas para evitar o sensacionalismo, temo que você tenha se aproximado do trivial.

— O fim pode ter sido banal — respondi —, mas os métodos, considero novos e interessantes.

— Ora, meu caro colega, qual atenção dá o público, o grande público não observador, que dificilmente poderia reconhecer um tecelão pelo dente ou um tipógrafo pelo polegar esquerdo, às tonalidades mais refinadas da análise e da dedução! Mas, de fato, se você é trivial, não posso culpá-lo, pois os dias dos grandes casos já passaram. O homem, ou pelo menos o criminoso, perdeu toda sua atitude e originalidade. Quanto a minha atividade, parece estar se degenerando em uma agência para recuperar lápis perdidos e dar conselhos a jovens senhoras saídas de internatos. Acho que finalmente cheguei ao fundo. Esta nota que recebi esta manhã marca meu ponto zero, imagino. Leia-o!

Ele jogou uma carta amassada para mim. Ela fora datada em Montague Place na noite anterior e exibia assim:

Caro Sr. Holmes, estou muito ansiosa para consultá-lo sobre se devo ou não aceitar uma posição que me foi oferecida como governanta. Chegarei às dez e meia amanhã, se não lhe incomodar. Com os melhores cumprimentos,

Violet Hunter

— Você conhece a jovem? — perguntei.

— Eu não.

— São dez e meia agora.

— Sim, e não tenho dúvidas de que é ela que toca a campainha.

— Pode ser mais interesse do que você pensa. Você se lembra do caso do carbúnculo azul, que parecia ser um mero capricho a princípio e se transformou em uma investigação séria? Também pode ser assim neste caso.

— Esperemos que sim. Mas nossas dúvidas serão resolvidas muito em breve, pois aqui, a menos que eu esteja muito enganado, está a pessoa em questão.

Enquanto ele falava, a porta se abriu e uma jovem entrou na sala. Ela estava vestida de maneira simples, mas elegante, com um rosto vivo e brilhante, sardenta como o ovo de uma tarambola, e com o jeito seguro de uma mulher responsável pelo seu próprio sustento.

— O senhor vai entender o meu problema, tenho certeza — disse ela, enquanto meu companheiro se levantava para cumprimentá-la —, tive uma proposta muito estranha e como não tenho pais ou parentes com quem possa me aconselhar, pensei que talvez o senhor pudesse fazer a gentileza de me dizer o que devo fazer.

— Por favor, sente-se, Srta. Hunter. Ficarei feliz em fazer o possível para servi-la.

Pude ver que Holmes estava impressionado com a maneira e o discurso de sua nova cliente. Ele a olhou da maneira questionadora que lhe era comum e depois se preparou, com as pálpebras caídas e as pontas dos dedos juntas, para ouvir a sua história.

— Sou governanta há cinco anos na família do coronel Spence Munro, mas há dois meses o coronel foi transferido para Halifax, na Nova Escócia, e também levou seus filhos para a América, então me encontrei sem um emprego. Publiquei e respondi anúncios, mas sem sucesso. Por fim, o pouco dinheiro que eu havia economizado começou a escassear, e eu estava sem saber que deveria fazer.

Existe uma agência, muito conhecida, para governantas no West End chamada Westaway's, e lá eu costumava ir uma vez por semana para ver se havia alguma coisa que me conviesse. Westaway é o nome do fundador da agência e ela é gerenciada pela Miss Stoper. Ela fica sentada em seu pequeno escritório, e as damas que procuram emprego esperam na antessala e são entrevistadas uma a uma, quando Miss Stoper consulta seus livros e vê se tem algo que lhes convenha.

Bem, quando lá estive na semana passada, fui levada ao escritório, como sempre, mas a senhorita Stoper não estava sozinha. Um homem muito robusto, com um rosto sorridente e um grande queixo que dobrava sobre o seu pescoço, estava sentado ao seu lado. Tinha um par de óculos no nariz e olhava com muita seriedade para as mulheres que entravam. Quando entrei, ele deu um pulo na cadeira e virou-se rapidamente para a senhorita Stoper dizendo:

— Esta serve. Eu não poderia esperar nenhuma melhor. Ótimo! Ótimo!

Ele parecia bastante entusiasmado e esfregou as mãos com satisfação. Ele tinha uma aparência tão feliz que foi um prazer olhar para ele.

— Você está procurando uma ocupação, senhorita? — ele perguntou.

— Sim senhor.

— Como governanta?

— Sim senhor.

— E qual salário você pede?

— Eu ganhava quatro libras por mês em meu último emprego com o coronel Spence Munro.

— Oh, que exploração! — ele gritou, jogando as mãos gordas ao ar como um homem que está efervescente. Como alguém

253

poderia oferecer uma quantia tão lamentável a uma senhorita com tantos atrativos e competências?

— Minhas competências, senhor, podem ser menores do que imagina — disse eu. Um pouco de francês, um pouco de alemão, música, desenho...

— Ora, ora! Isso não vem ao caso. A questão é: você possui ou não os modos e a conduta de uma dama? Só isso interessa. Caso contrário, você não está preparada para criar uma criança que um dia possa desempenhar um papel considerável na história do país. Mas se você tem, então, como poderia um cavalheiro pedir que condescendesse a aceitar qualquer pagamento abaixo dos três algarismos? Seu salário comigo, senhorita, começaria por cem libras ao ano.

O senhor pode imaginar, Sr. Holmes, que para mim que sou pobre, essa oferta pareceu boa demais para ser verdadeira! O cavalheiro vendo talvez a expressão de incredulidade no meu rosto, abriu uma carteira e tirou uma nota.

— Também é meu costume — disse ele, sorrindo de uma maneira tão contundente que seus olhos viraram apenas duas pequenas fendas brilhantes entre as rugas brancas de seu rosto — pagar para minhas jovens damas metade do salário de antemão, para que elas possam cobrir quaisquer pequenas despesas de viagem ou guarda-roupa.

Pareceu-me que não conhecia um homem tão fascinante e tão atencioso. Como eu já estava em dívida com alguns comerciantes, o adiantamento seria uma grande comodidade e, no entanto, havia algo não natural em toda a transação que me fez querer saber um pouco mais antes de me comprometer.

— Posso perguntar onde mora, senhor?

— Hampshire. Charmoso lugar rural. As Faias de Cobre, a oito quilômetros do outro lado de Winchester. É uma região adorável, minha cara jovem, e a mais antiga e encantadora casa de campo.

— E meus deveres, senhor? Eu gostaria de saber quais seriam.

— Uma criança — um querido pequenino de apenas seis anos. Ah, se você pudesse vê-lo matando baratas com um chinelo! Smack! Smack! Smack! Três se foram antes que você pudesse piscar!

Ele se recostou na cadeira e riu com os olhos fechados novamente.

Fiquei um pouco assustada com a natureza da diversão da criança, mas o riso do pai me fez pensar que talvez ele estivesse brincando.

— Meus únicos deveres, então, são cuidar de uma única criança?

— Não, não são os únicos, minha cara jovem — ele falou. — Seu dever seria, como tenho certeza de que seu bom-senso sugeriria, obedecer a quaisquer pequenos mandados que minha esposa possa lhe dar, desde que fossem ordens que uma dama poderia obedecer sem reservas. Você não vê dificuldade, hein?

— Eu ficaria feliz em me tornar útil.

— Quanto à vestimenta, por exemplo. Nós somos pessoas cheias de detalhes — caprichosas, mas de bom coração. Se lhe pedíssemos para usar um vestido que lhe déssemos, você não se oporia ao nosso pequeno capricho, oporia?

— Não — eu disse, bastante surpresa com suas palavras.

— Ou lhe mandasse sentar aqui, ou sentar lá, isso não seria ofensivo para você?

— Não.

— Ou cortar o cabelo bem curto antes de vir até nós?

— Eu dificilmente acreditaria em meus ouvidos. Como pode observar, Sr. Holmes, meu cabelo é um tanto exuberante e com um tom peculiar de castanho. Já foi considerado artístico. Eu não podia sonhar em sacrificá-lo dessa maneira precipitada.

— Receio que isso seja impossível — eu disse. Ele estava me observando ansiosamente com seus pequenos olhos, e pude ver uma sombra passar por seu rosto quando neguei sua fala.

— Receio que seja essencial — disse ele. É um pouco extravagante esse capricho da minha esposa e esse detalhe deve ser cumprido. Então não cortaria o cabelo?

— Não, senhor, realmente não conseguiria — respondi com firmeza.

— Ah, está certo; então isso resolve o assunto. É uma pena, porque nos outros aspectos você realmente nos atenderia muito bem. Nesse caso, Miss Stoper, é melhor eu inspecionar mais algumas de suas jovens senhoras.

A gerente que durante todo esse tempo ocupara-se com seus papéis sem dizer uma palavra a nenhum de nós, olhou para mim com tanta irritação no rosto que não pude deixar de suspeitar que ela havia perdido uma comissão considerável com a minha recusa.

— Você deseja que seu nome seja mantido nos livros? — ela perguntou.

— Por favor, Miss Stoper.

— Realmente, parece um pouco inútil, já que você recusa uma oferta excelente dessa maneira — disse ela bruscamente. Não conte com nosso esforço para encontrar outra oportunidade como essa. Bom dia para você, Srta. Hunter.

Ela bateu um gongo que estava em cima da mesa e um criado me encaminhou à porta.

Sr. Holmes, quando voltei para minha casa e encontrei poucos suprimentos no armário, e duas ou três contas a pagar em cima da mesa, comecei a me perguntar se não havia feito uma coisa muito tola. Afinal, se essas pessoas tinham caprichos estranhos e esperavam obediência nos assuntos mais delicados, estavam pelo menos prontas a pagar por sua excentricidade. Poucas governantas da Inglaterra recebem cem libras por ano. Além disso, de que me servia o cabelo? Muitas pessoas ficam bem usando-os curtos e talvez eu pudesse estar entre elas. No dia seguinte, já estava inclinada a pensar que havia cometido um erro e, no dia seguinte, tinha certeza disso. Eu quase tinha superado meu orgulho a ponto de voltar à agência e perguntar se a vaga ainda estava aberta quando recebi essa carta do próprio cavalheiro. Eu a tenho aqui e vou ler para o senhor:

As faias de cobre, perto de Winchester.

Cara Senhorita Hunter, a Miss Stoper gentilmente me deu seu endereço, e escrevo daqui para perguntar se a senhorita reconsiderou sua decisão. Minha esposa gostaria que você viesse, pois ela ficou muito satisfeita com sua descrição feita por mim. Oferecemos-lhe trinta libras por trimestre ou cento e vinte libras por ano, a fim de recompensá-lo por qualquer inconveniente que nossos caprichos possam lhe causar. Eles não são muito rígidos, afinal. Minha esposa gosta de um tom particular de azul-elétrico e gostaria que você usasse um vestido dessa cor, dentro de casa, em certas ocasiões. Você não precisa, no entanto, comprá-lo, pois temos um que pertenceu a nossa querida filha Alice — agora na Filadélfia —, que, eu acho, caberia em você muito bem. Quanto ao ficar sentada aqui ou ali, ou se divertir de uma maneira indicada, isso não deve causar-lhe nenhum inconveniente. Ao que diz respeito ao seu cabelo, é sem dúvida uma pena, especialmente porque não pude deixar de observar sua beleza durante nossa curta entrevista, mas permaneço firme nesse ponto, e só espero que o aumento de salário possa recompensá-la pela perda. Seus deveres, no que diz respeito à criança, são muito leves. Venha, e eu a buscarei com a charrete em Winchester. Por favor, me informe o horário do trem que a trará.

Com os meus cumprimentos,

Jephro Rucastle.

Essa é a carta que acabei de receber, Sr. Holmes, e estou decidida a aceitar o emprego. No entanto, pensei que antes de dar o passo final gostaria de submeter todo o assunto a sua consideração.

— Srta. Hunter, se você estiver decidida, isso resolve a questão — disse Holmes, sorrindo.

— Mas o senhor não me aconselharia a recusar?

— Confesso que não é a situação para a qual gostaria de ver uma irmã se candidatar.

— Qual é o significado de tudo isso, Sr. Holmes?

— Ah, eu não tenho dados. Eu não posso dizer. Talvez a senhorita tenha formado alguma opinião?

— Bem, parece-me que há apenas uma situação provável: o Sr. Rucastle parece ser um homem muito gentil e de boa índole. É possível que sua esposa seja louca, que ele deseje manter o assunto em segredo por medo de que ela seja levada para um asilo e que ele atenda suas fantasias de todas as maneiras para evitar um surto?

— Essa é uma situação possível — na verdade, como os fatos se apresentam, é a mais provável. Mas, de qualquer forma, não parece ser um bom lar para uma jovem.

— Mas o dinheiro, Sr. Holmes, o dinheiro!

— Sim, é claro que o salário é bom — muito bom. É isso que me deixa intrigado! Por que eles deveriam pagar cento e vinte libras por ano, quando poderiam pagar quarenta libras? Deve haver uma forte razão por trás disso.

— Pensei que, se eu lhe contasse as circunstâncias, o senhor entenderia melhor se depois eu precisasse da sua ajuda. Eu me sentiria muito mais forte se soubesse que o tenho ao meu lado.

— Oh, você pode levar esse sentimento consigo. Garanto-lhe que o seu problema promete ser o mais interessante que tenho há alguns meses. Há algo claramente novo em alguns dos seus aspectos. Se a senhorita se encontrar em dúvida ou em perigo...

— Perigo? Que perigo o senhor imagina?

Holmes balançou a cabeça gravemente.

— Deixaria de ser um perigo se pudesse defini-lo — disse ele. Mas a qualquer hora, dia ou noite, um telegrama me levará a ajudá-la.

— É suficiente.

Miss Hunter levantou-se rapidamente da cadeira sem ter mais a ansiedade estampada no rosto.

— Agora vou a Hampshire bem mais tranquila. Escreverei para o Sr. Rucastle de uma vez. Sacrificarei meus pobres cabelos esta noite e partirei para Winchester amanhã.

Com algumas palavras de agradecimento a Holmes, ela nos deu boa-noite e seguiu seu caminho.

— Pelo menos — eu disse quando ouvimos seus passos rápidos e firmes descendo as escadas —, ela parece ser uma jovem capaz de cuidar de si mesma.

— E ela precisará — disse Holmes gravemente. Estarei muito enganado se não tivermos notícias dela antes que muitos dias se passem.

Não demorou muito para que a previsão do meu amigo fosse cumprida. Passaram-se quinze dias, durante os quais frequentemente encontrei meus pensamentos voltados na direção dela e me perguntando em que estranha experiência humana essa mulher solitária se envolvera. O salário incomum, as condições curiosas, as tarefas leves, tudo indicava algo anormal, se se tratava de uma mania ou uma loucura, ou se o homem era um filantropo ou um vilão, estava muito além do meu poder determinar. Quanto a Holmes, observei que ele se sentava por meia hora a fio, com sobrancelhas caídas e ar concentrado, mas ele recusava o assunto com um aceno de mão quando eu o mencionava.

— Dados! Dados! Dados! — exclamava impaciente. Eu não posso fazer tijolos sem argila.

258

E, no entanto, ele sempre acabava murmurando que nenhuma irmã sua aceitaria um emprego tão excêntrico quanto aquele.

O telegrama, que finalmente recebemos, chegou tarde da noite, no momento em que eu pensava em retirar-me para dormir e Holmes estava se dedicando a uma daquelas pesquisas químicas que ele costumava fazer durante toda a noite, quando eu o deixava curvado sobre uma retorta e um tubo de ensaio e encontrava-o na mesma posição quando descia para tomar o café da manhã. Ele abriu o envelope amarelo e, olhando a mensagem, jogou-o para mim.

— Pesquise os trens no Bradshaw — disse ele, e voltou aos seus estudos de química.

A carta foi breve e urgente:

Por favor, esteja no Black Swan Hotel em Winchester ao meio-dia de amanhã.

Venha!

Estou no limite.

Hunter

— Você vem comigo? — perguntou Holmes, olhando para cima.

— Eu gostaria.

— Então veja os horários dos trens, por favor.

— Há um trem às nove e meia — eu disse olhando no meu Bradshaw. — Chega a Winchester às 11h30min.

— Esse nos servirá. — Vou adiar minha análise das acetonas, pois precisamos estar no nosso melhor pela manhã.

Às onze horas do dia seguinte, estávamos a caminho da antiga capital inglesa. Holmes havia si enterrado nos jornais da manhã durante toda a viagem, mas depois de passarmos a fronteira de Hampshire, ele os jogou no chão e começou a admirar a paisagem. Era um dia ideal de primavera, um céu azul claro, salpicado de pequenas nuvens brancas flutuando de oeste para leste. O sol estava brilhando muito e havia um ar frio, que estabelecia um vigor em nós. Por todo o campo, longe das colinas ao redor de Aldershot, os pequenos telhados vermelhos e cinzas das fazendas apareciam no meio do verde claro da nova folhagem.

— Elas não são claras e bonitas? — exclamei com todo o entusiasmo de um homem recém-saído da neblina da Baker Street.

Mas Holmes balançou a cabeça gravemente.

— Você sabe, Watson —, que uma das maldições de uma mente como a minha é olhar para tudo tendo como referência o meu trabalho investigativo. Você olha para essas casas espalhadas e fica impressionado com a beleza delas. Quando eu olho para elas, o único pensamento que me ocorre é o sentimento do isolamento e da impunidade com que o crime pode ser cometido lá.

— Deus do céu! — eu disse. Quem associaria o crime a essas antigas e lindas moradas?

— Elas sempre me enchem de certo horror. Acredito, Watson, fundamentado em minha experiência, que os becos mais baixos e vis de Londres não apresentam um registro de pecado mais terrível que essa paisagem sorridente e bonita da região rural.

— Você me horroriza!

— Mas o motivo é muito óbvio. A pressão da opinião pública pode fazer na cidade o que a lei não pode realizar. Não há beco tão vil que o grito de uma criança torturada, ou o baque do golpe de um bêbado, não gere simpatia e indignação entre os vizinhos, e então todo o mecanismo da justiça, que está tão próximo, apenas uma palavra de queixa pode movimentar fazendo que exista só um passo entre o crime e o banco de réus. Olhe para essas casas solitárias, cada uma em seus próprios campos, habitadas, em sua maioria, por pessoas ignorantes e pobres que pouco sabem da lei. Pense nas ações da crueldade infernal, na maldade oculta que pode persistir, ano após ano, nesses lugares, sem que ninguém mais sábia. Se essa senhorita que nos pede ajuda fosse morar em Winchester, eu não me preocuparia com dela. São os oito quilômetros para dentro do campo que fazem o perigo. Ainda assim, é claro que ela não está pessoalmente ameaçada.

— Não. Se ela pode vir a Winchester nos encontrar, poderia fugir.

— Sim. Ela tem liberdade.

— Qual será o problema então? — Você pode sugerir uma explicação?

— Imaginei sete explicações, cada uma delas cobrindo os fatos até onde os conhecemos. Mas qual delas está correta só pode ser determinado pelas novas informações que, sem dúvida, acharemos esperando por nós. Ali está a torre da catedral, e em breve escutaremos tudo o que a senhorita Hunter tem para contar.

O Cisne Negro era uma estalagem de renome na High Street, a pouca distância da estação, e lá encontramos a jovem a nossa espera. Ela havia ocupado uma sala de estar, e nosso almoço nos esperava em cima da mesa.

— Estou tão feliz que vocês vieram — disse ela sinceramente. Foi muito gentileza de vocês dois; mas, de fato, não sei o que devo fazer. Seus conselhos serão importantíssimos para mim.

— Por favor, conte-nos o que aconteceu com você — disse Holmes.

— Farei isso e devo ser rápida, pois prometi ao Sr. Rucastle voltar antes das três. Consegui a licença para vir à cidade hoje de manhã, embora ele não soubesse com que propósito.

— Diga tudo em sua devida ordem.

Holmes estendeu as longas pernas finas em direção ao fogo e se preparou para ouvir.

— Em primeiro lugar, posso dizer que não sofri maus tratos por parte do Sr. e da Sra. Rucastle. É justo para com eles eu dizer isso, mas não consigo entendê-los e não estou tranquila em relação a eles.

— O que você não pode entender?

— Suas razões para algumas condutas. Vou explicar exatamente como ocorreu: quando cheguei, o Sr. Rucastle me encontrou aqui e me levou em sua charrete até as Faias de Cobre. É como ele disse: maravilhosamente situada. Mas a casa não é bonita por si só, pois é um grande bloco quadrado, caiado de branco e todo manchado e riscado pelo clima úmido e ruim. Há terrenos ao redor, bosques dos três lados e, no quarto, um campo que desce até a estrada de Southampton, que se curva a cerca de cem metros da porta da frente. Esse terreno na frente pertence à casa, mas a floresta ao redor faz parte das reservas de lorde Southerton. Um grupo de faias de cobre deu nome ao local.

Fui recebida pelo meu empregador, que estava mais amável que nunca, e fui apresentada por ele, naquela noite, à esposa e ao filho. — Holmes, não havia verdades nas conjecturas que nos pareciam prováveis quando estive em sua casa na Baker Street. A Sra. Rucastle não está louca. Ela é uma mulher silenciosa e de rosto pálido, muito mais jovem que o marido, não mais que trinta anos, eu acho, enquanto ele não aparenta menos de quarenta e cinco anos. Pela conversa deles, concluí que eles se casaram há cerca de sete anos, que ele era viúvo e que teve com a primeira esposa a filha que foi para a Filadélfia. O Sr. Rucastle me disse em particular que a razão pela qual ela os havia deixado era sua aversão irracional à madrasta. Como a filha não poderia ter menos de vinte anos, imagino que devesse se sentir pouco confortável em relação a juventude da mulher de seu pai.

A Sra. Rucastle pareceu-me tediosa, tanto na mente quanto nas características físicas. Ela não me impressionou favoravelmente nem ao contrário. Ela é uma nulidade. É fácil ver que ela é apaixonadamente devotada ao marido e ao filho pequeno. Seus olhos cinza-claros vagam continuamente de um para o outro, observando cada pequeno desejo e realizando-o, se possível. O Sr. Rucastle também é gentil com ela, a sua maneira brusca e barulhenta, e no geral eles parecem ser um casal feliz. E, no entanto, ela tem uma tristeza secreta. Ela frequentemente se perde em pensamentos profundos, com um olhar muito triste em seu rosto. Mais de uma vez eu a surpreendi em lágrimas. Às vezes, pensei que era o jeito de seu filho que pesava em sua mente, pois nunca encontrei uma criaturinha tão estragada pelos mimos e tão mal-humorada. Ele é pequeno para a idade e tem uma cabeça desproporcionalmente grande. Toda a sua vida parece se passar com a alternância entre ataques selvagens de raiva e intervalos sombrios de melancolia. Causar dor a qualquer criatura mais fraca parece ser a sua única maneira de diversão, e ele mostra um talento notável no planejamento da captura de ratos, passarinhos e insetos. Mas prefiro não falar sobre essa criatura, Sr. Holmes, e, de fato, ele tem pouco a ver com a minha história.

— Estou satisfeito com todos os detalhes — comentou meu amigo —, quer pareçam relevantes ou não.

— Tentarei não pular nada de importante. A única coisa desagradável na casa e que me impressionou foi a aparência e a conduta dos criados. Existem apenas dois, um homem e sua esposa. Toller — esse é o nome dele — é um homem rude, com cabelos grisalhos e bigodes, e um cheiro perpétuo de bebida. — Por duas vezes, desde que estou com eles, ficou totalmente bêbado e, no entanto, o Sr. Rucastle parecia não perceber. Sua esposa é uma mulher muito alta e forte, com um rosto azedo, tão silenciosa quanto a

Sra. Rucastle e muito menos amável. Eles formam um casal muito desagradável, mas felizmente passo a maior parte do tempo no quarto com o menino ou no meu próprio quarto; um ao lado do outro em um canto da casa.

Durante dois dias após minha chegada às Faias de Cobre, minha vida ficou muito tranquila; no terceiro, a Sra. Rucastle desceu logo após o café da manhã e sussurrou algo para o marido.

— Ah, sim — disse ele virando-se para mim —, somos muito gratos a você, Srta. Hunter, por nos atender e ter cortado seu cabelo. Garanto-lhe que isso não prejudicou nem um pouco a sua aparência. Vamos agora ver como o vestido azul-elétrico ficará em você.

Você o encontrará em cima da cama do seu quarto e fará o favor de colocá-lo. Nós dois ficaremos muito gratos.

— O vestido que encontrei me esperando tinha um tom peculiar de azul. Era de excelente material, mas apresentava sinais inconfundíveis de ter sido usado antes. Não poderia ter ficado me-lhor se tivesse sido feito sob medida. Tanto o Sr. como a Sra. Rucastle expressaram sua satisfação com a minha aparência, o que me pareceu bastante exagerada, tal foi a demonstração. Eles estavam me esperando na sala de estar, que é uma sala muito grande, estendendo-se por toda a frente da casa, com três janelas compridas que descem até o chão. Uma cadeira foi colocada perto da janela central, com as costas viradas para ela. Fui convidada a sentar e, em seguida, o Sr. Rucastle, andando de um lado ao outro lado da sala, começou a me contar uma série das histórias: as mais engraçadas que já ouvi. Vocês não podem imaginar como ele é cômico, e ri até ficar bastante cansado. A Sra. Rucastle, no entanto, evidentemente não tem senso de humor, não sorriu e sentou-se com as mãos no colo e um olhar triste e ansioso no rosto. Depois de mais ou menos uma hora, o Sr. Rucastle comentou subitamente que era hora de começar as tarefas do dia, e que eu poderia trocar de roupa e ir até o quarto do pequeno Edward.

Dois dias depois, esse mesmo fato se repetiu sob circunstân-cias exatamente iguais. Mais uma vez troquei de vestido, sentei-me perto a janela e ri muito com as histórias engraçadas das quais meu empregador tinha um imenso repertório, e que ele contava de maneira inimitável. Então ele me entregou um romance de capa amarela, e movendo minha cadeira um pouco para o lado, para que minha própria sombra não caísse sobre a página, ele me pediu para ler em voz alta para ele. Eu li por cerca de dez minutos, começando no meio de um capítulo e, de repente, no meio de uma frase, ele ordenou que eu parasse e trocasse de roupa.

O senhor pode facilmente imaginar, Sr. Holmes, o quão curiosa fiquei com o significado dessa atitude extraordinária. Eles sempre foram muito cuidadosos em desviar meu olhar colocandome à janela, de modo que ficava consumida pelo desejo de ver o que estava acontecendo nas minhas costas. A princípio parecia-me impossível, mas logo achei um meio: meu espelho de mão havia quebrado e então um pensamento feliz tomou conta de mim e eu escondi um pedaço do vidro no meu lenço. Na ocasião seguinte, no meio da minha risada, coloquei meu lenço nos olhos e pude, com um pouco de sorte, ver tudo o que acontecia atrás de mim. Confesso que fiquei desapontada: não havia nada. — Pelo menos essa foi minha primeira impressão. Na segunda vez que olhei, no entanto, percebi que havia um homem parado na Southampton Road, um pequeno homem barbudo, de terno cinza, que parecia estar olhando na minha direção. A estrada é uma via importante, e geralmente há pessoas lá. Esse homem, no entanto, estava encostado nas grades que ladeavam o nosso terreno e estava olhando atentamente para cima. Abaixei meu lenço, olhei para a Sra. Rucastle e pude perceber seus olhos fixos em mim. Ela não disse nada, mas estou convencida de que ela sabia que eu tinha um espelho na mão e tinha visto o que estava atrás de mim. Ela se levantou de uma vez e disse:

— Jephro, há um sujeito impertinente na estrada olhando para Miss Hunter.

— Algum amigo seu, Srta. Hunter? — ele perguntou.

— Não, não conheço ninguém nessa região.

— Que impertinente! Por favor, vire-se e faça um gesto para ele ir embora.

— Certamente seria melhor ignorá-lo!

— Não, não, o teríamos por aqui sempre. — Por favor, vire-se e acene para ele se ir.

Fiz o que me disseram e, no mesmo instante, a Sra. Rucastle fechou a cortina. — Isso foi há uma semana e, desde então, não me sentei novamente à janela, não usei o vestido azul e nem vi o homem na estrada.

264

— Por favor, continue — disse Holmes. Sua narrativa promete ser muito interessante.

— O senhor a achará bastante desconectada, temo, pois há pouca relação entre os diferentes incidentes sobre os quais lhe falarei: no primeiro dia em que cheguei à Faias de Cobre no o Sr. Rucastle me levou a uma pequena casinha que fica perto da porta da cozinha. Quando nos aproximamos, ouvi o barulho agudo de uma corrente e o som de um animal grande se movendo.

— Olhe aqui! — disse o Sr. Rucastle, mostrando-me uma fenda entre duas tábuas. Ele não é uma beleza?

Olhei através da fenda e vi dois olhos brilhantes de uma figura vaga, encolhida na escuridão.

— Não tenha medo — disse meu empregador, rindo do susto que eu levara. É apenas Carlo, meu mastim. Eu o chamo de meu, mas o velho Toller, meu criado, é o único homem que pode lidar com ele. Nós o alimentamos uma vez por dia, e não muito, para que ele fique sempre faminto. Toller o deixa solto todas as noites, e Deus ajude o invasor no qual ele colocar suas presas. Pelo amor de Deus, nunca, sob nenhum pretexto, ponha os pés fora da casa à noite ou sua vida estará acabada.

O aviso não era à toa, pois duas noites depois eu olhei pela janela do meu quarto cerca das duas horas da manhã; era uma bela noite de luar, e o gramado em frente à casa estava prateado e quase tão brilhante quanto o dia. Eu estava de pé, extasiada com a beleza pacífica da cena, quando percebi que algo se movia sob a sombra das faias de cobre; quando emergiu no luar, vi o que era: era um cachorro gigante, do tamanho de um bezerro, com um tom avermelhado, com a mandíbula pendurada, focinho preto e enormes ossos salientes. Caminhou lentamente pelo gramado e desapareceu na sombra do outro lado. Aquela terrível sentinela enviou um calafrio ao meu coração, o que não creio que nenhum ladrão faria com tamanho horror.

E agora tenho uma experiência muito estranha para contar: como vocês sabem, eu tinha cortado meu cabelo em Londres e o guardara em um grande cacho na parte inferior do meu baú.

— Uma noite, depois que a criança estava na cama, comecei a me divertir examinando os móveis do meu quarto e reorganizando minhas próprias coisas. Havia uma cômoda velha no quarto com três gavetas. As duas superiores vazias e abertas, a inferior trancada. Enchi as duas primeiras com minhas roupas e, como ainda tinha muito que guardar, fiquei naturalmente irritada por não poder usar a terceira gaveta. Me ocorreu que poderia ter sido trancada por um mero descuido, então peguei meu molho de chaves e tentei abri-la. A primeira chave se encaixou perfeitamente, e eu abri a gaveta. Havia apenas uma coisa, mas tenho certeza que vocês nunca imaginariam o que era: era o meu cacho de cabelos.

Eu o peguei e examinei. Tinha o mesmo tom peculiar e a mesma espessura, mas então a impossibilidade do fato caiu sobre mim. Como meu cabelo poderia ter sido trancado naquela gaveta? Com as mãos trêmulas, desfiz o meu baú e puxei de baixo o meu cacho de cabelos. Coloquei as duas madeixas juntas e garanto-lhes que elas são idênticas. Não é extraordinário? Por mais que eu quisesse, não conseguia pensar em nada que explicasse aquilo. Devolvi o cabelo à gaveta e não disse nada aos Rucastles, pois senti que havia errado ao abrir aquela gaveta que eles trancaram.

Sou naturalmente observadora, como você deve ter notado, Sr. Holmes, e logo tive um bom desenho de toda a casa na minha cabeça. Havia uma ala, que parecia não ser habitada. Uma porta que dava para aquela que levava aos aposentos dos Tollers se abria para esses cômodos, mas estava invariavelmente trancada. Um dia, no entanto, quando estava na escada, encontrei o Sr. Rucastle saindo por essa porta, com as chaves na mão e um olhar no rosto que o tornava uma pessoa muito diferente do homem gordo e tranquilo a quem eu estava acostumada. Suas bochechas estavam vermelhas, sua testa estava toda enrugada, e as veias se destacavam em suas têmporas por causa da raiva. Ele trancou a porta e passou direto por mim sem dizer uma palavra ou dar um olhar.

Isso despertou minha curiosidade, então, quando saí para passear no terreno com a criança sob minha responsabilidade, caminhei para o lado de onde podia ver as janelas desta parte da casa. Havia quatro janelas seguidas, três das quais estavam simplesmente sujos, enquanto a quarta estava trancada. Todos estavam evidentemente em desuso. Enquanto eu passeava de um lado para o outro, olhando ocasionalmente para elas, o Sr. Rucastle veio até mim, parecendo tão alegre e tranquilo como sempre.

— Ah! — disse ele: — Não deve me achar rude por ter passado por você sem dizer uma palavra, minha cara jovem. Eu estava preocupado com assuntos de negócios.

Eu garanti a ele que não estava ofendida.

— A propósito — eu disse —, vocês parecem ter um conjunto de quartos extras lá em cima, e um deles está bloqueado com tábuas!

Ele pareceu-me surpreso e um pouco assustado com a minha observação.

— Fotografia é um dos meus *hobbies* — disse ele. Eu fiz meu quarto escuro lá em cima. Mas, meu Deus! Que jovem observadora encontramos! — Quem teria imaginado? Quem acreditaria nisso? Ele falou em tom de brincadeira, mas não havia brincadeira em seus olhos quando ele olhou para mim: eu li suspeita e aborrecimento, nenhuma brincadeira.

Bem, Sr. Holmes, a partir do momento em que entendi que havia algo naquele conjunto de quartos que eu não deveria saber, eu estava pegando fogo para examiná-los. Não era mera curiosidade, embora a tenha sempre em mim. Era mais um sentimento de dever — um sentimento de que algo de bom poderia acontecer com a minha penetração naquele lugar. Falam muito do instinto da mulher; talvez tenha sido ele que me deu esse sentimento. De qualquer forma o sentimento estava em mim, e eu estava atenta a qualquer chance de passar pela porta proibida.

— Foi ontem que chegou a chance. Posso lhe dizer que, além do Sr. Rucastle, Toller e sua esposa encontravam algo para fazer nesses quartos desertos, e uma vez o vi, passando pela porta, carregando uma grande bolsa de linho preto. Recentemente, ele estava bebendo muito e ontem à noite estava muito bêbado; e quando subi ao segundo andar, havia uma chave na porta proibida. Não tenho dúvidas de que ele a esqueceu lá. O Sr. e a Sra. Rucastle estavam no andar de baixo e a criança estava com eles, de modo que tive uma oportunidade admirável. Girei a chave suavemente na fechadura, abri a porta e deslizei por ela.

Havia um pequeno corredor a minha frente, sem papel e sem tapete, que dobrava em ângulo reto na extremidade mais distante. Ao virar a esquina havia três portas em fila, a primeira e a terceira estavam abertas. Cada uma delas conduzia a uma sala vazia, empoeirada e sombria, com duas janelas em uma e uma janela na outra, tão espessas de sujeiras que a luz da noite brilhava vagamente através delas. A porta central estava fechada e, do lado de fora, bloqueando-a havia uma barra larga de ferro, presa, em uma extremidade, com um cadeado a um anel na parede e a outra ponta estava presa com um cordão robusto. A porta estava trancada e a chave não estava lá. Essa porta barricada correspondia claramente à janela fechada pelo lado de fora, e, no entanto, pude ver pelo brilho por baixo dela que a sala não estava na escuridão. Evidentemente, havia uma claraboia que deixava entrar luz do alto. Enquanto eu estava no corredor, olhando para a porta sinistra e me perguntando que segredo ela poderia esconder, ouvi o som de passos dentro da sala e vi uma sombra passar, de lado ao outro, contra a pequena faixa de luz fraca que brilhava debaixo da porta. Um terror louco e irracional surgiu em mim, Sr.Holmes. Meus nervos abalados falharam de repente, e eu me virei e corri... corri como se uma mão terrível estivesse atrás de mim, agarrando a saia do meu vestido. Corri pela passagem, atravessei a porta e fui direto para os braços do Sr. Rucastle, que estava esperando do lado de fora.

— Então — disse ele, sorrindo —, era você! Pensei mesmo que fosse, quando vi a porta aberta

— Oh, estou com tanto medo! — eu ofeguei.

— Minha cara jovem! Minha querida jovem! — vocês não podem imaginar o quão carinhoso e tranquilizador eram seus modos. — O que a assustou?

— Mas a voz dele era um pouco persuasiva. Ele exagerou. — Eu estava profundamente em guarda contra ele.

— Fui tola o suficiente para entrar na ala vazia — respondi. É tudo tão solitário e misterioso nessa luz fraca que fiquei com medo e acabei saindo. Oh, tão terrivelmente quieto lá!

— Só isso? — disse ele, olhando-me atentamente.

— Por que pergunta? — eu falei.

— Por que você acha que eu tranco essa porta?

— Não sei! — respondi tentando me acalmar.

— É para manter do lado de fora as pessoas que não têm o que fazer lá. Entendeu agora?

Ele ainda estava sorrindo de uma maneira amigável.

— Se eu soubesse...

— Bem, então, agora sabe. E se você voltar a pisar naquele limiar novamente — aqui, em um instante, o sorriso passou a expressar raiva, e ele olhou para mim com o rosto de um demônio — vou jogá-la ao mastim.

Fiquei tão aterrorizada que não sei o que fiz. Suponho que devo ter passado por ele correndo para o meu quarto. Não me lembro de nada até me encontrar deitada em minha cama tremendo por toda parte. Então pensei no senhor, Sr. Holmes. Eu não poderia morar lá por mais tempo sem alguns conselhos. Eu tenho medo da casa, do homem, da mulher, dos criados e até da criança. — Eles são todos horríveis, eu acho. Se eu pudesse lhe encontrar, tudo ficaria bem. É claro que eu poderia ter fugido de casa, mas minha curiosidade é quase tão forte quanto meus medos. Minha mente logo se decidiu: eu mandaria um telegrama para o senhor. Coloquei o chapéu e a capa, desci à agência, a cerca de 800 metros da casa, e depois voltei, me sentindo muito mais leve. Uma dúvida horrível veio a minha mente quando me aproximei da porta: e o cachorro? Mas lembrei-me de que Toller havia se embriagado até um estado de insensibilidade naquela noite e sabia que ele era o único na casa que tinha alguma influência sobre a criatura selvagem ou que ousaria soltá-lo. Eu entrei em segurança e fiquei acordada a metade da noite na ansiedade de vê-lo. Não tive dificuldade em conseguir licença para vir a Winchester hoje de manhã, mas devo voltar antes das três horas. O Sr. e a Sra. Rucastle vão fazer uma visita e ficarão fora a noite toda, de modo que devo cuidar da criança. Agora que contei todas as minhas aventuras, Sr. Holmes, ficaria muito feliz se pudesse me dizer o que tudo isso significa e o que devo fazer.

Holmes e eu ouvimos, fascinados, essa história extraordinária. Meu amigo levantou-se e andava de um lado para o outro da sala, com as mãos nos bolsos e uma expressão da mais profunda gravidade estava em seu rosto.

— Toller ainda está bêbado? — ele perguntou.

— Sim. Ouvi a esposa dele dizer à Sra. Rucastle que não consegue acordá-lo.

— Está bem. E os Rucastles saem esta noite?

— Sim.

— Existe um porão com uma boa fechadura?

— Sim, a porta da adega.

— Parece-me que você agiu durante todo esse assunto como uma garota muito corajosa e sensível, Srta. Hunter. Você acha que poderia realizar mais uma façanha? Não perguntaria se não a considerasse uma mulher excepcional.

— Eu vou tentar. Do que se trata?

— Estaremos nas Faias de Cobre às sete horas, meu amigo e eu. Os Rucastles já terão saído a essa hora e Toller ainda estará dormindo. Restará apenas a Sra. Toller, que poderá por tudo a perder. Se você pudesse enviá-la para o porão, com alguma tarefa, e depois virar a chave da porta, facilitaria tudo imensamente.

— Eu farei.

— Excelente! Vamos então examinar minuciosamente o caso. Obviamente, há apenas uma explicação viável: você foi trazida para personificar alguém, e a pessoa real está presa naquele quarto. Isso é óbvio. Quanto a quem é o prisioneiro, não tenho dúvidas de que é a filha, senhorita Alice Rucastle, se bem me lembro, que teria sido dito ter ido para a América. Você foi escolhida, sem dúvida, por assemelhar-se a ela em altura, corpo e cor de cabelo. O dela foi cortado, possivelmente em alguma doença pela qual passou, e, é claro, o seu também teve que ser sacrificado. — Por uma curiosa chance, você encontrou as madeixas dela. O homem na estrada era sem dúvida algum amigo dela — possivelmente seu noivo — e sem dúvida, como você usava o vestido da garota e era tão parecida com ela, ele se convenceu pelas suas risadas e depois por seu gesto, que a senhorita Rucastle estava perfeitamente feliz e que não desejava mais suas atenções. O cão é solto à noite para impedir que ele se comunique com ela. Até aqui, tudo é bastante claro. O ponto mais obscuro no caso é a disposição da criança.

— Que diabos isso tem a ver? — perguntei

— Meu caro Watson, você, como médico, está continuamente ganhando luz sobre as tendências de uma criança através do estudo das atitudes dos pais. Você não vê que o inverso é igualmente válido? Frequentemente, adquiro minha primeira percepção real do caráter dos pais estudando seus filhos. O temperamento dessa criança é singularmente cruel — de uma crueldade gratuita —, se ele deriva do pai sorridente, ou como suspeito, da sua silenciosa mãe, temos perspectivas negativas para a pobre garota que está em poder deles.

270

— Tenho certeza de que o senhor está certo, Sr. Holmes — exclamou nossa cliente. Mil coisas, que me lembro agora, garantem que o senhor está certo. Oh, não vamos perder um instante. Precisamos ajudar aquela pobre criatura.

— Devemos ser cautelosos, pois estamos lidando com um homem muito astuto. Não podemos fazer nada até as sete horas. Nessa hora estaremos com você, e não demorará muito para resolvermos o mistério.

Fomos pontuais e às sete horas chegamos às Faias de Cobre, depois de deixarmos nossa charrete em um bar público à beira do caminho. O grupo de árvores, com as folhas escuras brilhando como metal polido à luz do sol poente, era suficiente para indicar a casa, mesmo que a Srta. Hunter não estivesse de pé sorrindo na soleira da porta.

— A senhorita conseguiu? — perguntou Holmes.

Um barulho alto veio de algum lugar no andar de baixo.

— Essa é a Sra. Toller no porão da adega — disse ela. O marido dela está roncando no tapete da cozinha. Aqui estão as chaves dele, que são copias das do Sr. Rucastle.

— Fez um bom trabalho! — exclamou Holmes com entusiasmo. — Agora, mostre-nos o caminho e em breve veremos o fim desse caso terrível.

Subimos a escada, destrancamos a porta, seguimos por um corredor e nos encontramos diante da barricada que Miss Hunter havia descrito. Holmes cortou o cordão e removeu a barra transversal. Então ele tentou as várias chaves na fechadura, mas sem sucesso. Nenhum som veio de dentro e, no silêncio, o rosto de Holmes ficou nublado.

— Espero não ser tarde demais — disse ele. Miss Hunter, acho melhor entrarmos sem a senhorita. Watson, forcemos a porta com o ombro e vejamos se conseguiremos abri-la.

Era uma porta velha e frágil e cedeu imediatamente a nossa força unida. Juntos, entramos no quarto. Estava vazio. Não havia móveis, exceto uma pequena cama de paletes, uma mesa pequena e um cesto para roupas. A claraboia estava aberta e o prisioneiro não estava mais ali.

— Houve alguma armadilha aqui — disse Holmes; o miserável previu as intenções da senhorita Hunter e levou sua vítima embora.

— Mas como?

— Pela claraboia. Logo veremos como ele conseguiu.

Holmes pendurou-se na beirada da claraboia e subiu no telhado.

— Ah, sim — ele exclamou — aqui está a ponta de uma longa escada apoiada no beiral do telhado. Foi assim que ele tirou o prisioneiro.

— Mas é impossível — disse Miss Hunter. — A escada não estava lá quando os Rucastles saíram.

— Ele voltou e fez isso. Eu lhe digo que ele é um homem inteligente e perigoso. Eu não ficaria muito surpreso se fosse desse sujeito os passos que ouço agora na escada. Watson, acho que seria bom você ter sua pistola pronta.

As palavras mal saíram de sua boca e um homem apareceu na porta da sala; um homem muito gordo, com um porrete pesado na mão. A senhorita Hunter gritou e encolheu-se contra a parede ao vê-lo, mas Sherlock Holmes saltou para frente e o confrontou.

— Seu vilão! Onde está sua filha?

— O homem gordo arregalou os olhos e depois olhou para a claraboia aberta.

— Eu pergunto isso — ele gritou. Foram vocês ladrões! Espiões e ladrões! Eu peguei vocês, não peguei? Vocês estão em meu poder. Eu acabarei com vocês!

Ele se virou e desceu as escadas o mais rápido que pôde.

— Ele vai trazer o cachorro! — gritou Miss Hunter.

— Eu tenho meu revólver!

— Melhor fechar a porta da frente — disse Holmes.

Todos corremos escada abaixo juntos. Mal tínhamos chegado ao salão quando ouvimos o latido de um cão e, em seguida, um grito de agonia e o som horrível de dentes rasgando entre rosnados horripilantes. Um homem idoso de rosto vermelho e membros trêmulos apareceu cambaleando na porta lateral.

— Meu Deus! — ele disse. Alguém soltou o cachorro. Não é alimentado por dois dias. Rápido, rápido, ou será tarde demais!

Holmes e eu corremos para fora e contornamos o ângulo da casa, com Toller correndo atrás de nós. Lá estava o enorme animal faminto com seu focinho preto enterrado na garganta de Rucastle enquanto ele gritava e se contorcia no chão. Atirando, eu explodi o cérebro do cão e ele caiu com seus dentes brancos afiados ainda presos às grandes dobras do pescoço do Sr. Rucastle. Com dificuldade, nós os separamos e carregamos o homem ainda vivo, mas horrivelmente mutilado, para dentro de casa. Nós o deitamos no sofá da sala e, depois de enviar, o agora sóbrio, Toller para dar as notícias à esposa, fiz o possível para aliviar-lhe a dor. Estávamos todos reunidos em volta dele quando a porta se abriu e uma mulher alta e magra entrou na sala.

— Sra. Toller! — gritou Miss Hunter.

— Sim senhorita! O Sr. Rucastle me deixou sair antes de ir até vocês. Ah, senhorita, é uma pena que você não tenha me informado o que estava planejando, pois eu teria lhe dito que seus esforços seriam desperdiçados.

— Ha! — disse Holmes, olhando-a atentamente. Está claro que a senhora Toller sabe mais sobre esse assunto que qualquer outra pessoa.

— Sim, senhor, eu sei, e estou pronta para contar-lhes.

— Então se sente e vamos ouvi-la, pois há vários pontos nos quais devo confessar que ainda estou no escuro.

— Em breve vou deixa-los claros — disse ela — e já o teria feito, se pudesse ter saído do porão. Se houver o envolvimento da polícia, o senhor se lembre de que fui eu quem contou-lhe tudo e que eu também era amiga da Miss Alice.

— Ouça: Alice nunca foi feliz em casa desde que seu pai se casou novamente. Ela era desprezada e não tinha voz. Tudo ficou pior quando ela conheceu o Sr. Fowler na casa de uma amiga. — Pelo que pude entender, a senhorita Alice tinha seus próprios di reitos na herança da mãe, mas era tão quieta e paciente que nund disse uma palavra sobre eles e deixava tudo nas mãos do Sr. R castle. — Ele sabia que não teria problemas com ela; mas quan houve a chance de um marido se apresentar e ela pedir tudo o a lei lhe daria por direito, seu pai pensou que era hora de e que isso acontecesse. — Queria que ela assinasse um papel, que, casada ou não, ele pudesse continuar administrando nheiro todo. — Como ela não assinou, ele ficou pressionand ela sofrer uma febre cerebral, e por seis semanas ficar à b morte. — Finalmente ela melhorou. Parecia um esquelet seus belos cabelos cortados; mas isso não fez nenhuma diferença para o seu pretendente e ele se manteve fiel como um verdadeiro o homem.

— Ah — disse Holmes —, o que a senhora nos contou deixa o assunto bem claro e eu posso deduzir tudo o que resta: o Sr. Rucastle, adotou o sistema do isolamento.

— Sim senhor.

— E trouxe Miss Hunter de Londres, a fim de se livrar da constante e desagradável persistência do Sr. Fowler.

— Foi o que aconteceu senhor.

— Mas o Sr. Fowler, sendo um homem perseverante, como deve ser um bom marinheiro, espionou a casa e, depois de conhecer a senhora, conseguiu através de argumentos, metálicos ou não, convencê-la de que seus interesses eram os mesmos que os dele.

— O Sr. Fowler é um cavalheiro muito generoso e gentil — disse a Sra. Toller sem se envergonhar.

— E dessa maneira ele conseguiu que não faltasse bebida ao seu marido e que uma escada estivesse pronta no momento em que seu patrão saísse — concluiu Holmes.

— Exatamente assim aconteceu, senhor.

— Devemos-lhe um pedido de desculpas, senhora Toller, pois ~~e~~nhora esclareceu tudo o que nos intrigava. Aí vem o médico ~~r~~egião e a Sra. Rucastle. Watson, é melhor escoltarmos a senhora Hunter de volta a Winchester, pois me parece que o nosso ~~s~~*tandi* agora é bastante questionável.

~~A~~ssim foi resolvido o mistério da casa sinistra com as faias à porta. O Sr. Rucastle sobreviveu, mas tornou-se um ~~frá~~gil, mantido vivo devido aos cuidados de sua devota ainda moram com seus antigos criados, que provavel~~mente sab~~em tanto a vida passada dos Rucastles que esses ~~não podem s~~e separarem deles. O Sr. Fowler e a Srta. Rucastle ~~casaram com~~ licença especial, em Southampton no dia seguinte ~~à fuga, e el~~e é titular no governo das Ilhas Maurício. Quanto ~~à Srta. Hun~~ter, meu amigo Holmes, para minha decepção, ~~perdeu o m~~ais interesse por ela quando deixou de ser o ~~centro de seu~~s problemas; e agora ela é diretora de uma ~~escola em W~~alsall, onde eu acredito tenha alcançado um

Fim

Este livro foi composto com a tipografia Times New Roman
e impresso pela Meta Brasil.